D1310686

COLLECTION
FOLIO CLASSIQUE

Marie de France

Lais

*Préface, traduction et notes
de Philippe Walter*

Professeur émérite à l'Université de Grenoble-Alpes

ÉDITION BILINGUE RÉVISÉE

Gallimard

PRÉFACE

Première femme poète de la littérature française dont la postérité ait retenu le nom, Marie de France occupe une place privilégiée dans la renaissance littéraire du XIIᵉ siècle. Ses lais, composés entre 1160 et 1180, se situent au confluent des deux grands courants littéraires de l'époque. La poésie lyrique des troubadours et les vieux contes celtiques s'unissent chez elle pour incarner les rêves parfois déraisonnables de l'utopie courtoise. Véritables nouvelles en vers, ses lais se déploient dans un univers poétique original où la séduction du récit d'aventures n'efface jamais l'effusion sentimentale et l'accent lyrique. Ils racontent des histoires d'amour et parfois de mort, souvent merveilleuses, qui constituent le socle d'une culture littéraire courtoise en plein épanouissement, grâce à l'œuvre romanesque de son contemporain Chrétien de Troyes.

L'écho des troubadours

L'œuvre de Marie de France s'inscrit avant tout dans le sillage de la révolution poétique inaugurée par les troubadours. Les lais ne peuvent se comprendre qu'à la lumière de cet arrière-plan lyrique qui en éclaire à la fois les thèmes et les enjeux poétiques. Ils sont travaillés par la nostalgie d'une musique originelle et fondatrice de toute la poésie romane. C'est Tristan lui-même qui aurait composé sur la harpe le lai du Chèvrefeuille :

Pur les paroles remembrer,
Tristram, ki bien saveit harper,
En aveit fet un nuvel lai[1]; (v. 111-113)

Filiation textuelle idéale, mythique sans nul doute, mais révélatrice d'une aspiration poétique. Marie se présente comme l'héritière directe du célèbre héros musicien qui lui inspire son art. Cette caution prestigieuse rejaillit alors sur l'ensemble de son recueil et vient colorer chacun des lais d'une antique mémoire de héros glorieux et d'amours magnifiques. À l'instar du Chèvrefeuille, *la conclusion de* Guigemar *laisse également pressentir la lointaine origine musicale du lai :*

Fu Guigemar le lai trovez,
Quë hum fait en harpe e en rote :
Bonë est a oïr la note[2]. (v. 884-886)

Il n'y a pourtant aucune trace de notation musicale dans les manuscrits qui ont conservé ces textes

1. «Pour se rappeler ces paroles, Tristan qui savait bien jouer de la harpe avait composé un nouveau lai;»
2. «On composa le lai de Guigemar qu'on joue sur la harpe et la rote. Sa musique est douce à entendre.»

*et l'on se demande s'ils ont vraiment été chantés. Le
mot* lai *se trouve en ancien provençal avant
le milieu du XIIᵉ siècle avec le sens de mélodie
ou chant[1]. Il appartient à la famille indo-euro-
péenne comme le sanskrit* laya *« tempo ». Dans une
glose en langue gaélique du IXᵉ siècle, le mot* loîd
*désigne le « chant du merle[2] ». Il s'applique ensuite
par extension à des morceaux lyriques que les jongleurs bretons jouent sur la harpe. On sait qu'il s'agissait de l'instrument unique de la musique de cour
chez les anciens Celtes. La harpe garda cette noble
fonction au Moyen Âge. En 1189, Richard Cœur de
Lion, lui-même joueur de harpe, fit appel à des har-
peurs bretons pour agrémenter les fêtes de son couronnement. Un roman de Gerbert de Montreuil
(XIIIᵉ siècle) montre Tristan portant sur son dos
une harpe ornée de pierreries ; avec cet instrument,
l'amant d'Yseut déploie tous ses talents musicaux à
la cour du roi Marc. La présence de la harpe celtique dans le contexte des lais indiquerait alors
le lien probablement archaïque de ces lais avec
d'anciens mythes des peuples celtiques. C'est à cet
archaïsme poétique que se réfère Marie, moins pour
l'expression musicale elle-même que pour la nostalgie d'un chant que son lai réinventé doit mimer*

---

1. Richard Baum, « Les troubadours et les lais », *Zeitschrift
für romanische Philologie*, 85, 1969, p. 1-44.
2. Jean Maillard, « Lai, Leich », *Gattungen der Musik in Ein-
zeldarstellungen*, Berne et Münich, 1969, p. 323-345. Sur la
probable origine irlandaise du mot : Henri d'Arbois de Jubain-
ville, « Lai », *Romania*, 8, 1879, p. 422-425. Sur le genre lui-
même : Jean-Charles Payen, *Le Lai narratif*, Turnhout, Brepols,
1975 (Typologie des sources du Moyen Âge occidental, 13).

dans les mots. Il semble bien que le vers octosylla-
bique de ses lais imite le vers narratif des premiers
*romans (*Thèbes, Troie, Énéas*) et qu'il se passe de*
tout accompagnement musical. Dès lors, en évo-
quant de lointaines origines musicales pour ses
lais, Marie songerait plus à l'effet musical supposé
de son texte rimé et à son lyrisme intérieur qu'à une
mélodie externe placée sur ses vers.

Des troubadours, Marie reçoit encore la fine
amor, *cet amour «absolu» ou «sublime», le fin du*
fin de l'amour que chantent les cansos *(chansons*
d'amour). Elle reprend clairement l'expression fine
amor *pour désigner l'idéal amoureux auquel ten-*
dent ses personnages :

> De Tristram e de la reïne,
> De lur amur que tant fu *fine*[1],
>   (Le Chèvrefeuille, *v. 7-8*)

> Ne fust l'amur leale e *fine*
> Dunt vus m'amastes lëaument[2].
>   (Éliduc, *v. 944-945*)

Elle souligne ainsi sa dette envers ces grands
devanciers que sont Guillaume d'Aquitaine et tous
les troubadours de langue d'oc. Ils apportèrent
dans les cours du nord de l'Europe la révélation
d'un rêve d'amour faisant de la dame l'inspiratrice
parfaite de son amant et la maîtresse absolue du

---

1. «(un livre) sur Tristan et la reine. Ce livre racontait leur
amour si *parfait*,» (...)
2. «sans l'amour loyal et *pur* que vous m'avez porté.»

jeu amoureux. On a assez commenté ce culte de la dame pratiqué par les troubadours ainsi que la fine amor *elle-même, quintessence de l'érotique poétique des poètes musiciens du* XIIe *siècle. Ses rites sont connus.*

D'abord la souveraineté de la dame qui impose ses volontés dans le jeu amoureux. Le thème de l'épreuve imposée à l'amant par la dame rejoint naturellement celui du service d'amour auquel se soumettent de bonne grâce les quatre chevaliers tournoyeurs du Pauvre Malheureux. Ils rivalisent de prouesse pour mériter les faveurs de leur dame qu'ils courtisent tous les quatre. La dame s'imagine à tort qu'elle pourra vivre son amour sans se choisir un favori. Elle veut ignorer que la fine amor *est un amour exclusif entre deux êtres seulement. Pour l'avoir oublié, elle causera son propre malheur ainsi que celui de ses prétendants, provoquant la mort de trois beaux chevaliers et la mutilation irrémédiable du quatrième, unique survivant du drame amoureux.*

Selon la tradition, la fine amor *naît miraculeusement non pas d'un regard mais de la réputation lointaine des futurs amants. Le poète tombe amoureux d'une dame dont il entend parler mais qu'il n'a jamais vue. En chantant cet extraordinaire amour de loin, Jaufré Rudel donne la mesure d'une utopie amoureuse qui inspirera plusieurs amants des lais :*

> Dieus que fetz tot quan ve ni vai
> E formèt cest' amor de lonh
> Mi don poder, que cor ieu n'ai
> Qu'ieu veja cest' amor de lonh,
> Veraiamen, en tals aizis,

Si que la cambra e'l jardis
Mi ressemblès totz temps palatz[1] !

*Peut-être inspirée par cet exemple, la dame de
Milon s'éprend de son ami, simplement après avoir
entendu parler de lui. Il en est de même pour Goron
qui tombe amoureux du Frêne, sans l'avoir vue.
Autre rite troubadouresque repris dans les lais : la
fine amor doit nécessairement rester secrète. Les
amants ne peuvent exister que clandestinement. C'est
ainsi que Milon et son amie voudraient vivre leur
amour à l'écart des médisants et des jaloux et à
l'insu de leur propre famille. La naissance inopinée
de leur enfant « illégitime » les contraindra à vivre
séparés pendant plus de vingt ans. Dans* Yonec, *la
dame enfermée dans sa tour par un mari jaloux vit
le parfait amour avec son amant merveilleux venu
de l'Autre Monde sous la forme d'un bel oiseau. En
retrouvant sa gaieté, elle finit par éveiller les soup-
çons de son entourage qui s'aperçoit du manège.
Épiés puis dénoncés, les amants subissent alors le
calvaire des amants adultères. Dans* Lanval, *le chevalier amoureux d'une fée vit riche et heureux tant
qu'il garde le secret sur sa liaison. L'épreuve du
secret n'est jamais la moindre des exigences impo-
sées aux fins amants.*

C'est toutefois le thème du désir amoureux ample-

---

1. « Que Dieu qui fit tout ce qui va et vient, et forma cet amour
lointain, me donne le pouvoir — car j'en ai le courage — d'aller
voir cet amour lointain, en personne et dans une demeure telle
que la chambre et le jardin soient toujours à mes yeux comme
un palais ! » (*Anthologie des troubadours*, textes choisis, présentés et traduits par Pierre Bec, 10/18, 1979, p. 83-85.)

ment célébré par les troubadours qui se retrouve au cœur de chaque lai. Le Rossignol met en scène l'oiseau de prédilection des troubadours qui appelle le poète à chanter l'amour, comme dans cette chanson d'Arnaud de Mareuil :

Bélh m'es quan lo vens m'alena
En abril, ans qu'entre mais,
E tota la nuèg serena
Chanta'l rossinhols e'l jais (...)

E pus tota res terrena
S'alegra, quan fuèlha nais,
Non puesc mudar no'm sovena
D'un amor per qu'ieu sui jais[1] ;

Figure clé du lai, le rossignol symbolise l'aspiration amoureuse qu'éprouvent une dame mal mariée et son amant. Lorsque l'oiseau chante, ils se lèvent en pleine nuit pour se parler tendrement. Agacé par les absences nocturnes de sa femme, le mari finit par tuer le rossignol et jette sur elle le cadavre de l'oiseau. La dame l'enveloppe dans une étoffe précieuse où elle a brodé son histoire. Elle envoie ce présent à son ami qui fait alors façonner un précieux reliquaire destiné à conserver pour toujours ce trésor amoureux. Le lai immortalisera le souvenir de ce désir meurtri.

1. « Elle m'est douce l'haleine du vent, en avril, avant que mai n'arrive, lorsque, dans toute la sérénité de la nuit, chantent le rossignol et le geai ; (...) // Et puisque toute créature terrestre se réjouit à la naissance des feuilles, je ne puis m'empêcher de me souvenir d'un amour qui me rend joyeux ; » (*Anthologie des troubadours, op. cit.*, p. 210-211, chanson d'Arnaud de Mareuil.)

Guigemar *exprime à lui seul toute la force du désir amoureux. Au héros qui prétendait l'ignorer souverainement, il inflige une terrible blessure qui ne sera apaisée que par les mains expertes d'une femme de l'Autre Monde. Cette blessure préfigure la souffrance qu'entraîne aussi le plaisir d'aimer. Mais le désir amoureux n'est pas toujours idéalisé chez Marie de France. Il peut aussi devenir destructeur et se retourner contre les amants comme dans* Équitan. *Les ravages de l'amour-passion, véritable dévoiement de la* fine amor, *y sont dénoncés par de clairs avertissements du narrateur. La dame mariée et son amant projettent la mort du mari, obstacle à leur amour. Une tragique méprise entraînera la mort de l'amant et la condamnation à mort de la dame. Tirant la leçon du lai, Marie insiste sur l'absence de «mesure» des personnages («Que d'amur n'unt sen e mesure;»* Équitan, *v. 18). De même dans* Les Deux Amants *où le jeune homme présume de ses forces et néglige le précieux conseil de son amie. Il meurt tragiquement lors de l'épreuve surhumaine qu'il a dû tenter pour obtenir la main de la jeune fille («Kar n'ot en lui point de mesure»,* Les Deux Amants, *v. 179). Ce terme vient là encore de certains troubadours qui en font le support d'une conception équilibrée de la* fine amor, *toujours menacée de ses propres excès* [1]. *Et c'est finalement à cet amour mesuré que s'arrêtent les lais qui voudraient célébrer le bonheur des couples unis par la seule nécessité de l'amour. Seuls* Le Frêne *et* Milon *se concluent sur une fin heureuse où l'amour*

---

1. I. Margoni, *Fin'Amors, Mezura e Cortezia*, Milan-Varese, 1965.

conserve ses droits car l'univers du lai vit souvent de douleur et de tragédie.

Le dit et l'écrit

Le délicat travail poétique auquel se livre Marie de France doit être replacé dans le contexte de la création littéraire du XIIe siècle. À cette époque l'héritage d'une antique tradition légendaire ne peut être dissocié d'une réflexion sur les vertus et les pouvoirs d'une écriture romane en plein épanouissement poétique. Les origines narratives du lai se trouvent dans le folklore breton qui a fourni à Marie la matière de ses récits. Dès le Prologue, *l'aveu est clair :*

Des lais pensai, k'*oïz* **aveie**[1] *; (v. 33)*

et

Plusurs en ai *oï* **conter,
Ne[s] voil laisser në oblïer ;
Rimez en ai e fait ditié**[2]. *(v. 39-41)*

Marie de France affirme qu'elle n'a pas inventé ses lais ; elle a entendu raconter ces histoires. Son rôle fut d'adapter en langue romane les témoignages séduisants d'une antique tradition orale parvenue jusqu'à elle :

1. «J'ai pensé alors à des lais que j'avais entendus.»
2. «J'en ai entendu raconter beaucoup. // Je ne veux pas les laisser tomber dans l'oubli. // Je les ai rimés et j'en ai fait une œuvre poétique.»

Les contes ke jo sai verrais,
Dunt li Bretun unt fait les lais,
Vos conterai assez briefment[1].
                    (Guigemar, v. 19-21)

Un en firent, ceo oi cunter,
Ki ne fet mie a ublïer[2],
                    (Équitan, v. 9-10)

Le lai del Freisne vus dirai
Sulunc le cunte que jeo sai[3].
                    (Le Frêne, v. 1-2)

Talent me prist de remembrer
Un lai dunt jo oï parler[4].
                    (Le Pauvre Malheureux, v. 1-2)

De mut ancïen lai bretun
Le cunte e tute la reisun
Vus dirai[5]...
                    (Éliduc, v. 1-3)

Comme tous les écrivains du XIIe *siècle, elle a conçu son travail comme l'adaptation écrite d'une*

1. « Les contes que je sais véridiques // et dont les Bretons ont fait des lais, // je vous les conterai avec concision. »
2. « Ils en firent un que j'ai entendu conter ; // il mérite de rester dans notre souvenir. »
3. « Je vais vous raconter le lai du *Frêne* // d'après le récit que je connais. »
4. « J'ai éprouvé le désir de rappeler // un lai que j'ai entendu raconter. »
5. « D'un très ancien lai breton, // je vais vous dire l'histoire, // en vous l'expliquant, »

*matière orale et non comme l'invention d'une his-
toire originale* [1]. *Les érudits n'ont pas manqué de
scruter les pistes grâce auxquelles ces lais impré-
gnés parfois de croyances archaïques auraient pu
parvenir jusqu'à elle. Comme les sources orales
directes des lais n'ont pas été transcrites dans leur
état brut, on ne disposera jamais des deux versions
idéales (celle de Marie et celle de son modèle) pour
étudier la mise en rimes tentée par la poétesse.
Toutefois, comme il s'agit d'une matière traditionnelle, il n'est pas impossible de retrouver certains
motifs des lais attestés dans d'autres récits, par
exemple arthuriens* [2], *voire dans des récits apparte-
nant au folklore universel.*

*Si les lais remontent à une tradition archaïque,
probablement à de vieux récits mythologiques, les
intermédiaires qui ont livré cette tradition à Marie
semblent nettement bretons. On ne peut qu'être frappé
en effet par les nombreux préambules où Marie
apporte des précisions sur les titres de ses lais. Elle
y indique le plus souvent leur origine bretonne
(«Les Bretons en firent un lai») et elle mentionne
presque toujours le titre original du texte en breton.
Contrairement aux romans arthuriens d'un Chrétien de Troyes qui semblent provenir du folklore
gallois, il est possible que les lais de Marie de*

1. Pierre Gallais, «Recherches sur la mentalité des roman-
ciers français du Moyen Âge», *Cahiers de civilisation médiévale*, 7, 1964, p. 479-493 et 13, 1970, p. 333-347.
2. Anita Guerreau-Jalabert, *Index des motifs narratifs dans
les romans arthuriens français en vers (XIIᵉ-XIIIᵉ s.)*, Genève,
Droz, 1992, qui se fonde sur le célèbre *Motif-index of folk literature* de Stith Thompson.

France soient plutôt d'origine armoricaine (donc de Petite Bretagne). Toutefois, qu'ils soient gallois ou armoricains, ils relèvent de ce monde brittonique[1] qui a été si décisif dans la constitution de la tradition arthurienne d'abord orale puis de la première littérature française[2].

Les Lais de Marie de France *apparaissent ainsi à un moment de l'histoire culturelle du Moyen Âge où l'essentiel de la littérature est encore « orale ». Marie de France exploite cette matière traditionnelle où il n'est pas difficile de reconnaître quelques canevas de contes célèbres analysés par les folkloristes ou les mythologues. Le lai des* Deux Amants *présente une antique version de* Peau d'Âne, *le lai du* Frêne *quelques motifs d'un archaïque conte de* Grisélidis *que Charles Perrault rendra célèbre. Le lai de* Yonec *annonce le conte de l'*Oiseau bleu *immortalisé par Mme d'Aulnoy mais il peut aussi rappeler le mythe de Danaé, mère de Persée. La belle endormie d'*Éliduc *fait penser à la* Belle au bois dormant. *L'histoire du chien-loup dans* Bisclavret *se rapproche d'un conte folklorique intitulé « Le chien du tsar[3] ». Quant à* Lanval, *incontestable chef-*

---

1. *brittonique* : désigne un domaine linguistique regroupant les dialectes parlés au Pays de Galles, en Cornouailles (le cornique) et en Bretagne armoricaine (le breton).

2. Jean Marx, *La Légende arthurienne et le Graal*, Paris, P.U.F., 1952. Myles Dillon, Nora Chadwick et Christian Guyon-Varc'h, *Les Royaumes celtiques*, Fayard, 1974 (pour la traduction française). Pierre-Yves Lambert, *Les Littératures celtiques*, P.U.F., 1981.

3. Sur le folklore des lais : Mary H. Ferguson, « Folklore in the *Lais* of Marie de France », *Romanic Review*, 57, 1966, p. 3-24.

d'œuvre de la poétesse, il est l'une des variantes d'un conte répandu dans toute l'Eurasie et dont on trouverait des illustrations dans le Japon du VIIIe siècle[1]. C'est le mythe de la fille céleste (généralement une femme-oiseau) qui vient pour un temps partager l'existence terrestre d'un mortel. Elle lui impose une épreuve avant de repartir définitivement dans son royaume de l'Autre Monde.

La donnée folklorique, toujours adaptée et retravaillée par la poétesse, sert d'appui à l'expression du thème amoureux. L'effort d'écriture fièrement revendiqué par Marie (dans son Prologue, *elle avoue avoir longuement veillé sur son ouvrage) se nourrit aussi de références érudites. Comme tous les écrivains de son temps, Marie a appris à penser et à écrire en latin, la seule langue enseignée à cette époque. Quelques traces de lectures savantes parsèment ses lais. Elle a lu Ovide et a médité les thèmes érotiques du poète latin, sans doute à la lueur de la poésie des troubadours. Elle a aussi pratiqué le grammairien Priscien et, selon toute vraisemblance, quelques traités latins de rhétorique qui lui ont fourni des recettes d'écriture. L'idéal de la concision pourrait être l'une d'elles. Il met justement en accord la brièveté naturelle du conte et le style succinct appris des traités de rhétorique.*

Si elle déclare dans Guigemar : « Vos conterai assez briefment » *(v. 21), elle pressent que le lai, genre bref d'origine orale, exige aussi dans son adaptation écrite concision et densité. Effective-*

---

1. Sur ces analogies : Pierre Gallais, *La Fée à la fontaine et à l'arbre*, Amsterdam-Atlanta, Rodopi, 1992.

ment, la plupart de ses lais n'excèdent pas six cents vers. La seule exception notable est Éliduc qui, avec 1184 vers, atteint la dimension d'un petit roman, avec l'esquisse de thèmes épiques où Marie n'excelle visiblement pas. D'une manière générale, les effets littéraires sont évidemment proportionnés à cette brièveté : pas de portraits détaillés des personnages, des lieux à peine évoqués, un art de la suggestion voire du silence plus qu'une expression détaillée des sentiments et des situations. On songerait assez à l'esthétique de la nouvelle si ce genre avait pu exister au XIIᵉ siècle. En fait, Marie de France a parfaitement perçu la force poétique de sa matière concise qui permet d'user avec discrétion des figures apprises de la rhétorique. Éliduc introduit une litote, à l'allure déjà toute classique, lorsque l'héroïne déclare :

> Jeo sai bien qu'il ne me heit pas[1].
> (Éliduc, v. 438)

Le lai du Chèvrefeuille culmine sur un chiasme qui suggère l'enlacement des amants à travers l'emblème du chèvrefeuille enlacé au coudrier :

> «Bele amie, si est de nus :
> Ne *vuz* sanz mei, ne mei sanz *vus*[2].»
> (Le Chèvrefeuille, v. 77-78)

Les évocations de l'amour suscitent naturellement la métaphore :

---

1. «Je sais bien qu'il ne me hait pas.»
2. «Belle amie, il en est ainsi de nous : // ni vous sans moi, ni moi sans vous.»

> Amurs i lance sun message,
> Que la somunt de lui amer[1];
> > *(Éliduc, v. 304-305)*

> Amurs le puint de l'estencele,
> Que sun quor alume e esprent[2].
> > *(Lanval, v. 118-119)*

Mais ce qui semble le mieux caractériser sa manière, c'est un plaisir de conter qui efface l'artifice au profit du naturel, le procédé au profit de l'évidence. «Al recunter mut me delit», déclare-t-elle dans Milon *(v. 536). Ce plaisir de conter n'est toutefois pas un simple «plaisir du texte» car elle ignore l'art pour l'art. Elle prend à cœur sa mission d'auteur qui consiste à plaire et émouvoir, peut-être aussi à instruire sans vraiment le laisser paraître.*

L'amour comme merveille

Les premières grandes œuvres romanesques françaises du XIIe siècle ont d'abord cherché à traduire des textes latins racontant de belles histoires d'amour de l'Antiquité grecque ou romaine. Marie ne se satisfait plus vraiment de cette formule. Elle appelle un nouvel imaginaire qui fait la part belle au merveilleux et aux contes bretons. Les lais

---

1. «Amour lui envoie son messager // qui la somme d'aimer Éliduc.»
2. «Amour le pique d'une étincelle, // qui embrase son cœur et l'enflamme.»

constituent, avec les contes d'aventure de plus en plus appelés romans, *le socle d'une culture dite courtoise qui se veut d'abord et avant tout indépendante de la culture officielle, d'inspiration ecclésiastique et religieuse. Aussi ne faut-il pas s'empresser de transformer trop vite les récits courtois en catéchismes déguisés. Il n'y a rien de foncièrement religieux ou mystique dans cet imaginaire quoiqu'il ne reste pas étranger aux réalités de la foi chrétienne, comme la conclusion du lai d'Éliduc où trois conversions monastiques viennent résoudre l'impasse amoureuse où s'était enfermé le pauvre héros.*

De nouvelles valeurs culturelles se cherchent à travers des récits qui font la part belle aux séductions du merveilleux. Les lais de Marie de France constituent, à n'en pas douter, la meilleure introduction à la mythologie amoureuse du Moyen Âge[1]. *Ils réussissent justement la synthèse de la lyrique des troubadours et de l'imaginaire aventureux propre à la matière de Bretagne. Le thème de l'Autre Monde se trouve au cœur de l'univers des rêves celtiques. Toutefois, l'Autre Monde de ces récits féeriques n'est ni le Purgatoire ni le Paradis chrétien évoqué par Dante. Il est au contraire cet ailleurs si proche du monde humain qu'on y pénètre parfois sans le savoir. Il n'est jamais en rupture avec le monde terrestre qu'il ne fait que prolonger sur un mode idéal. Cet univers se situe au-delà d'une rivière, d'une mer ou d'une*

---

1. Daniel Poirion, *Le Merveilleux dans la littérature française du Moyen Âge*, P.U.F., 1982.

forêt[1]. *On y parvient à la faveur d'un navire fantôme qui n'est dirigé par aucun être humain, comme dans le lai de* Guigemar, *ou grâce à une cavalcade aérienne comme dans* Lanval.

Dans cet Autre Monde résident des fées, au masculin comme au féminin. Rien ne les distingue apparemment des humains, sauf lorsqu'ils se métamorphosent sous nos yeux en ectoplasme (dans Bisclavret) *ou en autour (dans* Yonec). *L'un des thèmes favoris des lais est la rencontre amoureuse d'un mortel et d'une fée et certains des lais de Marie n'échappent pas à ce thème. C'est le cas de* Lanval *ou de* Guigemar. *La rencontre avec les fées bouleverse le destin des personnages car les fées sont toujours fatidiques. Formes évoluées et folklorisées des antiques déesses-mères du monde celtique, ces créatures détiennent toutes les puissances de vie ou de mort. Elles agissent sur le sort des humains, telle la biche-cerf du lai de* Guigemar. *Le mot* fée *est à rattacher au pluriel neutre* fata (de fatum) *signifiant les « destinées ». Pour Guigemar, Lanval et tant d'autres, le destin aventureux prend toujours le visage de l'amour.*

Le merveilleux est le mode privilégié d'expression de ces fictions mythiques où l'amour tient le premier rôle. Mais, au lieu d'apparaître comme l'expression gratuite de l'étrange et du saugrenu, il est toujours riche de suggestions infinies captant sous le voile de la métaphore les échos du monde

---

1. Omer Jodogne, « L'autre monde celtique dans la littérature française du XIIe siècle », *Bulletin de la classe des lettres et des sciences morales et politiques de l'Académie royale de Belgique*, 76, 1960, p. 58-97.

intérieur. Ainsi, dans Guigemar, *une flèche lancée par un chasseur téméraire atteint une biche-cerf blanche mais aussitôt après elle fait ricochet et revient blesser en retour le chasseur qui l'a lancée. La blessure est d'amour et il faudra l'art patient d'une fée pour guérir cette plaie fatale.*

C'est toujours la créature féerique qui introduit le héros dans l'Autre Monde en lui révélant l'amour. On l'aura compris : l'Autre Monde est d'abord et avant tout celui de l'amour. Le personnage féerique est à la fois médiateur et initiateur. C'est à travers lui que le héros est initié au monde surnaturel de l'amour. Il impose des pactes et recommandations que le mortel doit suivre à la lettre. Les personnages féeriques sont toujours supérieurs aux humains. Ils possèdent la connaissance de l'Autre Monde qu'ils tentent de transmettre aux humains. Les lais invitent le lecteur à découvrir les secrets merveilleux de l'amour.

L'ombre de Tristan et Yseut

Souvent, Marie de France soumet à son lecteur les jeux et les incertitudes de l'amour. Presque tous ses lais racontent l'histoire d'un amour parfait qui se heurte aux obstacles de la société. Une dame mal mariée à un homme âgé, jaloux ou violent rencontre un jour l'amour sublime qui vient bouleverser sa vie. On songe évidemment à l'histoire de Tristan où Yseut la mal mariée vit un amour d'exception avec l'homme que la société lui interdit. Amour libre et loi sociale s'opposent dans les romans tristaniens comme ils s'affrontent dans la plupart

*des lais où il est difficile de ne pas apercevoir l'ombre
envahissante des amants de Cornouailles. Leur histoire tragique obsède Marie au point qu'elle ne peut
éviter d'en relater un épisode, plutôt heureux, dans*
Le Chèvrefeuille. *Elle propose aussi une version
plus personnelle du drame tristanien dans* Les
Deux Amants. *Un jeune homme pour espérer épouser son amie doit réussir une épreuve surhumaine :
porter sa fiancée dans ses bras jusqu'au sommet
d'une haute colline. La jeune fille avait trouvé un
moyen infaillible pour faire réussir l'épreuve à son
ami. L'absorption d'un breuvage fortifiant aurait pu
avoir l'effet escompté. Le jeune homme trop confiant
en ses forces juvéniles n'écoutera pas la jeune fille,
refusera le breuvage miraculeux et mourra d'épui-
sement avant la fin de son escalade. Ce breuvage
n'a rien du philtre d'amour tristanien mais il peut
le rappeler d'autant plus que le dénouement des
deux textes est commun : la jeune femme meurt
d'amour et de douleur sur le corps sans vie de son
ami.*

*D'autres lais reprennent clairement le trio trista-
nien où le mari s'oppose à l'amant* (Yonec) *quand
ce n'est pas l'amante qui concurrence l'épouse* (Éliduc). *Le mariage est rarement présenté à son avantage. Comme dans la légende de Tristan, il est
souvent une union de pur intérêt qui ignore les
droits de l'amour. Il exerce sa cruelle dictature sur
des femmes désemparées qui ne peuvent que subir
cette loi des hommes. Le thème de la « mal mariée »
entraîne alors naturellement la transgression amoureuse. Neuf lais sur douze présentent une situation
d'adultère. Mais Marie ne se complaît nullement
dans cette infraction aux lois du mariage. Elle*

cherche plutôt à faire ressortir l'opposition du désir des amants et d'une loi sociale inflexible qui asservit le désir des femmes en faisant d'elles des victimes consentantes. C'était déjà le drame fondamental illustré par la légende de Tristan et Yseut qui n'est pas sans rappeler l'histoire, bien réelle celle-là, d'une princesse nommée Aliénor d'Aquitaine mariée à un roi de France qu'elle n'aimait nullement.

Chaque lai se présente ainsi comme l'étude d'une situation amoureuse où l'homme et la femme librement amoureux sont confrontés à eux-mêmes et à une société brutale qui ignore leurs aspirations légitimes. Dans Yonec, *la jeune femme doit épouser contre son gré un vieillard qui ne lui apportera aucune joie ni aucun plaisir. Elle se prend à souhaiter un avenir meilleur qui aura les couleurs du rêve et son vœu sera dignement exaucé. Dans* Milon, *la dame aime un homme qu'elle ne pourra pas épouser parce que la famille lui a désigné un autre époux. Dans* Éliduc, *une jeune fille ignore que son amant est déjà marié. Lorsqu'elle apprendra la vérité, elle sombrera dans un sommeil mortifère jusqu'à une miraculeuse résurrection.*

Si, à l'instar de la légende de Tristan, certains lais se concluent tragiquement, d'autres apportent l'ébauche d'une solution à l'impasse de l'amour tristanien. Tandis que l'amour adultère de Tristan et Yseut se refermait égoïstement sur lui-même, Marie se démarque en présentant ses héroïnes dans un rôle de mère plutôt que de simple amante. Si les amants de Cornouailles voulaient construire leur bonheur à deux, certains amants présentés par Marie trouvent au contraire dans l'enfantement une légitimation de leur amour. C'est le cas dans Yonec *où l'enfant né du couple adultère hérite non seulement des qualités de ses parents mais venge la mort de son vrai père en tuant son beau-père. Dans* Milon, *l'enfant du couple illégitime va finalement marier ses parents et conférer à l'amour de ceux-ci une légitimité que la société leur refusait.*

*Il ne faudrait toutefois pas croire en définitive que, par un parti pris féministe, Marie innocente d'avance toutes les femmes de ses histoires, comme autant d'Yseut victimes d'un sort injuste. Dans cette œuvre écrite par une femme, il est assez surprenant de constater l'anonymat quasi général des dames. Trois textes seulement mentionnent le nom des héroïnes (*Le Chèvrefeuille, Le Frêne *et* Éliduc*). Ailleurs, la femme n'est qu'un visage sans nom, comme dans la chanson des troubadours.*

L'art du symbole

La séduction des lais tient beaucoup à l'art subtil de l'image et du symbole qui s'y manifeste. En ce sens, Marie de France fait œuvre originale. Écrire à l'aide d'images plus qu'avec des idées lui est apparu comme le meilleur moyen d'enrichir la valeur poétique de ses textes. Séduite par l'art de la fable où le récit est toujours métaphorique voire parabolique, Marie de France médite sur l'art subtil des signifiances et sur l'aptitude d'un récit à créer des sens symboliques. C'est ce jeu de l'image et de l'idée, mais surtout de l'idée sous l'image, que le lai invite à pratiquer, sans que cette idée soit jamais totalement déterminée par l'image. Le sens

est toujours une possibilité ; il n'est jamais imposé.
Le symbole donne à imaginer le sens[1].

L'image est précisément au centre des lais : elle
consiste en un emblème animal (blanche biche de
Guigemar, *chien-loup* de Bisclavret, *belette* d'Éliduc, *cygne* de Milon, *autour* de Yonec, *etc.*) ou végé-
tal (*chèvrefeuille, frêne et coudrier dans le lai du*
Frêne) *investi d'une charge symbolique dont dépend*
la signification d'ensemble du lai. Dans son Prologue, *Marie de France médite sur l'obscurité des*
Anciens, *c'est-à-dire les auteurs latins de l'Anti-*
quité. Instruite par sa lecture de Priscien mais
aussi par l'art du trobar clus, *style volontairement*
obscur inventé par certains troubadours, elle voit
dans un hermétisme mesuré le gage d'une réelle
pérennité poétique. L'énigme sollicite les imagina-
tions et les intelligences ; elle suscite la glose, le
surplus de sens. Le lai tel que le conçoit Marie
cultivera donc ce clair-obscur de l'image. C'est par
l'image que le texte pourra parler une langue vérita-
blement poétique ; c'est par l'image qu'il délivrera
toute sa puissance évocatrice. L'emblème floral du
chèvrefeuille enlacé au coudrier offre un trop-plein
de sens qu'aucune théorie littéraire n'a su encore
épuiser et c'est bien la création poétique qui est ici
symbolisée. En gravant la baguette de coudrier,
Tristan anticipe le geste de l'écrivain qui, d'une for-
mule (« Ni vous sans moi, ni moi sans vous ! »),
immortalisera les instants heureux d'une rencontre

---

1. Sur les aspects médiévaux de ce problème : Johann Chy-
denius, « La théorie du symbolisme médiéval », *Poétique*, 23,
1975, p. 322-341.

amoureuse. Métaphore des amants, cet emblème est aussi la métaphore du lai et de ses mots entrelacés. L'amour et l'écriture se rejoignent alors dans une image qui les confond en une seule et même réalité : amour et littérature sont enfants du désir.

Ainsi, c'est le plus souvent de la métaphore que naît le récit. C'est à partir d'elle qu'il se développe pour susciter toutes ses virtualités symboliques. L'opposition du monde symbolique et du monde réaliste apparaît clairement dans le lai du Rossignol. Le mari jaloux qui vit dans la trivialité absolue reste totalement indifférent au chant du rossignol. Il ignore son plus haut sens et le refuse comme il ignore le véritable amour. Au contraire, la dame et son amant écoutent avec ravissement le chant de l'oiseau qui suggère bien plus qu'il ne dit. Le lai repose sur cette tension du réel et du symbolique, sur la nécessité de l'éveil au symbole, sur la sublimation poétique de la métaphore. En enveloppant le rossignol d'un tissu de soie brodée où est racontée son histoire, Marie de France symbolise le texte même de son lai. Mémorial du désir inaccompli, le rossignol incarne le corps du texte poétique.

Plusieurs lais incitent ainsi à parcourir les pages d'un véritable bestiaire amoureux, un genre appelé à une belle fortune avec Richard de Fournival et son Bestiaire d'Amour *au XIIIe siècle. Les animaux, par leur caractère, permettent de comprendre allégoriquement certaines vérités sur l'amour. Si le rossignol du lai exprime bien la pure joie d'aimer, il suggère aussi et surtout la jouissance du désir que les amants éprouvent aux soirs de leurs rencontres délicieuses. Le cygne de Milon représente à la fois le désir et la fidélité des vrais amants. Il est porteur de*

_lettres d'amour qui sont autant de lettres d'espoir.
Dans_ Bisclavret, _l'inquiétante étrangeté du désir
s'exprime sous l'aspect d'un ectoplasme. Car l'amour
humain possède également sa part d'ombre ; le mal
y trouve sa part. Marie de France ignore l'angélisme.
Néanmoins, l'amour a aussi un pouvoir rédemp-
teur signifié par l'étrange belette d'_Éliduc _initiée à
l'art des résurrections. Une fleur dans la bouche, elle
guérit un corps sans vie avec la suavité d'un baiser._

_Mais c'est autour des animaux de la chasse
que se modulent toutes les suggestions des avides
conquêtes amoureuses. La fée de_ Lanval _se confond,
telle une Diane chasseresse, avec l'épervier qu'elle
tient à la main. Cette nouvelle Circé (le nom signifie
« épervier » en grec) vient chercher son amant pour
l'emmener, métamorphosé, vers le pays de l'éternelle jeunesse amoureuse. L'autour de_ Yonec _vient
capturer une proie amoureuse trop facilement
consentante. Mais nul animal ne montre mieux
que la biche blanche de_ Guigemar _le curieux et
nécessaire ricochet du désir amoureux. Le chasseur
n'est jamais celui qu'on pense !_

_Au croisement du singulier et de l'universel,
l'image se charge alors d'un plus haut sens. Le lecteur est invité à y projeter sa part de vérité, au-delà
des signes apparents de la mort où vient souvent se
conclure le lai. L'imaginaire, comme l'art dont il
est le pourvoyeur, est un exorcisme de la mort, une
épiphanie de l'être. L'aventure du lai offre le mémorial d'une histoire trop humaine marquée du sceau
du désir, faille originelle d'une vie fragile mais rache-
tée par un amour qu'authentifie et éternise la poésie._

PHILIPPE WALTER

Lais

PROLOGUE

Ki Deus a duné escïence
E de parler bon' eloquence
Ne s'en deit taisir ne celer,
Ainz se deit volunters mustrer.
5 Quant uns granz biens est mult oïz,
Dunc a primes est il fluriz,
E quant loëz est de plusurs,
Dunc ad espandues ses flurs.
Custume fu as ancïens,
10 Ceo tes[ti]moine Precïens,
Es livres ke jadis feseient
Assez oscurement diseient
Pur ceus ki a venir esteient
E ki aprendre les deveient,
15 K'i peüssent gloser la lettre
E de lur sen le surplus mettre.
Li philesophe le saveient
E par eus memes entendeient,
Cum plus trespasserunt le tens,
20 Plus serreient sutil de sens
E plus se savreient garder
De ceo k'i ert, a trespasser.
Ki de vice se volt defendre

PROLOGUE

Celui à qui Dieu a donné l'intelligence
et une bonne éloquence,
ne doit ni se taire, ni la cacher,
mais il se doit de la montrer volontiers[1].
Quand une bonne chose est bien répandue,
c'est tout d'abord parce qu'elle a fleuri;
et quand elle est louée par bien des gens,
c'est le signe que ses fleurs[2] se sont épanouies.
Il était de coutume chez les Anciens,
Priscien[3] en témoigne,
que, dans les livres qu'ils faisaient jadis,
ils s'exprimaient assez obscurément,
en vue de ceux qui devaient leur succéder
et qui devaient apprendre leurs écrits,
afin qu'ils puissent ajouter des gloses[4] au texte
et y mettre l'intelligence[5] qu'ils avaient en plus.
Les philosophes[6] savaient bien
et comprenaient d'eux-mêmes
que plus le temps passerait,
plus les hommes auraient l'esprit subtil
et mieux ils sauraient se garder de négliger
ce qui se trouvait dans leurs livres.
Celui qui veut se défendre du vice

Estudïer deit e entendre
25 *E grevos' ovre comencier :*
Par [ceo] se puet plus esloignier
E de grant dolur delivrer.
Pur ceo començai a penser
De aukune bone estoire faire
30 *E de latin en romaunz traire ;*
Mais ne me fust guaires de pris :
Itant s'en sunt altre entremis.
Des lais pensai k'oï aveie ;   139b
Ne dutai pas, bien le saveie,
35 *Ke pur remambrance les firent*
Des aventures k'il oïrent
Cil ki primes les comencierent
E ki avant les enveierent.
Plusurs en ai oï conter,
40 *Ne[s] voil laisser në oblïer ;*
Rimez en ai e fait ditié,
Soventes fiez en ai veillié.

 En l'honur de vus, nobles reis,
Ki tant estes pruz e curteis,
45 *A ki tute joie se encline,*
E en ki quoer tuz biens racine,
M'entremis des lais assembler,
Par rime faire e reconter.
En mun quoer pensoe e diseie,
50 *Sire, ke[s] vos presentereie ;*
Si vos les plaist a receveir,
Mult me ferez grant joie aveir,
A tuz jurz mais en serrai lie.
Ne me tenez a surquidie
55 *Si vos os faire icest present.*
Ore oëz le comencement !

doit faire des études et commencer une œuvre
    difficile[1].
De cette façon, il peut le plus s'éloigner du vice
et se délivrer de grandes peines.
C'est pourquoi j'ai pensé que je pourrais écrire
quelque bonne histoire et adapter le latin en
    roman.
Mais cela ne me donne guère de mérite ;
tant d'autres[2] s'en sont occupés !
J'ai pensé alors à des lais que j'avais entendus[3].
Je ne doutais pas, je le savais bien,
que leurs premiers auteurs les entreprirent
et les répandirent ensuite
pour garder le souvenir
des aventures qu'ils entendirent.
J'en ai entendu raconter beaucoup.
Je ne veux pas les laisser tomber dans l'oubli[4].
Je les ai rimés[5] et j'en ai fait une œuvre poétique[6]
et pour cela j'ai souvent veillé.

    C'est en votre honneur, noble roi[7],
qui êtes si preux et courtois,
vous que salue toute joie,
vous dans le cœur de qui tout bien prend racine
que j'ai commencé une compilation[8] au sujet des
    lais,
en les recontant et en les versifiant.
Dans mon cœur, je pensais et je me disais,
seigneur, que je vous les présenterais[9].
S'il vous plaît de les recevoir,
vous me causerez une grande joie ;
j'en serai heureuse à jamais.
Ne me prenez pas pour une prétentieuse,
si j'ose vous faire ce présent ;
maintenant, écoutez le commencement.

GUIGEMAR

Ki de bone mateire traite,
Mult li peise si bien n'est faite.
Oëz, seignurs, ke dit Marie,
Ki en sun tens pas ne s'oblie.
5   Celui deivent la gent loër
Ki en bien fait de sei parler.
Mais quant il ad en un païs
Hummë u femme de grant pris,
Cil ki de sun bien unt envie   139c
10   Sovent en dïent vileinie;
Sun pris li volent abeisser:
Pur ceo comencent le mestier
Del malveis chien coart felun,
Ki mort la gent par traïsun.
15   Nel voil mie pur ceo leissier,
Si gangleür u losengier
Le me volent a mal turner;
Ceo est lur dreit de mesparler.
    Les contes ke jo sai verrais,
20   Dunt li Bretun unt fait les lais,
Vos conterai assez briefment.
El chief de cest comencement,

GUIGEMAR

Celui qui traite un beau sujet
est fort affligé si son œuvre n'est pas bien réussie.
Écoutez, seigneurs, ce que dit Marie
qui ne néglige pas de faire profiter son époque de
    ses talents[1].
Les gens doivent toujours louer
celui dont on ne dit que du bien.
Mais quand il y a dans un pays
un homme ou une femme de grand talent,
souvent ceux qui envient leurs qualités
disent du mal de lui.
Ils veulent rabaisser son mérite.
Pour cela, ils jouent le rôle
du chien méchant, lâche et fourbe
qui mord les gens par traîtrise.
Si les envieux ou les médisants
veulent me critiquer,
je ne me déroberai pas à ma tâche pour autant.
Ils ont le droit de dire du mal d'autrui.
    Les contes que je sais véridiques
et dont les Bretons ont fait des lais,
je vous les conterai avec concision[2].
Pour en finir avec cette introduction,

Sulunc la lettre e l'escriture,
Vos mosterai un' aventure
25 *Ki en Bretaigne la menur*
Avint al tens ancïenur.

    En cel tens tint Hoilas la tere,
Sovent en peis, sovent en guere.
Li reis aveit un sun barun
30 *Ki esteit sire de Lïun;*
Oridials esteit apelez,
De sun seignur fu mult privez.
Chivaliers ert pruz e vaillanz;
De sa moillier out deus enfanz,
35 *Un fiz e une fille bele.*
Noguent ot nun la damaisele;
Guigeimar noment le dancel,
El rëaulme nen out plus bel;
A merveille l'amot sa mere   **139d**
40 *E mult esteit bien de sun pere;*
Quant il le pout partir de sei,
Si l'enveat servir un rei.
Li vadlet fu sages e pruz,
Mult se faseit amer de tuz.
45 *Quant fu venu termes e tens*
Kë il aveit eage e sens,
Li reis le adube richement,
Armes li dune a sun talent.
Guigemar se part de la curt;
50 *Mult i dona ainz k'il s'en turt.*
En Flaundres vait pur sun pris quere:
La out tuz jurz estrif e guerre.

je vous rapporterai une aventure
qui arriva en Petite Bretagne[1]
aux temps anciens[2],
en suivant fidèlement la lettre et l'écriture[3].

En ce temps-là, Hoilas[4] régnait
sur une terre qui était aussi souvent en paix
    qu'en guerre.
Le roi avait, parmi ses barons,
un seigneur du pays de Léon[5]
qui se nommait Oridial[6].
Il était l'ami intime de son seigneur.
C'était un chevalier preux et vaillant.
Sa femme lui avait donné deux enfants,
un fils et une fille, fort jolie.
La demoiselle s'appelait Noguent[7]
et le jeune homme Guigemar[8].
Dans tout le royaume, il n'y en avait pas de plus
    beau.
Sa mère avait pour lui une grande affection
et son père l'aimait beaucoup également.
Quand il put se séparer de lui,
il l'envoya au service d'un roi.
Le jeune homme se montra avisé et vaillant
et il se fit aimer de tout le monde.
Quand arriva le moment
où il eut assez d'âge et de raison,
le roi l'adouba magnifiquement
et lui donna les armes dont il rêvait.
Guigemar quitta la cour;
il distribua beaucoup de cadeaux avant de partir.
Il se rendit en Flandres pour accroître sa réputa-
    tion
car, là-bas, il y eut toujours batailles et guerres.

En Lorreine në en Burguine
Në en Angou në en Gascuine
55 *A cel tens ne pout hom truver*
Si bon chevalier ne sun per.
De tant i out mespris nature
Kë unc nul' amur n'out cure.
Suz ciel n'out dame ne pucele
60 *Ki tant par fust noble ne bele,*
Së il de amer la requeïst,
Ke volentiers nel retenist.
Plusurs le requistrent suvent,
Mais il n'aveit de ceo talent;
65 *Nuls ne se pout aparceveir*
Kë il volsist amur aveir.
Pur ceo le tienent a peri
E li estrange e si ami.
     En la flur de sun meillur pris
70 *S'en vait li ber en sun païs*
Veer sun pere e sun seignur,   140a
Sa bone mere e sa sorur,
Ki mult l'aveient desiré.
Ensemble od eus ad sujurné,
75 *Ceo m'est avis, un meis entier.*
Talent li prist d'aler chacier:
La nuit somunt ses chevaliers,
Ses veneürs e ses berniers;
Al matin vait en la forest,
80 *Kar cel deduit forment li plest.*
A un grant cerf sunt aruté,
E li chien furent descuplé:
Li veneür curent devaunt;
Li damaisels se vait targaunt.
85 *Sun arc li portë un vallez;*

Ni en Lorraine ni en Bourgogne[1],
ni en Anjou ni en Gascogne,
on ne pouvait trouver en ce temps-là
un chevalier aussi parfait qui fût son égal.
Nature commit toutefois une faute en le formant:
elle le rendit indifférent à tout amour.
Il n'y avait sur terre aucune dame ou jeune fille,
si noble et belle qu'elle fût,
qui, s'il lui avait fait sa déclaration,
ne l'eût pris pour ami.
Plusieurs femmes lui firent souvent des avances
mais il n'éprouvait aucun désir envers elles.
Nul n'avait l'impression
qu'il voulait connaître l'amour.
C'est pourquoi ses amis et les étrangers
le considéraient comme perdu.
    C'est ainsi qu'en pleine gloire
le jeune chevalier retourne dans son pays
pour revoir son père et son seigneur,
sa douce mère et sa sœur
qui souhaitaient tant le retrouver.
Il resta chez eux
un mois entier, je crois.
Il lui prit alors l'envie d'aller chasser.
À la nuit tombée, il prévient ses chevaliers,
ses veneurs, ses rabatteurs.
De bon matin, il pénètre dans la forêt
car il apprécie au plus haut point le plaisir de la
    chasse.
Ils étaient sur la piste d'un grand cerf
et les chiens furent lâchés.
Les veneurs courent devant
et le jeune homme traîne à l'arrière.
Un serviteur lui porte son arc,

Sun ansac e sun berserez.
Traire voleit, si mes eüst,
Ainz ke d'iluec se remeüst.
En l'espeise d'un grant buissun
90   Vit une bise od un foün;
Tute fu blaunche cele beste,
Perches de cerf out en la teste;
Sur le bai del brachet sailli.
Il tent sun arc, si trait a li,
95   En l'esclot la feri devaunt;
Ele chaï demeintenaunt.
La seete resort ariere,
Guigemar fiert en tel maniere
En la quisse deske al cheval,
100 Ke tut l'estuet descendre aval;
Ariere chiet sur l'erbe drue
Delez la bise, ke out ferue.
La bise, ke nafree esteit,   140b
Anguissuse ert, si se plaineit;
105 Aprés parla en itel guise:
«Oï, lase! jo sui ocise!
E tu, vassal, ki m'as nafree,
Tel seit la tue destinee:
Jamais n'aies tu med[e]cine!
110 Ne par herbe ne par racine
Ne par mire ne par pociun
N'avras tu jamés garisun
De la plaie ke as en la quisse,
De s[i] ke cele te guarisse
115 Ki suffera pur tue amur
Issi grant peine e tel dolur

son couteau et son chien de chasse.
Guigemar voudrait bien avoir l'occasion de tirer
  une flèche
avant de quitter la forêt.
Au beau milieu d'un épais buisson,
il aperçut une biche et un faon[1].
Cette bête était toute blanche[2]
avec des bois de cerf[3] sur la tête.
Les aboiements du chien la font bondir.
Guigemar tend son arc et tire sur elle.
Il l'atteint au front.
Elle s'écroule aussitôt.
La flèche fait ricochet[4]
et revient frapper Guigemar de telle manière
qu'elle lui traverse la cuisse jusqu'à atteindre le
  cheval
et à obliger Guigemar à mettre pied à terre.
Il tombe à la renverse sur l'herbe drue,
tout à côté de la biche qu'il avait visée.
La bête qui était blessée
avait très mal et gémissait.
Puis elle prononça ces mots[5] :
«Hélas! Je vais mourir
et toi, jeune homme qui m'as blessée,
que telle soit ta destinée[6] :
puisses-tu ne jamais trouver la guérison!
Ni herbes ni racines,
ni médecin ni potion
ne pourront te guérir
de la plaie que tu as dans la cuisse
avant que te guérisse celle
qui souffrira pour l'amour de toi
de si grandes peines et une telle douleur

Ke unkes femme taunt ne suffri;
E tu ref[e]ras taunt pur li,
Dunt tut cil s'esmerveillerunt
120 *Ki aiment e amé avrunt*
U ki pois amerunt aprés.
Va t'en de ci! Lais m'aver pes!»
Guigemar fu forment blescié;
De ceo k'il ot est esmaiez.
125 *Començat sei a purpenser*
En quel tere purrat aler
Pur sa plaie faire guarir
Kar ne se volt laissier murir.
Il set assez e bien le dit
130 *Ke unke femme nule ne vit*
A ki il [a]turnast s'amur
Ne kil guaresist de dolur.
Sun vallet apelat avaunt:
«Amis, fait il, va tost poignaunt!
135 *Fai mes compaignuns returner;*   140c
Kar jo voldrai od eus parler.»
Cil point avaunt, e il remaint;
Mult anguissusement se pleint.
De sa chemise estreitement
140 *Sa plaie bende fermement.*
Puis est muntez, d'iluec s'en part;
Ke esloignez seit mult li est tart:
Ne volt ke nul des suens i vienge,
Kil desturbast ne kil retienge.
145 *Le travers del bois est alez*
Un vert chemin ki l'ad menez
Fors a la laundë; en la plaigne
Vit la faleise e la muntaigne

que jamais aucune femme n'en souffrit de sem-
blables.
Et toi, tu souffriras[1] autant pour elle!
Ce qui provoquera l'émerveillement
de tous ceux qui aiment, auront aimé
ou aimeront dans l'avenir.
Va-t'en d'ici! Laisse-moi en paix!»
    Guigemar était grièvement blessé.
Ce qu'il venait d'entendre le bouleversait.
Il se mit à réfléchir
au pays où il pourrait se rendre
pour faire guérir sa plaie.
Car il ne voulait pas se laisser mourir.
Il savait pertinemment et se répétait
qu'il n'avait jamais vu aucune femme
à qui il pourrait vouer son amour
et qui pourrait lui ôter sa souffrance.
Il fait venir son valet devant lui:
«Ami, lui dit-il, pars vite et pique des deux!
Dis à mes compagnons de revenir
car je voudrais leur parler!»
Le valet part au galop et lui reste seul.
Il gémit terriblement.
Avec sa chemise qu'il serre bien,
il bande solidement sa plaie.
Puis il monte à cheval et s'en va.
Il lui tarde bien de s'éloigner.
Il ne veut voir arriver aucun des siens
qui pourrait le gêner ou le retenir sur place.
Il traversa la forêt
en suivant un chemin verdoyant qui le mena hors
de la forêt
jusqu'à la lande; dans la plaine,
il vit une falaise et une montagne

De une ewe ke desuz cureit ;
150 Braz fu de mer, hafne i aveit.
El hafne out une sule nef,
Dunt Guigemar choisi le tref ;
Mult esteit bien apparillee.
Defors e dedenz fu peiee :
155 Nuls hum n'i pout trover jointure ;
N'i out cheville ne closture
Ki ne fust tute d'ebenus ;
Suz ciel n'at or ki vaille plus.
La veille fu tute de seie,
160 Mult est bele ki la depleie.
Li chivaliers fu mult pensis :
En la cuntree n'el païs
N'out unkes mes oï parler
Ke nefs i pussent ariver.
165 Avaunt alat, descendi jus ;
A graunt anguisse munta sus.
Dedenz quida hummes truver   140d
Ki la nef deüssent garder ;
N'i aveit nul, ne nul ne vit.
170 En mi la nef trovat un lit
Dunt li pecul e li limun
Furent a l'ovre Salemun,
Tailliez a or, tut a triffure,
De ciprés e de blanc ivoure ;
175 D'un drap de seie a or teissu
Est la coilte ki desus fu.
Les altres dras ne sai preisier ;
Mes tant vos di de l'oreillier :
Ki sus eüst sun chief tenu
180 Jamais le peil n'avreit chanu ;

au pied de laquelle coulait une rivière.
Elle devenait un bras de mer sur laquelle se trou-
　　vait un port.
Et, dans ce port, il n'y avait qu'un seul navire
dont Guigemar aperçut la voile.
La nef se trouvait parfaitement prête à prendre la
　　mer.
Elle était calfatée à l'extérieur et à l'intérieur.
Impossible de voir la moindre jointure.
Pas une cheville, pas un crampon
qui ne fût entièrement en ébène.
Elle valait plus cher qu'aucun trésor au monde.
La voile, entièrement en soie,
montrait toute sa splendeur lorsqu'on la déployait.
Le chevalier restait songeur
car ni dans sa région ni dans tout le pays
on n'avait jamais entendu dire
que des navires pouvaient aborder là.
Il s'avance, descend de cheval
et, tout anxieux, pénètre sur le navire.
Il pensait y trouver des hommes d'équipage
chargés de le garder
mais il n'y avait aucune âme à bord et il ne vit
　　personne[1].
Au milieu du navire, il trouva un lit[2]
dont les montants et les longerons
étaient d'or gravé selon l'art de Salomon[3]
et incrusté de cyprès et d'ivoire blanc.
La couette qui le recouvrait
était en soie brodée d'or.
Je suis incapable d'évaluer le prix des draps
mais pour l'oreiller[4] je peux vous dire ceci :
celui qui y poserait la tête
n'aurait jamais de cheveux blancs.

Le covertur tut sabelin
Vols fu du purpre alexandrin.
Deus chandelabres de fin or —
Le pire valeit un tresor —
185 *El chief de la nef furent mis;*
Desus out deus cirges espris.
De ceo s'esteit il merveilliez.
Il s'est sur le lit apuiez;
Reposé s'est, sa plaie dolt.
190 *Puis est levez, aler s'en volt;*
Il ne pout mie returner:
La nef est ja en halte mer,
Od lui s'en vat delivrement;
Bon orét out e süef vent,
195 *N'i ad mais nient de sun repaire;*
Mult est dolent, ne seit ke faire.
N'est merveille së il s'esmaie,
Kar grant dolur out en sa plaie;
Suffrir li estut l'aventure.   141a
200 *A Deu prie k'en prenge cure,*
K'a sun poeir l'ameint a port
E sil defende de la mort.
El lit se colcha, si s'en dort;
Hui ad trespassé le plus fort:
205 *Ainz le vespré ariverat*
La ou sa guarisun avrat,
Desuz une antive cité,
Ki esteit chief de cel regné.
  Li sires ki la mainteneit
210 *Mult fu velz humme e femme aveit,*
Une dame de haut parage,
Franche, curteise, bele e sage;

La couverture tout en zibeline
était doublée de pourpre[1] d'Alexandrie.
Deux chandeliers d'or pur
(le moins beau valait un trésor)
étaient placés à la proue du navire
et garnis de deux cierges allumés[2].
Tout cela le remplit d'émerveillement.
Il s'appuya sur le lit.
Il s'y reposa même car sa blessure le faisait souf-
    frir.
Puis il se leva et voulut s'en aller;
mais il ne pouvait plus faire demi-tour.
Le navire se trouvait déjà en haute mer[3].
Avec lui, il s'éloigne rapidement
car le temps est favorable et le vent souffle.
Il n'est pas question de retourner.
Il est bien triste et ne sait que faire.
Ce n'est pas étonnant s'il est inquiet
car sa blessure le fait beaucoup souffrir.
Il lui faut donc supporter cette aventure.
Il prie Dieu de le prendre sous sa protection,
d'user de sa puissance pour le conduire à bon
    port
et lui éviter la mort.
Il se coucha sur le lit et s'endormit[4].
Aujourd'hui, il a franchi le cap le plus difficile.
Avant le soir, il parviendra
à l'endroit où il obtiendra sa guérison,
à l'orée d'une vieille cité
qui était la capitale de ce royaume.
    Le seigneur qui la gouvernait
était un vieillard marié
à une femme de haute naissance,
noble, courtoise, belle et avisée.

Gelus esteit a desmesure;
Kar ceo purportoit la nature
215 Ke tut li veil seient gelus;
Mult hiet chascun kë il seit cous
Tels [est] de eage le trespas.
Il ne la guardat mie a gas.
En un vergier suz le dongun,
220 La out un clos tut envirun;
De vert marbre fu li muralz,
Mult par esteit espés e halz;
N'i out fors une sule entree,
Cele fu noit e jur guardee.
225 De l'altre part fu clos de mer;
Nuls ne pout eissir në entrer,
Si ceo ne fust od un batel,
Se busuin eüst al chastel.
Li sire out fait dedenz le mur,
230 Pur mettre i sa femme a seür,
Chaumbre; suz ciel n'en out plus bele. 141b
A l'entree fu la chapele.
La chaumbre ert peinte tut entur:
Venus, le deuesse d'amur,
235 Fu tres bien [mise] en la peinture,
Les traiz mustrez e la nature
Cument hom deit amur tenir
E lëalment e bien servir;
Le livre Ovide, ou il enseine
240 Coment chascun s'amur estreine,
En un fu ardant le gettout
E tuz iceus escumengout
Ki ja mais cel livre lirreient
Ne sun enseignement fereient.

Le mari était extrêmement jaloux
car Nature veut
que tous les vieux soient jaloux.
Aucun ne supporte l'idée d'être cocu ;
c'est l'âge qui contraint d'en passer par là !
Le vieux surveillait sa femme et ce n'était pas
    pour rire.
Dans un jardin, au pied du donjon,
il y avait un enclos fermé de toutes parts
par un mur de marbre vert
qui était très large et très haut.
Il n'y avait qu'une seule entrée
gardée jour et nuit.
À l'opposé, la mer formait un obstacle[1].
Nul ne pouvait sortir ou entrer
si ce n'est à bord d'un bateau,
quand les besoins du château l'exigeaient.
À l'intérieur de la muraille, le seigneur avait fait
    construire une chambre
pour mettre sa femme en sûreté.
Il n'y avait pas de plus belle chambre au monde.
La chapelle se trouvait à l'entrée
et tous les murs de la chambre étaient peints[2].
Vénus, la déesse de l'amour,
y était bien représentée.
Elle montrait les caractères et la nature
du comportement amoureux et de ses devoirs
ainsi que la nature d'un service d'amour loyal.
Elle jetait dans un grand feu
le livre où Ovide enseigne
comment chacun peut réprimer son amour[3].
Elle excommuniait tous ceux
qui, à l'avenir, liraient ce livre
ou suivraient son enseignement.

245   *La fu la dame enclose e mise.*
      Une pucele a sun servise
      Li aveit sis sires bailliee,
      Ki mult ert franche e enseigniee,
      Sa niece, fille sa sorur.
250   *Entre les deus out grant amur;*
      Od li esteit quant il errout,
      De ci la kë il reparout,
      Hume ne femme n'i venist,
      Ne fors de cel murail ne issist.
255   *Uns vielz prestres blancs e floriz*
      Guardout la clef de cel postiz;
      Les plus bas membres out perduz:
      Autrement ne fust pas creüz;
      Le servise Deu li diseit
260   *E a sun mangier la serveit.*
         Cel jur meïsme ainz relevee
      Fu la dame el vergier alee;
      Dormie aveit aprés mangier,
      Si s'est alee esbanïer,   141c
265   *Ensemblë od li la meschine.*
      Gardent aval vers la marine;
      La neif virent al flot muntant,
      Quë el hafne veneit signant;
      Ne veient rien que la cunduie.
270   *La dame volt turner en fuie:*
      Si ele ad poür n'est merveille;
      Tute en fu sa face vermeille.
      Mes la meschine, que fu sage
      E plus hardie de curage,
275   *La recunforte e aseüre.*

C'est dans cette chambre que la dame avait été
    mise et emprisonnée[1].
Elle avait à son service une jeune fille
de belle noblesse et de grande éducation.
C'était son mari qui la lui avait donnée;
il s'agissait de sa propre nièce, une fille de sa
    sœur.
Entre les deux femmes régnait une grande amitié.
La jeune fille restait auprès de la dame quand le
    mari partait en voyage.
Jusqu'à son retour,
ni homme ni femme n'aurait pu entrer
ni franchir le mur pour sortir.
Un vieux prêtre avec barbe et cheveux blancs
gardait la clé de cette porte.
Il avait perdu tous les attributs de sa virilité[2];
autrement on n'aurait pas eu confiance en lui.
Il célébrait l'office divin[3] devant la dame
et lui servait ses repas.
    Le même jour, tôt dans l'après-midi,
la dame s'était rendue dans le jardin.
Elle avait dormi après le repas
et elle était allée se distraire
avec la jeune fille pour toute compagnie.
Elles regardent vers le bas en direction du rivage
et voient le navire, à marée montante,
qui arrivait au port, toutes voiles dehors,
mais elles ne voient personne le conduire.
La dame veut prendre la fuite
et ce n'est pas étonnant qu'elle ait peur.
Elle en a le visage tout rouge.
Mais la jeune fille, qui était avisée
et bien plus courageuse,
la réconforte et la rassure.

Cele part vunt grant aleüre.
Sun mantel ost[e] la pucele,
Entre en la neif, que mult fu bele.
Ne trovat nule rien vivant
280 *For sul le chevaler dormant;*
Pale le vit, mort le quida;
Arestut sei, si esgarda.
Ariere vait la dameisele,
Hastivement la dame apele,
285 *Tute la verité li dit,*
Mult pleint le mort quë ele vit.
Respunt la dame: « Or i alums!
S'il est mort, nus l'enfuïrums;
Nostre prestre nus aidera.
290 *Si vif le truis, il parlera. »*
Ensemble vunt, ne targent mes,
La dame avant e ele aprés.
Quant ele est en la neif entree,
Devant le lit est arestee;
295 *Le chevaler ad esgardé,* 141d
Mut pleint sun cors e sa beuté;
Pur lui esteit triste e dolente,
E dit que mar fu sa juvente.
Desur le piz li met sa main;
300 *Chaut le senti e le quor sein,*
Que suz les costez li bateit.
Le chevaler, que se dormeit,
S'est esveillez, si l'ad veüe;
Mut en fu lez, si la salue:
305 *Bien seit k'il est venu a rive.*
La dame, plurante e pensive,

Elles se dirigent en hâte vers le navire.
La jeune fille enlève son manteau
et pénètre dans le navire qui était très beau.
Elle ne trouve âme qui vive
à l'exception du chevalier qui dormait.
Elle vit qu'il était pâle et le crut mort.
Elle s'arrête et l'examine
puis retourne sur ses pas
et appelle aussitôt la dame.
Elle lui dit toute la vérité
et se lance dans une déploration sur le mort qu'elle
    a vu.
La dame lui répond : « Allons là-bas !
S'il est mort, nous l'enterrerons ;
notre prêtre nous y aidera.
Mais si je le trouve en vie, il parlera. »
Elles partent ensemble sans tarder :
la dame d'abord et la jeune fille ensuite.
Après être entrée dans le navire,
la dame s'arrêta devant le lit.
Elle regarda le chevalier
et se lamenta sur ce qui était arrivé à son corps et
    à sa beauté.
Elle était triste et peinée pour lui
et disait que sa jeunesse avait été brisée.
Elle pose la main sur la poitrine du jeune homme
et sent qu'il est encore chaud et que son cœur est
    en bonne santé
puisqu'il bat dans sa poitrine.
Le chevalier encore endormi
s'éveilla soudain et vit la dame.
Il s'en réjouit et la salua.
Il comprend bien qu'il est arrivé sur un rivage.
Quant à la dame, anxieuse et en larmes,

Li respundi mut bonement,
Demande li cumfaitement
Il est venuz de queil tere,
310 S[i] il est eisselez pur guere.
«Dame, fet il, ceo n'i ad mie;
Mes si vus plest que jeo vus die
La verité, vus cunterai;
Nïent ne vus en celerai.
315 De Bretaine la menur fui.
En bois alai chacier jeo ui;
Une blanche bise feri,
E la saete resorti,
En la quisse m'ad si nafré,
320 Jamés ne quid estre sané.
La bise se pleint e parlat,
Mut me maudist e [si] jurat
Que ja n'eüs[se] guarisun
Si par une meschine nun;
325 Ne sai u ele seit trovee.
Quant jeo oï la destinee,
Hastivement del bois eissi.
En un hafne cest[e] nef vi;   142a
Dedenz entrai, si fis folie;
330 Od mei s'en est la neif ravie.
Ne sai u jeo sui arivez,
Coment ad nun ceste citez.
Bele dame, pur Deu vus pri,
Cunseillez mei, vostre merci!
335 Kar jeo ne sai queil part aler,
Ne la neif ne puis governer.»
El li respunt: «Bel sire chiers,
Cunseil vus dirai volenters:
Ceste cité est mun seignur
340 E la cuntre[e] tut entur;

elle lui répond fort aimablement
et lui demande
comment il est venu et de quel pays,
s'il s'est exilé à cause de la guerre.
« Dame, dit-il, ce n'est pas cela !
Mais si vous souhaitez que je vous dise
la vérité, je vais vous la conter :
je ne vous cacherai rien.
Je suis de Petite Bretagne
et aujourd'hui je suis allé au bois pour chasser.
J'ai atteint une biche blanche
et la flèche a fait ricochet ;
elle m'a blessé si grièvement à la cuisse
que plus jamais je ne pense être guéri.
La biche se plaignit et se mit à parler ;
elle me maudit avec force et me voua
à ne jamais connaître la guérison
sinon par une jeune femme
que je ne sais où trouver.
Après avoir entendu le sort qui m'était destiné,
j'ai rapidement quitté la forêt.
J'ai vu ce navire dans un port
et j'ai eu la folie d'y monter.
Le navire est parti en m'emportant.
Je ne sais pas où j'ai abordé
ni comment cette cité se nomme.
Noble dame, au nom de Dieu, je vous en prie !
Conseillez-moi, s'il vous plaît,
car je ne sais pas où me rendre
et je ne suis pas capable de diriger le navire. »
Elle lui répond : « Noble et cher seigneur,
je vous conseillerai bien volontiers.
Cette cité appartient à mon mari
ainsi que tous les environs.

Riches hum est de haut parage,
Mes mut par est de grant eage;
Anguissusement est gelus.
Par cele fei ke jeo dei vus,
345 *Dedenz cest clos m'ad enseree.*
N'i ad fors une sule entree;
Un viels preste la porte garde:
Ceo doins[e] Deus que mal feu l'arde!
Ici sui nuit e jur enclose;
350 *Ja nule fiez nen ierc si ose*
Que j'en ise s'il nel comande,
Si mis sires ne me demande.
Ci ai ma chambre e ma chapele,
Ensemble od mei ceste pucele.
355 *Si vus [i] plest a demurer*
Tant que [vuz meuz] pussez errer,
Volenters vus sojurnerum.
E de [bon] queor vus servirum. »
Quant il ad la parole oïe,
360 *Ducement la dame mercie:*
Od li sujurnerat, ceo dit.
En estant s'est drecié el lit;
Celes li aïent a peine;
La dame en sa chambre le meine.
365 *Desur le lit a la meschine,*
Triers un dossal que pur cortine
Fu en la chambre apareillez,
La est li dameisels cuchez.
E[n] bacins de or [ewe] aporterent,
370 *Sa plaie e sa quisse laverent,*
A un bel drap de cheisil blanc
Li osterent entur le sanc;
Pus l'unt estreitement bendé.

142b

C'est un personnage puissant et de grande noblesse
mais il est très âgé
et atrocement jaloux.
Je veux vous l'assurer :
il m'a enfermée dans cet enclos.
Il n'y a qu'une seule entrée.
Un vieux prêtre garde la porte.
Que Dieu le livre aux flammes de l'enfer !
Je suis enfermée ici nuit et jour
et je ne suis pas assez hardie
pour sortir si le prêtre ne me l'a pas ordonné
sur l'ordre de mon mari.
J'ai ici ma chambre et ma chapelle.
Cette jeune fille me tient compagnie.
S'il vous plaît d'y rester
jusqu'à ce que vous puissiez reprendre votre
    voyage,
nous vous hébergerons volontiers
et nous vous servirons de bon cœur. »
Après avoir entendu ces paroles,
il remercie très aimablement la dame
et lui dit qu'il restera à ses côtés.
Il se lève du lit et se met sur pieds.
Les deux femmes l'aident avec difficulté.
La dame l'emmène dans sa chambre.
C'est sur le lit de la jeune fille,
derrière un paravent qui servait de rideau
dans la chambre,
que le jeune homme fut allongé.
Elles lui apportèrent de l'eau dans un bassin d'or
et lui lavèrent sa plaie et sa cuisse.
Avec un bon tissu de lin blanc,
elles lui ôtèrent le sang tout autour
et lui firent un pansement bien serré.

Mut le tienent en grant chierté.
375 *Quant lur manger al vespré vient,*
La pucele tant en retient
Dunt li chevalier out asez;
Bien est peüz e abevrez.
Mes amur l'ot feru al vif;
380 *Ja ert sis quors en grant estrif,*
Kar la dame l'ad si nafré,
Tut ad sun païs ublïé.
De sa plaie nul mal ne sent;
Mut suspire anguisusement.
385 *La meschine kil deit servir*
Prie qu'ele [le] laist dormir.
Cele s'en part, si l'ad laissié,
Puis k'il li ad duné cungé;
Devant sa dame en est alee,
390 *Quë aukes esteit reschaufee*
Del feu dunt Guigemar se sent
Que sun queor alume e esprent.
    Li chevaler fu remis suls;
Pensif esteit e anguissus;
395 *Ne seit uncore que ceo deit,*
Mes nepurquant bien s'aparceit
Si par la dame n'est gariz,
De la mort est seürs e fiz.
«Allas! fet il, quel le ferai?
400 *Irai a li, si li dirai*
Quë ele eit merci e pitié
De cest cheitif descunseillé.
S'ele refuse ma prïere
E tant seit orgoilluse e fiere,
405 *Dunc m'estuet [il] a doel murir*
E de cest mal tuz jurs languir.»
Lors suspirat; en poi de tens

142c

Elles lui témoignèrent toute leur attention.
Le soir, quand leur repas fut servi,
la jeune fille préleva de la nourriture
pour que le chevalier en eût à satiété.
Il a bien mangé et bien bu !
Mais l'amour l'avait frappé au vif
et son cœur était en proie à une grande lutte
car la dame l'a si profondément blessé
qu'il en a complètement oublié son pays.
Sa plaie ne lui fait plus mal du tout.
Il pousse de profonds soupirs.
Il prie la demoiselle qui doit veiller sur lui
de le laisser dormir.
Alors, elle s'en va et le laisse seul
après qu'il lui a donné son congé.
Elle partit rejoindre sa dame
qui brûlait de la même flamme
dont Guigemar était saisi
et qui embrasait et enflammait son cœur.
  Le chevalier restait seul ;
il était songeur et souffrait beaucoup.
Il ne sait pas encore ce que cela signifie
mais pourtant il s'aperçoit bien
que s'il ne reçoit pas sa guérison de cette dame
il est absolument certain de mourir.
« Hélas ! se dit-il, que faire ?
J'irai la trouver et j'implorerai
sa pitié et sa merci[1]
pour ce pauvre malheureux, tout désemparé.
Si elle est trop orgueilleuse et trop dure
pour repousser ma prière,
alors il ne me restera plus qu'à mourir de douleur
ou à languir pour toujours de ce mal. »
Alors il poussa un soupir ; peu de temps après,

Li est venu novel purpens,
E dit que suffrir li estoet;
410   Kar [is]si fait ki me[u]s ne poet.
Tute la nuit ad si veillé
E suspiré e travaillé;
En sun queor alot recordant
Les paroles e le semblant,
415   Les oilz vairs e la bele buche,
Dunt la dolur al quor li tuche.
Entre ses denz merci li crie;
Pur poi ne l'apelet s'amie.
S'il seüst quei ele senteit
420   E cum l'amur la destreineit,
Mut en fust liez, mun escïent;
Un poi de rasuagement
Li tolist auques la dolur   142d
Dunt il ot pal[e] la colur.
425   Si il ad mal pur li amer,
El ne s'en peot nïent loër.
Par matinet einz l'ajurnee
Esteit la dame sus levee;
Veillé aveit, de ceo se pleint;
430   Ceo fet amur que la destreint.
La meschine, quë od li fu,
Ad le semblant aperceü
De sa dame, quë ele amout
Le chevaler que sojurnout
435   En la chambre pur guarisun;
Mes el ne seit s'il eime u nun.
La dame est entree el muster,
E cele vait al chevaler;
    Asise se est devant le lit;
440   E il l'apele, si li dit:
«Amie, u est ma dame alee?

il lui vint une nouvelle idée
et il se dit qu'il lui fallait supporter ce mal,
car ainsi fait celui qui n'a pas le choix.
Toute la nuit, il a veillé,
soupiré et souffert.
Il ne cesse de se rappeler
les paroles et l'air,
les yeux vifs et la belle bouche
dont la douceur lui touche le cœur.
Dans un murmure, il implore sa pitié
et pour un peu il l'appellerait son amie.
Si lui-même avait su ce qu'elle ressentait
et à quel point l'amour la tourmentait,
il en aurait été très heureux, je crois.
Un peu de soulagement
aurait allégé la souffrance
qui faisait pâlir son visage.
Si lui-même souffrait de son amour pour elle,
elle de son côté ne pouvait guère s'en féliciter.
De bon matin, avant le lever du jour,
la dame s'était levée.
Elle n'avait pas dormi et elle s'en plaignait.
Voilà bien l'effet de l'amour qui l'étreint!
La jeune fille qui se trouvait à ses côtés
avait parfaitement compris au visage
de sa dame que celle-ci aimait
le chevalier qui séjournait
dans la chambre dans l'attente de sa guérison.
Mais elle ne sait pas s'il l'aime ou non.
Pendant que la dame était dans la chapelle,
la jeune fille alla trouver le chevalier.
    Elle s'assit devant le lit;
le chevalier s'adressa à elle et lui dit:
«Amie, où est donc allée ma dame?»

Pur quei est el si tost levee?»
Atant se tut, si suspira.
La meschine l'areisuna.
445 *«Sire, fet ele, vus amez;*
Gardez que trop ne vus celez!
Amer poëz en iteu guise
Que bien ert vostre amur assise.
Ki ma dame vodreit amer
450 *Mut devreit bien de li penser;*
Cest' amur sereit covenable,
Si vus amdui feussez estable.
Vus estes bels e ele est bele.»
Il respundi a la pucele:
455 *«Jeo sui de tel amur espris,*   143a
Bien me purrat venir a pis,
Si jeo n'ai sucurs e aïe.
Cunseillez me, ma duce amie!
Que ferai jeo de cest' amur?»
460 *La meschine par grant duçur*
Le chevaler ad conforté
E de s'aïe aseüré,
De tuz les biens que ele pout fere;
Mut ert curteise e deboneire.
465   *Quant la dame ad la messe oïe,*
Ariere vait, pas ne se ublie;
Saveir voleit quei cil feseit,
Si il veilleit u [il] dormeit,
Pur ki amur sis quors ne fine.
470 *Avant l'apelat la meschine,*
Al chevaler la feit venir:
Bien li purrat tut a leisir
Mustrer e dire sun curage,
Turt li a pru u a damage.
475 *Il la salue e ele lui;*

Pourquoi s'est-elle levée d'aussi bon matin?»
Puis il se tut et soupira.
La jeune fille lui répondit:
«Seigneur, vous êtes amoureux!
Évitez de trop dissimuler vos sentiments!
Vous pouvez aimer de telle sorte
que votre amour sera bien placé.
Celui qui voudrait aimer ma maîtresse
devrait la tenir en grande estime.
Cet amour serait exemplaire
si vous étiez fidèles l'un à l'autre
car vous êtes beaux tous les deux.»
Il répondit à la jeune fille:
«Je suis enflammé d'un tel amour
que le pire pourrait bien m'arriver
si je ne reçois pas aide et secours!
Conseillez-moi, ma douce amie!
Comment m'y prendre avec cet amour?»
Avec une grande douceur, la jeune fille
réconforte le chevalier
et l'assure de son aide;
elle fera tout ce qu'elle peut pour lui.
Elle était fort gentille et d'une grande courtoisie.
   Après avoir entendu la messe,
la dame revint sans tarder.
Elle voulait savoir ce que faisait
celui à qui son cœur vouait un amour infini:
s'il veillait ou s'il dormait.
Or, voici que la jeune fille l'appelle
et lui demande de venir auprès du chevalier.
Elle pourra tout à loisir
lui montrer et lui exprimer ses sentiments,
que cela lui vaille profit ou dommage.
Il la salue et elle fait de même.

En grant effrei erent amdui.
Sil ne l'osot nïent requere;
Pur ceo qu'il ert d'estrange tere,
Aveit poür, s'il li mustra[s]t,
480　Que el l'en haïst e esloina[s]t.
Mes ki ne mustre s'enferté
A peine en peot aver santé:
Amur est plai[e de]denz cors,
E si ne piert nïent defors.
485　Ceo est un mal que lunges tient,
Pur ceo que de nature vient;
Plusurs le tienent a gabeis,　　　　　143b
Si cume li vilain curteis,
Ki jolivent par tut le mund,
490　Puis se avantent de ceo que funt;
N'est pas amur, einz est folie
E mauveisté e lecherie.
Ki un en peot leal trover,
Mut le deit servir e amer
495　[E] estre a sun comandement.
Guiguemar eimoit durement:
U il avrat hastif sucurs,
U li esteot vivre a reburs.
Amur li dune hardement:
500　Il li descovre sun talent.
«Dame, fet il, jeo meorc pur vus;
Mis quors en est mut anguissus;
Si [vus] ne me volez guarir,
Dunc m'estuet [il] en fin murir.
505　Jo vus requeor de drüerie;
Bele, ne me escundïez mie!»
Quant ele l'at bien entendu,
Avenaument ad respundu;
Tut en riant li dit: «Amis,

Ils sont l'un et l'autre dans un grand trouble.
Il n'ose pas lui faire sa déclaration
car il vient d'un pays étranger.
S'il lui révèle ses sentiments, il craint
d'être haï d'elle ou mis à l'écart.
Mais, si l'on ne montre pas son mal,
il est difficile d'obtenir sa guérison.
L'amour est une plaie intérieure
qui ne transparaît pas au-dehors.
C'est un mal qui résiste longtemps
parce qu'il vient de Nature.
Beaucoup s'en moquent,
comme ces ignobles galants
qui font les jolis cœurs partout
et qui se vantent ensuite de leurs succès.
Ceci n'est pas de l'amour, mais de la folie,
de la perversité et de la débauche.
Quand on peut trouver un amant loyal,
il faut le servir, l'aimer
et lui obéir.
Guigemar ressentait un profond amour :
ou bien il recevra un prompt secours
ou il lui faudra vivre à l'encontre de ses désirs.
L'amour lui donne de la hardiesse
et il révèle à la dame son désir.
« Dame, dit-il, je meurs pour vous !
Mon cœur est profondément troublé.
Si vous ne voulez pas me guérir,
alors il me faudra mourir.
Je vous demande votre amour[1],
belle dame, ne me repoussez pas ! »
Après l'avoir bien écouté,
elle lui répondit aimablement
et lui dit en souriant : « Ami,

510 *Cest cunseil sereit trop hastis,*
    De otrïer vus ceste prïere :
    Jeo ne sui mie acustumere. »
    « Dame, fet il, pur Deu, merci !
    Ne vus ennoit si jol vus di !
515 *Femme jolive de mestier*
    Se deit lunc tens faire preier
    Pur sei cherir, que cil ne quit
    Quë ele eit usé cel deduit ;
    Mes la dame de bon purpens,   143c
520 *Ki en sei eit valur ne sens,*
    S'ele treve hume a sa manere,
    Ne se ferat vers lui trop fiere ;
    Ainz l'amerat, si'n avrat joie ;
    Ainz que nul le sachet u oie,
525 *Avrunt il mut de lur pruz fait.*
    Bele dame, finum cest plait ! »
    La dame, entent que veirs li dit,
    E li otreie sanz respit
    L'amur de li, e il la baise.
530 *Desore est Guigemar a aise.*
    Ensemble gisent e parolent
    E sovent baisent e acolent ;
    Bien lur covienge del surplus,
    De ceo que li autre unt en us !
535   *Ceo m'est avis, an e demi*
    Fu Guigemar ensemble od li
    Mut fu delituse la vie ;
    Mes Fortune, ki ne se oblie,
    Sa roe turnë en poi de hure,

ce serait prendre une décision hâtive
que de vous accorder votre demande !
Je ne suis pas coutumière de cet état de fait.
— Ma dame, fait-il, au nom de Dieu, pitié !
Ne vous fâchez pas de ce que je vais vous dire.
Une femme de mœurs légères
cherche longtemps à se faire prier
pour se faire apprécier afin qu'on ne puisse pas
   penser
qu'elle use et abuse du plaisir d'amour.
Mais une dame aux pensées pures,
pleine de mérite et d'intelligence,
si elle trouve un homme à sa convenance
ne se montrera pas trop cruelle.
Bien au contraire, elle l'aimera et en retirera de
   la joie.
Avant que personne ne le sache ou l'apprenne,
ils auront tiré bien du profit de leur amour.
Belle dame, mettons un terme à cette discussion ! »
La dame comprend qu'il dit vrai
et elle lui accorde aussitôt
son amour et il lui donne un baiser.
Guigemar est heureux à présent.
Ils couchent ensemble et se parlent ;
ils échangent des baisers et s'enlacent.
Ils n'ont plus qu'à s'occuper maintenant de la
   suite,
de tout ce que les amants ont coutume de faire.
   Pendant un an et demi, il me semble,
Guigemar vécut avec son amie.
Leur vie fut remplie de délices.
Mais Fortune[1] qui sait toujours rappeler sa pré-
   sence
fait tourner sa roue en peu de temps ;

540 *L'un met desuz, l'autre desure;*
     Issi est de ceus [a]venu,
     Kar tost furent aparceü.
        Al tens d'esté par un matin
     Just la dame lez le meschin;
545 *La buche li baise e le vis,*
     Puis si li dit: « Beus duz amis,
     Mis quors me dit que jeo vus perc:
     Seü serum e descovert.
     Si vus murrez, jeo voil murir;
550 *E si vus en poëz partir,*
     Vus recoverez autre amur,   143d
     E jeo remeindrai en dolur.
     — Dame, fet il, nel dites mes!
     Ja n'eie jeo joie ne pes,
555 *Quant vers nul'autre avrai retur!*
     N'aiez de ceo nule poür!
     — Amis, de ceo me aseürez!
     Vostre chemise me livrez!
     El pan desuz ferai un plait;
560 *Cungé vus doins, u ke ceo seit,*
     De amer cele kil desferat
     E ki despleer le savrat. »
     Il li baile, si l'aseüre;
     Le plet i fet en teu mesure:
565 *Nule femme nel desfereit,*
     Si force u cutel n'i meteit.
     La chemise li dune e rent;
     Il la receit par tel covent
     Que el le face seür de li
570 *Par une ceinture autresi,*
     Dunt a sa char nue se ceint,
     Par mi le flanc aukes estreint;

elle élève l'un et rabaisse l'autre.
Tel est le sort qui attendait les amants
car ils finissent par être découverts!
    Un matin d'été,
la dame était couchée près du jeune homme.
Elle lui baisait la bouche et le visage;
puis elle lui dit: «Cher et doux ami,
mon cœur me dit que je vais vous perdre.
On nous suivra et on va nous découvrir[1].
Si vous mourez, je veux mourir aussi,
et si vous pouvez me quitter,
vous trouverez un autre amour
et moi je resterai en proie à ma douleur.
— Dame, dit-il, ne parlez pas de la sorte!
Que je n'éprouve plus jamais joie ni paix
si jamais je me tourne vers une autre femme!
N'ayez aucune crainte à ce propos!
— Ami, donnez-moi un gage!
Remettez-moi votre tunique.
Avec le pan de dessous,
je ferai un nœud.
Je vous donne la permission, où que ce soit,
d'aimer celle qui défera ce nœud
et qui saura le défaire.»
Il lui donne la tunique et prête serment.
La dame y fait le nœud[2] de telle manière
qu'une femme serait incapable de le défaire
sans employer de ciseaux ou un couteau.
Puis elle lui rend la tunique.
Il l'accepte mais à condition
de recevoir également d'elle un gage:
il consistait à porter la ceinture
dont il ceignait à nu sa peau
et qui lui serrait les flancs.

Ki la bucle purrat ovrir
Sanz depescer e sanz partir,
575 Il li prie que celui aint.
Il la baisë, ataunt remaint.
   Cel jur furent aparceü,
Descovert, trové e veü
D'un chamberlenc mal veisïé
580 Que si sires l'out enveié;
A la dame voleit parler,
Ne pout dedenz la chambre entrer;
Par une fenestre les vit;   144a
Veit a sun seignur, si lui dit.
585 Quant li sires l'ad entendu,
Unques mes tant dolent ne fu.
De ses priveiz demanda treis,
A la chambre vait demaneis;
Il en ad fet l'us depescer,
590 Dedenz trovat le chevaler.
Pur la grant ire quë il a
A ocire le cumaunda.
Guigemar est en piez levez,
Ne s'est de nïent esfreez.
595 Une grosse perche de sap,
U suleient pendre li drap,
Prist en ses mains e sis atent;
Il en ferat aukun dolent:
Ainz kë il deus seit aprimez,
600 Les avrat il tut maaimez.
Le sire l'ad mut esgardé,
Enquis li ad e demandé
Kë il esteit e dunt fu nez
E coment est la einz entrez.
605 Cil li cunte cum il i vient
E cum la dame le retient;

Celui qui pourra ouvrir la boucle
sans briser ni découper la ceinture,
il la prie de l'aimer[1].
Puis il l'embrasse et les choses en restent là.
   Le jour même, ils furent aperçus,
découverts et pris sur le fait
par un chambellan soupçonneux
envoyé par son maître.
Il voulait parler à la dame
mais ne parvint pas à entrer dans la chambre.
Il les aperçut par une fenêtre.
Il alla trouver son maître et lui rapporta tout.
Quand son maître l'eut écouté,
il éprouva le plus grand trouble de sa vie.
Il convoqua trois de ses proches
et se rendit aussitôt dans la chambre.
Il en fait défoncer la porte
et trouve le chevalier à l'intérieur.
Sous l'emprise de sa grande colère,
il donne l'ordre de le tuer.
Guigemar se leva
et n'eut même pas peur.
Il saisit une grosse perche de sapin
sur laquelle on suspendait les vêtements[2]
puis il les attendit.
Il comptait bien leur faire du mal.
Avant de les laisser s'approcher,
il les aurait tous mis à mal.
Le seigneur le regarda
et lui demanda
qui il était, d'où il venait
et comment il était entré là.
Guigemar lui raconte comment il est arrivé
et comment la dame l'a gardé à ses côtés.

Tute li dist la destinee
De la bise ke fu nafree
E de la neif e de sa plaie;
510 *Ore est del tut en sa manaie.*
Il li respunt que pas nel creit
E s'issi fust cum il diseit,
Si il peüst la neif trover,
Il le metreit giers en la mer:
515 *S'il guaresist, ceo li pesast,*   144b
E bel li fust si li neiast.
Quant il l'ad bien aseüré,
El hafne sunt ensemble alé;
La barge trevent, enz l'unt mis;
520 *Od lui s'en vet en sun païs.*
La neif erre, pas ne demure.
Li chevaler suspire e plure,
La dame regretout sovent
E prie Deu omnipotent
525 *Qu'il li dunast hastive mort*
E que jamés ne vienge a port,
S'il ne repeot aver s'amie,
K'il desirat plus que sa vie.
Tant ad cele dolur tenue
530 *Que la neif est a port venue*
U ele fu primes trovee:
Asez iert pres de sa cuntree.
Al plus tost k'il pout s'en issi.
Un damisel qu'il ot nurri
535 *Errot aprés un chevaler;*
En sa mein menot un destrer.
Il le conut, si l'apelat,
E li vallez se reguardat:

Il lui parle de la prophétie
de la biche blessée,
du navire et de sa plaie.
Maintenant, il était entièrement sous le pouvoir
 du seigneur des lieux.
Ce dernier lui répond qu'il ne croit pas son histoire.
Si c'était la vérité
et s'il pouvait retrouver le navire,
il rejetterait Guigemar à la mer.
Et si Guigemar en réchappait, il en serait désolé !
Il préférerait plutôt le voir noyé.
Une fois que le seigneur lui eut donné des garan-
 ties,
ils trouvèrent le navire et y placèrent Guigemar.
Le navire s'en retourna vers son pays.
Il naviguait bien, sans tarder.
Le chevalier soupirait et pleurait.
Il ne cessait de regretter la dame
et priait le Dieu tout-puissant
de lui accorder une prompte mort
et de ne jamais parvenir à bon port
s'il ne peut retrouver son amie
qu'il aime bien plus que sa vie.
Tandis qu'il s'adonne à sa douleur,
le navire arrive au port
où il l'avait trouvé la première fois.
C'était tout près de son pays.
Guigemar débarque le plus vite possible.
Un jeune homme qu'il avait formé[1]
et qui recherchait un chevalier
tenait un destrier par la bride.
Le jeune homme se retourna,
le reconnut et l'appela.

Sun seignur veit, a pié descent,
640 Le cheval li met en present;
Od lui s'en veit; joius en sunt
Tut si ami ki trové l'unt.
Mut fu preisez en sun païs,
Mes tuz jurs ert maz e pensis.
645 Femme voleient qu'il preisist,
Mes il del tut les escundist:
Ja ne prendra femme a nul jur,   144c
Ne pur aveir ne pur amur,
S'ele ne peüst despleier.
650 Sa chemise sanz depescer.
Par Breitaine veit la novele;
Il n'i ad dame ne pucele
Ki n'i alast pur asaier:
Unc ne la purent despleier.
655   De la dame vus voil mustrer,
Que Guigemar pot tant amer.
Par le cunseil d'un sun barun
Ses sires l'ad mis' en prisun
En une tur de marbre bis.
660 Le jur ad mal e la nuit pis:
Nul humme el mund ne purreit dire
Sa grant peine ne le martire
Ne l'anguisse ne la dolur
Que la dame seofre en la tur.
665 Deus anz i fu e plus, ceo quit;
Unc n'oït joie ne deduit.
Sovent regrete sun ami:
«Guigemar, sire, mar vus vi!
Meuz voil hastivement murir
670 Que lungement cest mal suffrir.
Amis, si jeo puis eschaper,

En voyant son maître, il mit pied à terre
pour lui remettre le cheval.
Ils partent ensemble et tous les amis de Guigemar
sont heureux de le revoir.
Il fut très fêté dans son pays
mais il restait toujours muet et soucieux.
On voulait qu'il prît femme
mais il refusa cette éventualité.
Ni la richesse ni l'amour
ne lui feront prendre femme
sauf si l'une d'elles peut déplier
sa tunique sans la déchirer.
La nouvelle se répand dans toute la Bretagne.
Il n'y a dame ni jeune fille
qui n'aille tenter l'épreuve
mais aucune ne peut déplier la chemise.

    Je veux vous parler de la dame
que Guigemar aime tant.
Sur le conseil d'un de ses barons,
le mari l'a emprisonnée
dans une tour de marbre gris.
Elle souffre le jour et la nuit encore plus.
Personne au monde ne pourrait évoquer
la grande peine et le martyre,
la peine et la douleur
que la dame souffre dans la tour.
Elle y resta deux ans et même plus, je crois,
sans jamais goûter joie ni plaisir.
Elle ne cesse de regretter son ami :
« Guigemar, seigneur, c'est pour mon malheur
    que je vous ai rencontré !
Je préférerais mourir tout de suite
plutôt que de souffrir longtemps encore.
Ami, si je peux m'échapper,

La u vus fustes mis en mer
Me neierai ! » Dunc lieve sus ;
Tut esbaïe vient a l'hus,
675 Ne treve cleif ne sereüre ;
Fors s'en eissi par aventure.
Unques nul ne la [des]turba ;
Al hafne vient, la neif trova :
Attachie fu al rochier
680 U ele se voleit neier.   144d
Quant el la vit, enz est entree ;
Mes de une rien s'est purpensee
Que ilec fu sis amis neez ;
[Dunc] ne pout ester sur ses pez.
685 Se desqu'al bort peüst venir,
El se laissast defors chaïr :
Asez seofre travail e peine.
La neif s'en vet, que tost l'en meine.
En Bretaine est venu al port,
690 Suz un chastel vaillant e fort.
Li sire a ki le chastel fu
Aveit a nun Meriadu ;
Il guerr[ei]ot un sun veisin ;
Pur ceo fu levé par matin,
695 Sa gent voleit fors enveier
Pur sun enemi damager.
A une fenestre s'estot
E vit la neif ki arivot.
Il descendi par un degré
700 Sun chamberlein ad apelé ;
Hastivement a la neif vunt,
Par l'eschele muntent amunt ;
Dedenz unt la dame trovee,
Ke de beuté resemble fee.
705 Il la saisist par le mantel,

j'irai me noyer là où vous avez été livré
à la mer. » Elle se leva
et, toute hébétée, s'approcha de la porte.
Elle ne trouva ni clé ni serrure
et se risqua au-dehors ;
il n'y avait personne pour lui faire obstacle.
Elle arrive au port et trouve le navire.
Il était amarré au rocher
près duquel elle voulait se noyer.
Quand elle voit le navire, elle y pénètre
mais il lui vient à l'esprit
que son ami s'est noyé là.
Alors, elle ne peut plus tenir sur ses jambes.
Si elle avait pu parvenir au bastingage,
elle se serait laissée tomber dans l'eau.
Elle souffre un tourment et une peine immenses.
Le navire s'en va et l'emporte rapidement.
Elle arriva dans un port de Bretagne,
au pied d'un magnifique château fort.
Le seigneur à qui appartenait ce château
s'appelait Mériadoc[1].
Il était en guerre contre son voisin.
Mériadoc s'était levé de bon matin
parce qu'il voulait envoyer ses hommes
ravager la terre de son ennemi.
Il se tenait devant une fenêtre
et il vit le navire arriver.
Il descendit l'escalier,
appela son chambellan
et ils se dirigèrent en hâte vers le navire.
Ils montèrent à bord à l'aide de l'échelle
et trouvèrent à l'intérieur la dame,
belle comme une fée.
Il s'empara d'elle en la saisissant par le manteau

Od lui l'en meine en sun chastel.
Mut fu liez de la troveüre,
Kar bele esteit a demesure;
Ki que l'eüst mis en la barge,
710 *Bien seit que ele est de grant parage.*
    A li [a]turnat tel amur,   145a
Unques a femme n'ot greinur.
Il out une serur pucele;
En sa chambre que mut fu bele
715 *La dame li ad comandee.*
Bien fu servie e honuree,
Richement la vest e aturne;
Mes tuz jurs ert pensive e murne.
Il veit sovent a li parler,
720 *Kar de bon quor la peot amer.*
Il la requert; ele n'ad cure,
Ainz li mustre de la ceinture:
Jamés humme nen amera,
Si celui nun ki l'uverra
725 *Sanz depescer. Quant il l'entent,*
Si li respunt par maltalent:
«Autresi ad en cest païs
Un chevaler de mut grant pris;
De femme prendre en iteu guise
730 *Se defent par une chemise*
Dunt li destre pan est pleiez;
Il ne peot estre deslïez,
Que force u cutel n'i met[r]eit.
Vus feïstes, jeo quit, cel pleit.»
735 *Quant el l'oï, si suspira;*
Pur un petit ne se pasma.

et l'emmena avec lui dans son château.
Il était heureux de sa trouvaille
car elle était extrêmement belle.
Quel que soit celui qui a pu la mettre dans le
navire,
il comprend bien qu'elle est de haute naissance.
Jamais il ne voua à une femme
l'amour qu'il vouait à celle-ci.
Mériadoc avait une sœur qui n'était pas encore
mariée.
Il lui confia la dame
et l'emmena dans sa très belle chambre.
On la servit et on l'honora beaucoup.
Mériadoc lui procura de riches vêtements et de
belles parures
mais la dame restait toujours morne et soucieuse.
Il va souvent lui parler
car il l'aime de tout son cœur.
Il la sollicite mais elle n'en a cure.
Elle lui montre plutôt la ceinture :
jamais elle n'aimera un homme
sauf celui qui saura l'ouvrir
sans la briser. Après l'avoir écouté,
il lui répond avec colère :
« Il y a aussi dans ce pays
un chevalier de grande valeur.
Il refuse de prendre femme
à cause d'une tunique
dont le pan droit est noué.
Il est impossible de le dénouer
sinon avec des ciseaux ou un couteau.
C'est vous, je pense, qui avez fait ce nœud ! »
À ces mots, la dame soupira.
Elle manqua de s'évanouir.

Il la receit entre ses braz;
De sun bliant trenche les laz:
La ceinture voleit ovrir,
740 *Mes [n'en] poeit a chief venir.*
Puis n'ot el païs chevaler
Quë il ne feïst essaier.

    Issi remist bien lungement   145b
De ci que a un turneiement,
745 *Que Meriadus afia*
Cuntre celui que il guerreia.
Chevalers manda e retient;
Bien seit que Guigemar i vient.
Il li manda par guer[e]dun,
750 *Si cum ami e cumpainun,*
Que a cel busuin ne li failist
[E] en s'aïe a lui venist.
Alez i est mut richement,
Chevalers meine plus de cent.
755 *Meriadus dedenz sa tur*
Le herbergat a grant honur.
Encuntre lui sa serur mande,
Par deus chevalers li commande
Que se aturne e viengë avant,
760 *La dame meint qu'il eime tant.*
Cele ad fait sun commandement.
Vestues furent richement,
Main a main vienent en la sale;
La dame fu pensive e pale.
765 *Ele oï Guigemar nomer;*
Ne pout desur ses pez ester;
Si cele ne l'eüst tenue,
Ele fust a tere chaüe.

Il la reçoit dans ses bras
et tranche les lacets de sa tunique.
Il voulait ouvrir la ceinture
mais il ne put en venir à bout !
Par la suite, il soumit à cette épreuve
tous les chevaliers du pays.

Les choses en restèrent là fort longtemps
jusqu'au jour où Mériadoc
organisa un tournoi[1]
pour affronter son ennemi.
Il envoya chercher des chevaliers qu'il garda à
    ses côtés.
Il savait parfaitement que Guigemar viendrait
et il lui demanda, en échange de services rendus
comme ami et compagnon,
de ne pas lui faire défaut en cette circonstance
et de venir à son aide.
Guigemar s'y rendit en bel équipage.
Il emmena avec lui plus de cent chevaliers.
Mériadoc le logea dans son donjon
avec de grands honneurs.
Il prie sa sœur de venir à sa rencontre
et lui fait dire par deux chevaliers
de se parer et de venir au-devant de Guigemar
en emmenant la dame qu'il aime tant.
Sa sœur lui obéit.
Somptueusement vêtues,
elles arrivent dans la grande salle en se tenant
    par la main.
La dame était soucieuse et pâle.
Elle entend le nom de Guigemar.
Elle ne peut plus se soutenir.
Si la demoiselle ne l'avait pas retenue,
elle serait tombée par terre.

Li chevalers cuntre eus leva;
770 La dame vit e esgarda
E sun semblant e sa manere;
Un petit[et] se traist ariere.
«Est ceo, fet il, ma duce amie,
M'esperaunce, mun quor, ma vie,
775 Ma bele dame ke me ama?   145c
Dunt vient ele? Ki l'amena?
Ore ai pensé [mult] grand folie:
Bien sai que ceo n'est ele mie;
Femmes se resemblent asez;
780 Pur nïent change mis pensez.
Mes pur cele que ele resemble,
Pur ki mi quors suspire e tremble,
A li parlerai volenters.»
Dunc vet avant li chevalers;
785 Il la baisat, lez lui l'asist;
Unques nul autre mot ne dist,
Fors tant que seer la rovat.
Meriadus les esguardat;
Mut li pesat de cel semblant.
790 Guigemar apele en riant.
«Sire, fet il, si vus pleseit,
Ceste pucele essaiereit
Vostre chemise a despleier.
Si ele peot riens espleiter.»
795 Il li respunt: «E jeo l'otrei.»
Un chamberlenc apele a sei,
Que la chemise ot a garder;
Il li comande [a] aporter.
A la pucele fu baillie,
800 Mes ne l'ad [mie] despleïe.

Le chevalier se leva devant elles.
Il vit la dame et regarda
son visage et son air.
Il recula quelque peu et dit:
« Est-ce bien ma douce amie,
mon espérance, mon cœur, ma vie,
ma belle dame qui m'a aimé?
D'où vient-elle? Qui l'a amenée ici?
Mais je suis fou!
Je sais bien que ce n'est pas elle.
Les femmes se ressemblent beaucoup.
Ma pensée divague pour un rien.
Pourtant, comme elle ressemble
à celle pour qui mon cœur soupire et tremble!
Je lui parlerai volontiers. »
Alors le chevalier s'avance,
il lui donne un baiser et s'assoit à côté d'elle.
Il ne dit pas un seul autre mot,
excepté qu'il lui demande de s'asseoir.
Mériadoc les observa
et leur air le gêna fort.
Il interpelle Guigemar en souriant:
« Seigneur, dit-il en parlant de sa sœur, si vous
    vouliez bien,
cette jeune fille tenterait
bien de dénouer votre tunique
pour voir si elle a une chance de réussir. »
Guigemar lui répondit: « Je veux bien. »
Et il appela un chambellan
qui avait la garde de la tunique.
Il lui ordonna de l'apporter.
On la confia à la sœur de Mériadoc
qui ne réussit pas à la dénouer.

La dame conut bien le pleit ;
Mut est sis quors en grand destreit,
Kar volenters [s'i] essaiast,
S'ele peüst u ele osast.
805 Bien se aparceit Meriadus ;
Dolent en fu, il ne pot plus.
« Dame, fait il, kar assaiez
Si desfere le purïez ! »
Quant ele ot le comandement,
810 Le pan de la chemise prent,
Legerement le despleiat.
Li chevaler s'esmerveillat ;
Bien la conut, mes nequedent
Nel poeit creire fermement.
815 A li parlat en teu mesure :
« Amie, duce creature,
Estes vus ceo, dites mei veir !
Lessez mei vostre cors veeir,
La ceinture dunt jeo vus ceins ! »
820 A ses costez li met ses meins,
Si ad trovee la ceinture.
« Bele, fet il, queile aventure
Que jo vus ai issi trovee !
Ki vus ad [i]ci amenee ?
825 Ele li cunte la dolur,
Les peines granz e la tristur
De la prisun u ele fu,
E comment li est avenu :
Coment ele [s'en] eschapa ;
830 Neer se volt, la neif trova,
Dedeinz entra, a cel port vient ;
E li chevalers la retient ;
Gardee l'ad a grant honur,

145d

Quant à la dame, elle reconnut parfaitement le
   nœud
mais son cœur était au supplice
car elle tenterait volontiers l'épreuve
si elle le pouvait ou si elle l'osait.
Mériadoc s'en était rendu compte ;
il en fut affligé au possible.
« Dame, dit-il, essayez donc
de défaire ce nœud ! »
À cette invitation,
elle saisit le pan de la tunique
et le dénoua facilement.
Le chevalier s'en émerveille.
Il la reconnaît bien mais pourtant
il ne peut croire que c'est vraiment elle.
Il lui parle en ces termes :
« Amie, douce amie,
est-ce bien vous ? Dites-moi la vérité !
Laissez-moi voir sur vous
la ceinture que je vous ai mise ! »
Il touche alors ses flancs
et trouve la ceinture :
« Belle amie, quel hasard
de vous retrouver ici !
Qui vous a amenée jusqu'ici ? »
Elle lui raconta alors la souffrance,
les grandes peines et la tristesse
qu'elle ressentit dans la prison où elle était
et comment il lui arriva
de pouvoir s'échapper.
Elle voulait se noyer mais elle trouva le navire ;
elle y entra et arriva dans ce port
où le chevalier l'a retenue.
Il lui a témoigné de grands égards

Mes tuz jurs la requist de amur.
835 Ore est sa joie revenue:
«Amis, menez en vostre drue!»
Guigemar s'est en piez levez.
«Seignurs, fet il, ore escutez!
Une m'amie ai cuneüe
840 Que jeo quidoue aver perdue.
Meriaduc requer e pri
Rende la mei, sue merci!   146a
Ses hummes liges devendrai,
Deus anz u treis li servirai,
845 Od cent chevalers u od plus.»
Dunc respundi Meriadus.
«Guigemar, fet il, beus amis,
Jeo ne sui mie si suspris
Ne si destrei[z] pur nule guere
850 Que de ceo me deiez requere.
Jeo la trovai, si la tendrai
E cuntre vus la defendrai.»
    Quant il l'oï, hastivement
Comanda a munter sa gent;
855 D'ileoc se part, celui defie;
Mut li peise qu'il lait s'amie.
En la vile n'out chevaler,
Que fust alé pur turneier,
Ke Guigemar ne meint od sei.
860 Chescun li afie sa fei:
Od lui irunt queil part k'il aut,
Mult est huniz quë or li faut.
La nuit sunt al chastel venu,
Ki guerreiot Meriadu.
865 Li sires les ad herbergez,
Que mut en fu joius e lez
De Guigemar e de s'aïe:

mais n'a cessé de requérir son amour.
Maintenant sa joie est revenue :
« Ami, emmenez la femme de votre cœur ! »
Guigemar se leva :
« Seigneurs, dit-il, écoutez-moi.
Je viens de reconnaître ici
l'amie que je pensais avoir perdue.
Je prie et j'implore Mériadoc
de me la rendre, par pitié !
Je deviendrai son homme lige.
Je le servirai pendant deux ou trois ans
avec cent chevaliers et même plus ! »
Mais Mériadoc répondit :
« Guigemar, cher ami,
je ne suis pas démuni
ni acculé par une guerre quelconque
au point que vous deviez me faire cette requête.
Je l'ai trouvée, je la garderai,
et je la défendrai contre vous ! »
   À ces mots, Guigemar presse
ses hommes de monter à cheval.
Il quitte les lieux en défiant Mériadoc.
Il est surtout désolé d'abandonner son amie.
Guigemar emmène avec lui
tous les chevaliers qui étaient venus dans la ville
pour participer au tournoi.
Chacun l'assure de son aide :
ils iront avec lui, où qu'il aille.
Honte à celui qui lui fera défaut !
La nuit, ils arrivent au château
du seigneur en guerre contre Mériadoc.
Le seigneur les hébergea
en se réjouissant beaucoup de l'aide de Guigemar.

Bien seit que la guere est finie.
El demain par matin leverent,
870 *Par les ostelz se cunreierent.*
De la ville eissent a grant bruit ;   146b
Guigemar primes les cunduit.
Al chastel vienent, si l'asaillent ;
Mes fort esteit, au prendre faillent.
875 *Guigemar ad la vile assise ;*
N'en turnerat, si sera prise.
Tanz li crurent amis e genz
Que tuz les affamat dedenz.
Le chastel ad destruit e pris
880 *E le seignur dedenz ocis.*
A grant joie s'amie en meine ;
Ore ad trespassee en peine.
    De cest cunte ke oï avez
Fu Guigemar le lai trovez,
885 *Quë hum fait en harpe e en rote :*
Bonë est a oïr la note.

Il comprit que la guerre était finie.
Le lendemain, de bon matin, ils se levèrent
et s'équipèrent dans leurs logis.
Ils quittèrent bruyamment la ville
sous la conduite de Guigemar.
Ils arrivèrent au château de Mériadoc et donnè-
    rent l'assaut.
Mais c'était un château fortifié et ils échouèrent.
Guigemar fit alors le siège de la ville.
Il n'était pas disposé à le lever avant de l'avoir
    prise.
Comme le nombre de ses amis et de ses hommes
    croissait sans cesse,
il put réduire les assiégés à la famine.
Il prit et détruisit le château
et tua le seigneur qui s'y trouvait.
Tout joyeux, il emmena son amie
et il fut enfin au bout de ses peines.
    Sur le conte que vous venez d'entendre
on a composé[1] le lai de *Guigemar*
qu'on joue sur la harpe et la rote[2].
Sa musique est douce à entendre.

EQUITAN

Mut unt esté noble barun
Cil de Bretaine, li Bretun.
Jadis suleient par prüesce,
Par curteisie e par noblesce
5   Des aventures que oḯent,
Ki a plusur gent aveneient,
Fere les lais pur remembrance,
Que [hum] nes meïst en ubliance.
Un en firent, ceo oi cunter,
10 Ki ne fet mie a ublïer,
D'Equitan que mut fu curteis,
Sire de Nauns, jostis e reis.
   Equitan fu mut de grant pris
E mut amez en sun païs;
15 Deduit amout e drüerie:
Pur ceo maintint chevalerie.
Cil met[ent] lur vie en nu[n]cure   146c
Que d'amur n'unt sen e mesure;
Tels est la mesure de amer
20 Que nul n'i deit reisun garder.
Equitan ot un seneschal,

ÉQUITAN

Les Bretons, seigneurs de Bretagne,
furent de grands chevaliers.
Jadis leur vaillance,
leur courtoisie et leur noblesse
les incitaient à composer des lais
sur les aventures qu'ils entendaient
et qui étaient arrivées à bien des gens
afin d'en perpétuer le souvenir
et de les préserver de l'oubli.
Ils en firent un que j'ai entendu conter ;
il mérite de rester dans notre souvenir.
Il traite d'Équitan[1], un courtois chevalier
qui était seigneur des Nantais[2], juge souverain et
   roi.
    Équitan[3] était grandement honoré
et aimé dans son pays.
Il aimait l'amour et le plaisir
et maintenait l'esprit chevaleresque.
C'est vraiment négliger sa vie
que de n'avoir ni sagesse ni mesure en amour.
Car le principe même de l'amour
consiste à faire perdre la tête à tout homme[4].
Équitan avait pour sénéchal

Bon chevaler, pruz e leal ;
Tute sa tere li gardoit
E meinteneit e justisoit.
25 *Ja, se pur ostïer ne fust,*
Pur nul busuin ki li creüst
Li reis ne laissast sun chacier,
Sun deduire, sun riveier.
    Femme espuse ot li seneschals,
30 *Dunt puis vient el païs granz mal[s].*
La dame ert bele durement
E de mut bon affeitement,
Gent cors out e bele faiture ;
En li former uvrat nature :
35 *Les oilz out veirs e bel le vis,*
Bele buche, neis ben asis.
El rëaume n'aveit sa per.
Li reis l'oï sovent loër.
Soventefez la salua,
40 *De ses aveirs li enveia,*
Sanz veüe la coveita,
E cum ainz pot a li parla.
Priveement esbanïer
En la cuntree ala chacier,
45 *La u li seneschal maneit.*
El chastel u la dame esteit,
[Se] herberjat li reis la nuit,
Quant repeirout de sun deduit.
Asez poeit a li parler,
50 *Sun curage e sun bien mustrer.*
Mut la trova curteise e sage,
Bele de cors e de visage,
De bel semblant e enveisie ;
Amurs l'ad mis a sa maisnie.
55 *Une s[e]ete ad vers lui traite,*

146d

un bon chevalier, preux et loyal
qui veillait sur sa terre,
la défendait et l'administrait,
car, pour nulle affaire au monde
excepté pour la guerre,
le roi n'aurait renoncé à son plaisir :
chasser le gibier de forêt ou de rivière.

Le sénéchal avait épousé une femme
qui devait par la suite faire le malheur du pays[1].
La dame était d'une grande beauté
et d'une parfaite distinction.
Son corps élégant avait noble allure
et la nature avait mis tous ses soins à le former.
Elle avait des yeux vifs et un beau visage,
une belle bouche, un nez bien formé.
Elle n'avait pas sa pareille dans le royaume.
Le roi entendit souvent ses louanges
et lui adressait souvent ses salutations.
Il lui envoya des cadeaux,
se mit à la désirer sans même l'avoir vue[2]
et lui parla dès qu'il le put.
Un jour, il partit chasser sans aucune escorte
dans la région où habitait le sénéchal.
Le roi se fit héberger pour la nuit
dans le château où résidait la dame.
À son retour de la chasse,
il pouvait lui parler à loisir
et lui découvrir ses sentiments et son désir.
Il la trouve très courtoise et sensée,
belle de corps et de visage
avec un air avenant et enjoué.
Amour a enrôlé Équitan parmi les siens.
Il lui a décoché une flèche

Que mut grant plaie li ad faite,
El quor li ad lancie e mise;
N'i ad mestier sens ne cointise;
Pur la dame l'ad si suspris,
60 *Tut en est murnes e pensis.*
Or l'i estut del tut entendre,
Ne se purrat nïent defendre:
La nuit ne dort ne [ne] respose,
Mes sei meïsmes blasme e chose.
65 *«Allas, fet il, queil destinee*
M'amenat en ceste cuntree?
Pur ceste dame que ai veüe
M'est un anguisse al quor ferue
Que tut le cors me fet trembler.
70 *Jeo quit que mei l'estuet amer;*
E si jo l'aim, jeo ferai mal:
Ceo est la femme al seneschal.
Garder li dei amur e fei,
Si cum jeo voil k'il face a mei.
75 *Si par nul engin le saveit,*
Bien sai que mut l'en pesereit.
Mes nepurquant pis iert asez
Que pur li seië afolez.
Si bele dame tant mar fust,
80 *S'ele n'amast u dru eüst!*
Que devendreit sa curteisie   147a
S'ele n'amast de drüerie?
Suz ciel n'ad humme, s'ele amast,
Ki durement n'en amendast.
85 *Li seneschal, si l'ot cunter,*
Ne l'en deit mie trop peser;
Sul ne la peot il nient tenir:
Certes jeo voil od li partir.»

qui lui a causé une profonde blessure.
Le coup l'a atteint en plein cœur.
Le bon sens et le savoir-faire lui sont inutiles.
Par la dame, l'amour l'a tellement subjugué
qu'il en devient morne et pensif.
Maintenant, il lui faut s'y soumettre totalement
sans qu'il puisse s'en libérer.
La nuit, il ne trouve ni sommeil ni repos[1]
mais il ne fait que s'accuser lui-même :
« Hélas ! quelle destinée
m'a amené dans ce pays !
La vue de cette dame
a plongé mon cœur dans un tourment
qui agite tout mon corps de frissons.
Je crois qu'il ne me reste plus qu'à l'aimer.
Mais si je l'aime, ce sera mal
car c'est la femme de mon sénéchal.
Je dois lui garder mon amitié et ma fidélité
tout comme je veux qu'il agisse à mon égard.
S'il apprenait ma liaison par quelque moyen que
    ce soit,
je sais bien qu'il en serait très affecté.
Pourtant, ce serait bien pire encore
si je tombais malade à cause d'elle.
Quel malheur ce serait pour une si belle femme
de ne pas aimer ou de ne pas avoir d'amant !
Que deviendrait sa courtoisie
si elle ne devait pas avoir de liaison ?
Il n'y a pas d'homme au monde
qu'elle ne rendrait meilleur par son amour.
Si le sénéchal vient à apprendre cette liaison,
il ne doit pas trop en souffrir.
Il ne peut pas la garder pour lui seul.
Oui, vraiment, je veux la partager avec lui ! »

Quant ceo ot dit, si suspira;
90 Enprés se jut e si pensa.
Aprés parlat e dist : « De quei
Sui en estrif e en effrei ?
Uncor ne sai ne n'ai seü
S'ele fereit de mei sun dru;
95 Mes jeo savrai hastivement.
S'ele sentist ceo ke jeo sent,
Jeo perdrei[e] ceste dolur.
E Deus ! tant ad de ci que al jur !
Jeo ne puis ja repos aveir:
100 Mut ad ke jeo cuchai eirseir. »
      Li reis veilla tant que jur fu;
A grant peinë ad atendu.
Il est levez, si vet chacier;
Mes tost se mist el repeirer
105 E dit que mut est deshaitiez:
Es chambres vet, si s'est cuchiez.
Dolent en est li senescaus:
Il ne seit pas queils est li maus
De quei li reis sent les friçuns;
110 Sa femme en est dreit acheisuns.
Pur sei deduire e cunforter
La fist venir a li parler.
Sun curage li descovri,   147b
Saver li fet qu'il meort pur li;
115 Del tut li peot faire confort
E bien li peot doner [l]a mort.
« Sire, la dame li ad dit,
De ceo m'estuet aveir respit:
A ceste primere feiee
120 Ne sui jeo mie cunseillee.
Vus estes rei de grant noblesce;

À ces mots, il soupira.
Puis il se coucha et pensa.
Ensuite, il parla et dit :
« Pourquoi suis-je troublé et tourmenté ?
Je ne sais pas encore et je n'ai jamais su
si elle est prête à faire de moi son amant
mais je le saurai bientôt.
Si elle ressent ce que je sens,
alors ma souffrance disparaîtra.
Ah, Dieu ! Comme le jour est encore loin !
Je ne puis pas trouver de repos
et je suis couché depuis un long moment. »
   Le roi resta éveillé jusqu'à l'aube
qu'il attendait péniblement.
Il se leva et partit chasser
mais il prit bientôt le chemin du retour,
se disant très fatigué.
Il va dans sa chambre et se couche.
Le sénéchal en est très peiné.
Il ignore quel est ce mal
qui cause des frissons au roi.
C'est pourtant sa femme qui est à l'origine de
   tout cela.
Le roi la fait venir auprès de lui
pour se procurer plaisir et réconfort.
Le roi lui découvre ses sentiments,
il lui fait savoir qu'il meurt d'amour pour elle.
Elle peut lui apporter un complet soulagement
comme elle peut provoquer sa mort.
« Seigneur, lui dit la dame,
il me faut un peu de temps.
C'est la première fois que nous nous parlons
et je suis prise au dépourvu.
Vous êtes un roi de grande noblesse

Ne sui mie de teu richesce
Que [a] mei [vus] deiez arester
De drüerie ne de amer,
125 *S'avïez fait vostre talent,*
Jeo sai de veir, ne dut nïent,
Tost me avriez entrelaissie[e],
Jeo sereie mut empeiree.
Së [is]si fust que vus amasse
130 *E vostre requeste otreiasse,*
Ne sereit, pas üel partie
Entre nus deus la drüerie.
Pur ceo quë estes rei puissaunz
E mi sire est de vus tenaunz,
135 *Quidereiez, a mun espeir,*
Le danger de l'amur aveir.
Amur n'est pruz se n'est egals.
Meuz vaut un povre[s] hum lëals,
Si en sei ad sen e valur,
140 *[E] greinur joie est de s'amur*
Quë il n'est de prince u de rei,
Quant il n'ad lëauté en sei.
S'aukuns aime plus ha[u]tement
Que [a] sa richesce nen apent,
145 *Cil se dut[e] de tute rien.*
Li riches hum requid[e] bien
Que nuls ne li toille s'amie 147c
Qu'il volt amer par seignurie.»
Equitan li respunt aprés:
150 *«Dame, merci! Nel dites mes!*
Cil ne sunt mie fin curteis,
Ainz est bargaine de burgeis,
Que pur aveir ne pur grant fieu
Mettent lur peine en malveis liu.

et je ne suis pas d'un rang assez élevé
pour que vous dussiez arrêter sur moi
votre amour et votre passion.
Une fois que vous aurez satisfait votre désir,
je sais parfaitement, et ne doute pas un instant,
que vous aurez tôt fait de m'abandonner,
ce qui me ferait bien du mal.
S'il devait arriver que je vous aime
et si je répondais à votre requête,
notre liaison ne se ferait pas
sur un pied d'égalité.
Du fait que vous êtes un roi puissant
et que mon mari est votre vassal,
vous penseriez, à mon avis,
avoir tous les droits que vous conférerait l'amour.
L'amour n'a de valeur qu'entre égaux.
Mieux vaut un homme pauvre et loyal,
s'il y a en lui intelligence et mérite.
Son amour lui procure plus de joie
que celui d'un prince et d'un roi
qui manquerait de loyauté.
Si quelqu'un aime une personne d'un rang plus
    élevé
qu'il ne convient à sa position sociale,
il vit dans la crainte à chaque instant.
L'homme de haut rang pense souvent
que personne ne peut lui enlever son amie
qu'il veut ainsi aimer en seigneur et maître.»
Équitan lui répond:
«Dame, pitié! Ne parlez plus de la sorte!
Ce ne sont pas de vrais amants courtois
mais plutôt des bourgeois marchandeurs,
ceux qui ont de l'argent ou un grand fief
et qui recherchent des femmes de basse naissance.

155 *Suz ciel n'ad dame, s'ele est sage,*
Curteise e franche de curage,
Pur quei d'amer se tienge chiere,
Que el ne seit mie novelere,
S'el n'eüst fors sul sun mantel,
160 *Que uns riches princes de chastel*
Ne se deüst pur li pener
E lëalment e bien amer.
Cil ki de amur sunt nov[e]lier
E ki se aturnent de trichier,
165 *Il sunt gabé e deceü;*
De plusurs l'avum nus veü.
N'est pas merveille se cil pert
Ki par s'ovreine le desert.
Ma chiere dame, a vus m'otrei!
170 *Ne me tenez mie pur rei,*
Mes pur vostre hum e vostre ami!
Seürement vus jur e di
Que jeo ferai vostre pleisir.
Ne me laissez pur vus murir!
175 *Vus seiez dame e jeo servant,*
Vus orguilluse e jeo preiant!»
Tant ad li reis parlé od li   147d
E tant li ad crïé merci
Que de s'amur l'aseüra,
180 *E el sun cors li otria.*
Par lur anels s'entresaisirent,
Lur fiaunce[s] s'entreplevirent.
Bien les tiendrent, mut s'entramerent;
Puis en mururent e finerent.
185   *Lung tens durrat lur drüerie,*
Que ne fu pas de gent oïe.
As termes de lur assembler,

Toute dame, pour peu qu'elle soit sensée,
courtoise, noble de cœur,
dévouée à son amour
et fidèle,
mérite — n'eût-elle que son manteau —
qu'un prince puissant
lui accorde tous ses soins
et l'aime loyalement.
Ceux qui sont inconstants en amour
et qui s'appliquent à tricher
sont finalement trompés et abusés à leur tour.
Nous l'avons vu à plusieurs reprises.
Rien d'étonnant à ce qu'il perde son amie
celui qui le mérite par sa conduite.
Dame très chère, je me donne à vous !
Ne me considérez pas comme votre roi
mais comme votre vassal et amant !
Je vous déclare et vous jure
que je ferai selon votre bon plaisir.
Ne me laissez pas mourir d'amour pour vous.
Soyez la maîtresse et que je sois le serviteur !
Soyez hautaine et que je sois suppliant ! »
À force de discours et
d'implorations,
le roi obtint l'amour de la dame
et le don de sa personne.
Ils échangèrent leurs anneaux en gage d'amour[1]
et engagèrent mutuellement leur foi.
Ils respectèrent leur serment et s'aimèrent passionnément
mais ils en moururent par la suite.
   Leur liaison dura longtemps
sans que personne n'en entende parler[2].
Aux moments fixés pour leurs rendez-vous,

Quant ensemble durent parler,
Li reis feseit dire a sa gent
190 Que seignez iert priveement.
Les us des chambres furent clos;
Ne troveissez humme si os
Si li rei pur lui n'enveaist,
Ja une feiz dedenz entrast.
195 Li seneschal la curt teneit,
Les plaiz e les clamurs oieit.
Li reis l'ama mut lungement,
Que d'autre femme n'ot talent:
Il ne voleit nule espuser,
200 Ja n'en rovast oïr parler.
La gent le tindrent mut a mal,
Tant que la femme al seneschal
L'oï suvent; mut li pesa,
E de lui perdre se duta.
205 Quant ele pout a lui parler
E ele li duit joie mener,
Baisier, estreindre e acoler
E ensemblë od lui jüer,
Forment plura e grant deol fist.   148a
210 Li reis demanda e enquist
Que [ceo] deveit e que ceo fu.
La dame li ad respundu:
«Sire, jo plur pur nostre amur,
Que mei revert a grant dolur;
215 Femme prendrez, fille a un rei,
[E] si vus partirez de mei;
Sovent l'oi dire e bien le sai.
E jeo, lasse! que devendrai?
Pur vus m'estuet aver la mort;

quand ils avaient des entrevues,
le roi faisait dire à ses gens
qu'il devait subir une saignée[1] en privé.
Les portes des chambres étaient alors closes
et on n'aurait pu trouver d'homme assez hardi
qui puisse y pénétrer d'une manière ou d'une autre,
à moins que le roi ne l'eût convoqué.
Le sénéchal présidait alors la cour de justice,
il écoutait les procès et les plaintes.
Le roi aima la dame pendant longtemps
car il ne désirait pas d'autre femme.
Il ne voulait pas se marier
ni même entendre parler de mariage.
Les gens finirent par le lui imputer à mal
si bien que la femme du sénéchal
eut vent de leurs réflexions et cela l'affecta
car elle craignait de le perdre.
Lorsqu'elle put lui parler
alors qu'elle devait plutôt montrer sa joie,
l'embrasser, l'enlacer, le tenir par le cou
et prendre du plaisir avec lui,
elle pleura beaucoup et manifesta une grande
    douleur.
Le roi lui demanda
comment cela se faisait et ce que cela signifiait.
La dame lui répondit :
« Seigneur, je pleure à cause de notre amour
qui est devenu pour moi une vraie souffrance.
Vous allez vous marier avec la fille d'un roi
et vous allez me quitter.
Je l'entends souvent dire et je sais que c'est vrai.
Et moi, pauvre de moi, que deviendrai-je ?
À cause de vous, il me faut mourir

220 *Car jeo ne sai autre cunfort.»*
Li reis li dit par grant amur:
«Bele amie, n'eiez poür!
Certes, ja femme ne prendrai
Ne pur autre [ne] vus larrai.
225 *Sacez de veir e si creez:*
Si vostre sire fust finez,
Reïne e dame vus fereie;
Ja pur [nul] humme nel lerreie.»
La dame l'en ad mercïé
230 *E dit que mut li sot bon gre,*
E si de ceo l'aseürast
Que pur autre ne la lessat,
Hastivement purchacereit
A sun seignur que mort sereit;
235 *Legier sereit a purchacier,*
Pur ceo k'il li vousist aidier.
Il li respunt que si ferat:
Ja cele rien ne li dirrat
Quë il ne face a sun poeir,
240 *Turt a folie u a saveir.*
«Sire, fet ele, si vus plest,
Venez chacer en la forest,
En la cuntree u jeo sujur;
Dedenz le chastel mun seignur
245 *Sujurnez; si serez seignez,*
E al terz jur si vus baignez.
Mis sire od vus se seignera
E avuec vus se baignera;
Dites li bien, nel lessez mie,
250 *Quë il vus tienge cumpainie!*
E jeo ferai les bains temprer

148b

car je ne vois pas d'autre solution possible!»
Le roi lui dit avec une grande tendresse :
«Mon amie, n'ayez pas peur!
C'est certain, je ne me marierai pas
et je ne vous abandonnerai pas pour une autre.
Tenez-vous-le pour dit et soyez-en sûre!
Si votre mari venait à mourir,
je vous ferais reine et vous deviendriez ma femme.
Personne ne pourra me faire agir autrement.»
La dame le remercia
et lui dit qu'elle lui en savait gré.
S'il voulait bien lui garantir
qu'il ne l'abandonnerait pas pour une autre,
elle s'efforcerait de provoquer
rapidement la mort de son mari[1].
La chose serait facile à réaliser
s'il voulait bien lui apporter son aide.
Il lui répond qu'il l'aidera.
Il fera du mieux possible
tout ce qu'elle lui demandera de faire,
que cela soit folie ou sagesse.
«Seigneur, lui répond-elle, si tel est votre bon
   plaisir,
venez donc chasser dans la forêt
du pays où j'habite.
Faites-vous loger
dans le château de mon mari
et faites-vous faire une saignée.
Le troisième jour, vous prendrez un bain.
Mon mari se fera saigner avec vous
et se baignera en même temps que vous.
Dites-lui bien, n'oubliez pas surtout,
qu'il doit vous tenir compagnie.
Je ferai chauffer l'eau des bains

E les deus cuves aporter,
Sun bain si chaut e si buillant,
Suz ciel n'en ad humme vivant
255 Ne fust escaudez e malmis,
Einz que dedenz [se] fust asis.
Quant mort serat e escaudez,
Vos hummes e les soens mandez;
Si lur mustrez cumfaitement
260 Est mort al bain sudeinement. »
Li reis li ad tut graanté
Qu'il en ferat sa volenté.
   Ne demurat mie treis meis
Que el païs vet chacier li reis.
265 Seiner se fet cuntre sun mal,
Ensemble od lui sun senescal.
Al terz jur dist k'il baignereit;
Li senescal mut le voleit.
« Vus baignerez, dist il, od mei. »
270 Li senescal dit : « Jo l'otrei. »
La dame fet les bains temprer
E les deus cuves aporter;
Devant le lit tut a devise
Ad chescune de[s] cuves mise.   148c
275 L'ewe buillant feit aporter,
U li senescal dut entrer.
Li produm esteit sus levez :
Pur deduire fu fors alez.
La dame vient parler al rei,
280 E il la mist dejuste sei;
Sur le lit al seignur cucherent
E deduistrent e enveiserent.
Ileoc unt ensemble geü,
Pur la cuve que devant fu.

et apporter les deux cuves.
Son bain sera si chaud et bouillant
qu'aucun homme sur la terre
ne pourrait éviter d'être brûlé et ébouillanté
en y pénétrant.
Quand il sera mort ébouillanté,
appelez vos gens et les siens
et expliquez-leur
comment il est mort soudainement dans le bain.»
Le roi lui a promis
de faire selon sa volonté.

Trois mois ne s'étaient pas écoulés
que le roi partit chasser dans le pays.
Pour soigner son mal, il se fit saigner
en même temps que son sénéchal.
Au troisième jour il dit qu'il prendra un bain.
Le sénéchal en est d'accord.
«Vous prendrez un bain en même temps que moi»,
    dit le roi.
Le sénéchal répond : «Je le veux bien.»
La dame fait chauffer l'eau des bains
et apporter les deux cuves[1].
Devant le lit, à dessein,
elle les fait installer.
On apporte l'eau bouillante
dans laquelle le sénéchal devait se plonger.
Le bon sénéchal était alors déjà levé
et il était sorti pour se délasser.
La dame vient alors parler au roi
qui lui dit de s'installer à côté de lui.
Ils se couchent sur le lit du mari
où ils prennent du plaisir et du bon temps.
Ils couchent ensemble
près de la cuve qui se trouve devant eux.

285 *L'us firent tenir e garder;*
Une meschine i dut ester.
Li senescal hastif revint,
A l'hus buta, cele le tint;
Icil le fiert par tel aïr,
290 *Par force li estut ovrir.*
Le rei e sa femme ad trovez
U il gisent entracolez.
Li reis garda, sil vit venir.
Pur sa vileinie covrir
295 *Dedenz la cuve saut joinz pez,*
E il fu nuz e despuillez;
Unques garde ne s'en dona.
Ileoc murut [e] escauda;
Sur lui est le mal revertiz,
300 *E cil en est sauf e gariz.*
Le senescal ad bien veü
Coment del rei est avenu.
Sa femme prent demeintenant,
El bain la met le chief avant.
305 *Issi mururent amb[e]dui,*   148d
Li reis avant, e ele od lui.
Ki bien vodreit reisun entendre,
Ici purreit ensample prendre:
Tel purcace le mal d'autrui
310 *Dunt le mals [tut] revert sur lui.*
Issi avient cum dit vus ai.
Li Bretun en firent un lai,
D'Equitan, cum[ent] il fina
E la dame que tant l'ama.

Ils font surveiller la porte
par une servante qui devait s'y tenir.
Or, le sénéchal revient brusquement,
il frappe à la porte mais la jeune fille le retient.
Il lui donne des coups d'une telle violence
qu'elle est bien obligée de lui ouvrir.
Il trouve alors sa femme et le roi[1]
là où ils sont couchés et enlacés.
Le roi regarde et voit venir le sénéchal.
Pour couvrir sa honte,
il saute dans la cuve à pieds joints,
il était alors totalement nu
mais il n'y prit pas garde
et mourut ébouillanté.
Le mal s'est retourné contre lui
tandis que le sénéchal est sain et sauf.
Le sénéchal a bien vu
ce qui est arrivé au roi.
Il saisit aussitôt sa femme
et la plonge, tête la première, dans le bain.
C'est ainsi que tous deux moururent,
le roi d'abord et elle ensuite.
Celui qui voudrait réfléchir sur cette histoire,
pourrait en tirer une leçon[2].
Tel qui recherche le malheur d'autrui
voit ce malheur se retourner contre lui.
    Tout cela est arrivé comme je vous l'ai dit.
Les Bretons en firent un lai
qui raconte la mort d'Équitan
et de la dame qui l'avait tant aimé[3].

LE FRESNE

Le lai del Freisne vus dirai
Sulunc le cunte que jeo sai.
   En Bretaine jadis maneient
Dui chevaler, veisin esteient;
5 *Riche humme furent e manant*
E chevalers pruz e vaillant.
Prochein furent, de une cuntree;
Chescun femme aveit espusee.
L'une des dames enceinta;
10 *Al terme que ele delivra,*
A cele feiz ot deus enfanz.
Sis sires est liez e joianz;
Pur la joie quë il en a
A sun bon veisin le manda
15 *Que sa femme ad deus fiz eüz,*
De tanz enfanz esteit creüz;
L'un li tramettra a lever,
De sun nun le face nomer.
Li riches hum sist al manger;
20 *Atant es vus le messager!*
Devant le deis se agenoila,
Tut sun message li cunta.

LE FRÊNE

Je vais vous conter l'histoire ayant inspiré le
lai du *Frêne* d'après le récit[1] que je connais.
En Bretagne habitaient autrefois
deux chevaliers qui étaient voisins.
C'étaient des personnages riches et puissants,
de preux et valeureux chevaliers.
Ils étaient parents, originaires de la même région.
Chacun d'eux avait une épouse
et l'une des deux épouses se trouva enceinte.
Lors de l'accouchement,
elle met au monde deux enfants.
Son mari en est très heureux.
La joie qu'il éprouve
lui fait annoncer à son bon voisin
que sa femme lui a donné deux fils ;
voilà de quoi assurer la prospérité de sa famille.
Il lui en confiera un pour qu'il puisse le tenir sur
    les fonts baptismaux
et lui donner son nom[2].
Le seigneur était en train de manger
et voici qu'arriva le messager.
Il s'agenouilla devant la table
et transmit son message.

Li sire en ad Deu mercïë ;
Un bel cheval li ad doné.　　　　　149a
25　La femme al chevaler surist,
Ki juste lui al manger sist,
Kar ele ert feinte e orguilluse
E mesdisante e envïuse.
Ele parlat mut folement
30　E dist, oant tute sa gent :
« Si m'aït Deus, jo m'esmerveil
U cest produm prist cest conseil
Que il ad mandé a mun seignur
Sa huntë e sa deshonur,
35　Que sa femme ad eü deus fiz.
E il e ele en sunt huniz.
Nus savum bien qu'il i afiert :
Unques ne fu ne ja nen iert
Ne n'avendrat cel aventure
40　Que a une sule porteüre
Quë une femme deus fiz eit,
Si deus hummes ne li unt feit. »
Si sires l'a mut esgardee,
Mut durement l'en ad blamee.
45　« Dame, fet il, lessez ester !
Ne devez mie issi parler !
Verité est que ceste dame
Ad mut esté de bone fame. »
La gent quë en la meisun erent
50　Cele parole recorderent.
Asez fu dite e coneüe,
Par tute Bretaine seüe :
Mut en fu la dame haïe,
Pois en dut estre maubailie ;
55　Tutes les femmes ki l'oïrent,　　　　　149b

Le seigneur rendit grâce à Dieu
et offrit un beau cheval au messager.
Mais la femme du chevalier
qui se trouvait à table à côté de lui
se mit à rire
car c'était une femme sournoise et susceptible,
médisante et envieuse.
Elle tint des propos insensés
et dit devant tout le monde :
« Que Dieu m'aide, je m'étonne
que ce brave chevalier ait eu l'idée
d'annoncer à mon mari
ce qui cause sa honte et son déshonneur :
sa femme a eu deux fils !
Lui et elle s'en trouvent déshonorés !
Car nous savons bien ce qu'il en est :
jamais il ne se fit ni pourra se faire
et jamais non plus il ne se produira
qu'une femme puisse avoir deux enfants
en une seule grossesse,
à moins que deux hommes ne les lui aient faits[1]. »
Son mari la regarda fixement
et la critiqua sévèrement :
« Dame, dit-il, taisez-vous donc !
Vous ne devez pas parler de la sorte !
La vérité est que cette femme
a toujours joui d'une bonne réputation. »
Les gens qui se trouvaient dans la maison
rapportèrent ces propos
qui furent largement répétés et répandus
dans toute la Bretagne.
Ils valurent à la dame d'être détestée.
Elle dut par la suite le payer cher.
Toutes les femmes qui entendirent ses paroles,

Povres e riches, l'en haïrent.
Cil que le message ot porté
A sun seignur ad tut cunté.
Quant il l'oï dire e retraire,
60 *Dolent en fu, ne sot quei faire;*
La prode femmë en haï
E durement la mescreï,
E mut la teneit en destreit
Sanz ceo que ele nel deserveit.
65   *La dame que si mesparla*
En l'an meïsmes enceinta,
De deus enfanz est enceintie;
Ore est sa veisine vengie.
Desque a sun terme les porta;
70 *Deus filles ot; mut li pesa,*
Mut durement en est dolente;
A sei meïsmes se desmente.
«Lasse! fet ele, quei ferai?
Jamés pris në honur n'avrai!
75 *Hunie sui, c'est veritez.*
Mis sire e tut si parentez,
Certes, jamés ne me crerrunt,
Desque ceste aventure orrunt;
Kar jeo meïsmes me jugai:
80 *De tutes femmes mesparlai.*
Dunc [ne] dis jeo quë unc ne fu
Ne nus ne l'avïum veü
Que femme deus enfanz eüst,
Si deus humes ne coneüst?
85 *Or en ai deus, ceo m'est avis,*
Sur mei en est turné le pis.
Ki sur autrui mesdit e ment   149c
Ne seit mie qu'a l'oil li pent;

pauvres ou riches, se mirent à la haïr.
Le porteur du message
raconta tout à son seigneur.
Quand ce dernier apprit la chose,
il en fut très affligé et ne sut que faire.
Il prend en haine sa femme vertueuse
et la soupçonne fortement.
Il se met à la persécuter
sans qu'elle le mérite.

   Mais la dame malveillante
fut enceinte la même année,
et de deux enfants[1]!
Voilà sa voisine vengée!
Elle porta les enfants jusqu'à l'accouchement.
Elle eut deux filles et cela l'affligea.
Elle en souffrit terriblement
et se lamentait en elle-même:
«Malheureuse que je suis! Que vais-je faire?
Plus jamais je n'aurai estime ni honneur.
Je suis déshonorée, c'est bien vrai!
Mon mari et tous ses parents
n'auront plus jamais confiance en moi
lorsqu'ils apprendront ce qui est arrivé.
Je me suis moi-même condamnée
en disant du mal de toutes les femmes.
N'ai-je pas dit qu'il n'était jamais arrivé
et que nous n'avions jamais vu
qu'une femme eût deux enfants
sans avoir au préalable connu deux hommes?
Or j'ai deux enfants; il me semble
que rien de pire ne pouvait m'arriver.
Celui qui raconte médisances et mensonges sur
   autrui
ne sait jamais ce qui lui pend au nez!

De tel hum[me] peot l'um parler
90 *Que meuz de lui fet a loër.*
Pur mei defendre de hunir,
Un des enfanz m'estuet murdrir :
Meuz le voil vers Deu amender
Que mei hunir e vergunder. »
95 *Ce[le]s quë en la chambre esteient*
La cunfort [ou]ent e diseient
Que eles nel suff[e] reient pas :
De hummë ocire n'est pas gas.
  La dame aveit une meschine,
100 *Que mut esteit de franche orine ;*
Lung tens l'ot gardee e nurie
E mut amee e mut cherie.
Cele oï sa dame plurer,
Durement pleindre e doluser ;
105 *Anguissusement li pesa.*
Ele vient, si la cunforta.
« Dame, fet ele, ne vaut rien.
Lessez cest dol, si ferez bien !
L'un des enfanz me baillez ça !
110 *Jeo vus en deliverai ja,*
Si que hunie ne serez
Ne ke jamés ne la verrez :
A un mustier la geterai,
Tut sein e sauf le porterai ;
115 *Aucun produm la trovera ;*
Si Deu plest, nurir la f[e]ra. »
La dame oï quei cele dist ;
Grant joie en out, si li promist
Si cel service li feseit,   149d
120 *Bon guer[e]dun de li avreit.*
En un chief de mut bon chesil
Envolupent l'enfant gentil

Il arrive que l'on critique quelqu'un
qui vaut bien mieux que soi.
Pour me protéger de la honte,
il faut que je tue l'un de mes enfants.
Je préfère me racheter devant Dieu
plutôt que de m'infliger honte et déshonneur. »
Les femmes qui se trouvaient dans la chambre
se mirent à la réconforter et lui dirent
qu'elles ne supporteraient pas une chose pareille :
il ne faut pas prendre à la légère la mort d'un
    être humain.
    La dame avait une suivante
issue d'une excellente famille.
Cela faisait longtemps qu'elle la gardait et l'élevait
et qu'elle lui vouait son amitié et sa tendresse.
Cette jeune fille entendit pleurer sa maîtresse,
se lamenter et se plaindre douloureusement.
Elle en était profondément affectée ;
alors elle alla la voir et la réconforta.
« Ma dame, lui dit-elle, tout cela ne sert à rien.
Cessez de vous désoler et vous ferez bien !
Donnez-moi l'un des enfants,
je vous en délivrerai
si bien que vous ne serez pas déshonorée
et vous ne la verrez plus jamais.
Je l'exposerai à la porte d'un couvent
où je la porterai saine et sauve.
Un homme de bien la trouvera
et, s'il plaît à Dieu, il la fera élever. »
La dame entendit ces propos ;
elle éprouva une grande joie et lui promit,
si elle lui rendait ce service,
de lui octroyer une bonne récompense.
Elles enveloppèrent la noble enfant

E desus un pail roé —
Ses sires l'i ot aporté
125 *De Costentinoble, u il fu;*
Unques si bon n'orent veü.
A une pice de sun laz
Un gros anel li lie al braz.
De fin or i aveit un unce;
130 *El chestun out une jagunce;*
La verge entur esteit letree:
La u la meschine ert trovee,
Bien sachent tuit vereiment
Que ele est nee de bone gent.
135 *La dameisele prist l'enfant,*
De la chambre s'en ist atant.
La nuit, quant tut fu aseri,
Fors de la vile s'en eissi;
En un grant chemin est entré,
140 *Ki en la forest l'ad mené.*
Par mi le bois sa veie tint,
Od tut l'enfant utrë en vint;
Unques del grant chemin ne eissi.
Bien loinz sur destre aveit oï
145 *Chiens abaier e coks chanter:*
Iloc purrat vile trover.
Cele part vet a grant espleit
U la noise des chiens oieit.
En une vile riche e bele
150 *Est entree la dameisele.*
En la vile out une abeïe,
Durement richë e garnie;
Mun escïent noneins i ot
E abbeesse kis guardot.

150a

dans un morceau d'excellente toile de lin
et par-dessus d'une pièce de soie ornée de rouelles
que son mari lui avait rapportée
de Constantinople où il était allé[1].
On n'en vit jamais de meilleur.
Avec le bout d'un lacet qu'elle avait,
la dame lui attache au bras un gros anneau[2]
d'une once d'or pur.
Le chaton portait une hyacinthe[3]
et le pourtour une inscription gravée.
Là où l'on trouvera l'enfant,
il faudra qu'on sache
qu'elle est de bonne famille.
La jeune fille prit l'enfant
et sortit de la chambre.
La nuit, dans l'obscurité la plus totale,
elle sortit de la ville
et prit un grand chemin
qui la conduisit dans la forêt.
Elle suivit bien le chemin qui lui fit traverser le
    bois
et finit par arriver de l'autre côté avec l'enfant.
Elle ne quitta jamais ce grand chemin.
Plus loin, sur la droite, elle entendit
des chiens aboyer et des coqs chanter.
Là, elle pense trouver une ville.
Elle se dirigea en toute hâte
vers l'endroit où elle entendit les chiens aboyer[4].
La jeune fille pénètre alors
dans une ville opulente et belle.
Dans cette ville se trouvait un couvent
très prospère et ne manquant de rien.
À ce que je sais, il y avait des religieuses
et une abbesse qui les dirigeait.

155 *La meschine vit le muster,*
Les turs, les murs e le clocher;
Hastivement est la venue,
Devant l'us est areste[ü]e.
L'enfant mist jus que ele aporta,
160 *Mut humblement se agenuila.*
Ele comence s'oreisun.
«Deus, fait ele, par tun seint nun;
Sire, si te vient a pleisir,
Cest enfant garde de perir.»
165 *Quant la prïerë out finee,*
Ariere [sei] se est regardee.
Un freisne vit lé e branchu
E mut espés e bien ramu;
En quatre fors esteit quarré;
170 *Pur umbre fere i fu planté.*
Entre ses braz ad pris l'enfant,
De si que al freisne vient corant;
Desus le mist, puis le lessa;
A Deu le veir le comanda.
175 *La damoisele ariere vait,*
Sa dame cunte qu'ele ad fait.
   En l'abbeïe ot un porter,
Ovrir suleit l'us del muster
Defors par unt la gent veneient
180 *Que le servise oïr voleient*
Icel[e] nuit par tens leva,
Chandeille e lampes aluma,
Les seins sona e l'us ovri.   150b
Sur le freisne les dras choisi;
185 *Quidat ke aukun les eüst pris*
En larecin e ileoc mis;
D'autre chose n'ot il regard.

La jeune fille vit l'église,
les tours, les murailles, le clocher.
Elle s'approcha en toute hâte
et s'arrêta devant la porte.
Elle déposa à terre l'enfant qu'elle apportait
et s'agenouilla humblement.
Elle commença alors sa prière :
« Mon Dieu, fait-elle, par ton saint nom,
Seigneur, si c'est ta volonté,
protège cet enfant de la mort. »
Sa prière terminée,
elle regarda derrière elle.
Elle vit un gros frêne aux belles branches,
aux larges frondaisons et aux belles ramures.
Son tronc se ramifiait en quatre[1]
et on l'avait planté là pour donner de l'ombre.
La jeune fille prit l'enfant dans ses bras
et avança rapidement vers le frêne.
Elle le déposa dans l'arbre[2] et l'abandonna.
Elle le recommanda au vrai Dieu
et s'en retourna.
Puis elle raconta à sa maîtresse ce qu'elle avait
      fait.
      Dans le couvent[3], il y avait un portier.
Il ouvrait d'habitude la porte extérieure de l'église
pour les fidèles qui venaient
entendre l'office[4].
Cette nuit-là, il se leva tôt,
alluma lampes et chandelles,
sonna les cloches et alla ouvrir la porte.
Il aperçut l'étoffe sur le frêne ;
il pensa que quelque voleur
avait déposé là le fruit de son larcin.
Il oublia alors toutes ses autres tâches

Plus tost qu'il pot vint cele part,
Taste, si ad l'enfant trové.
190 Il en ad Deu mut mercïé,
E puis l'ad pris, si ne l'i lait;
A sun ostel ariere vait.
Une fille ot que vedve esteit;
Si sire ert mort, enfant aveit
195 Petit en berz e aleitant.
Li produm l'apelat avant.
«Fille, fet il, levez, levez!
Fu e chaundelë alumez!
Un enfaunt ai ci aporté,
200 La fors el freisne l'ai trové.
De vostre leit le [m'] alaitez,
Eschaufer lë e sil baignez!»
Cele ad fet sun comandement:
Le feu alum'e l'enfant prend,
205 Eschaufé l'ad e bien baigné;
Pus l'ad de sun leit aleité.
Entur sun braz treve l'anel;
Le paile virent riche e bel.
Bien surent cil tut a scïent
210 Que ele est nee de haute gent.
El demain aprés le servise,
Quant l'abbeesse eist de l'eglise,
Li portiers vet a li parler;
L'aventure li veut cunter
215 De l'enfant cum il le trovat.   150c
L'abbeesse le comaundat
Que devaunt li seit aporté
Tut issi cum il fut trové.
A sa meisun vet li portiers,
220 L'enfant aporte volenters,
Si l'ad a la dame mustré.

et se dirigea bien vite vers l'arbre.
Il tâta et trouva l'enfant.
Il rendit grâces à Dieu,
emporta l'enfant et ne le laissa pas sur l'arbre.
Il retourna chez lui.
Il avait une fille qui était veuve.
Son mari était mort mais elle élevait son enfant
qui était encore au berceau et au sein.
Le brave homme l'appelle et lui dit :
« Ma fille, allons, levez-vous ! Levez-vous !
Allumez-moi du feu et une chandelle !
J'ai apporté ici un enfant
que j'ai trouvé là-dehors sur le frêne.
Donnez-lui de votre lait !
réchauffez-le et baignez-le ! »
La jeune femme lui obéit.
Elle allume le feu et prend l'enfant,
le réchauffe et le baigne bien
puis elle lui donne le sein.
Autour de son bras, elle trouve l'anneau.
Ils voient le superbe tissu de soie ;
ils comprennent alors tous les deux
que l'enfant est de haute naissance.
Le lendemain, après l'office,
quand l'abbesse sortit de l'église,
le portier alla lui parler.
Il veut lui raconter l'histoire
de l'enfant et la manière dont il l'a découvert.
L'abbesse lui ordonne
de lui apporter l'enfant,
exactement comme il l'a trouvé.
Le portier retourne chez lui
et apporte bien volontiers la petite fille
qu'il montre à l'abbesse.

E el l'ad forment esgardé
E dit que nurir le fera
E pur sa niece la tendra.
225 Al porter ad bien defendu
Que il ne die cument il fu.
Ele meïsmes l'ad levee.
Pur ceo que al freisne fu trovee,
Le Freisne li mistrent a nun,
230 E Le Freisne l'apelet hum.
    La dame la tient pur sa niece.
Issi fu celee grant piece:
Dedenz le clos de l'abbeïe
Fu la dameisele nurie.
235 Quant [ele] vient en tel eé
Que nature furme beuté,
En Bretaine ne fu si bele
Ne tant curteise dameisele:
Franche esteit e de bone escole
240 [E] en semblant e en parole;
Nul ne la vist que ne l'amast
E a merveille la preisast.
    A Dol aveit un bon seignur;
Unc puis në einz n'i ot meillur.
245 Ici vus numerai sun nun:
El païs l'apelent Gurun.
De la pucele oï parler;   150d
Si la cumença a amer.
A un turneiement ala;
250 Par l'abbeïe returna,
La dameisele ad demandee;

Elle l'examina bien
et dit qu'elle la ferait élever
et qu'elle la considérerait exactement comme sa
    nièce[1].
Elle défend fermement au portier
de révéler ce qui s'est passé.
L'abbesse l'a elle-même tenue sur les fonts bap-
    tismaux
et, parce qu'elle avait été trouvée dans un frêne,
elle lui donna le nom *Le Frêne*.
C'est donc Le Frêne qu'on l'appelle[2].
    L'abbesse la considérait comme sa nièce.
C'est ainsi qu'on cacha la jeune fille pendant
    longtemps.
Elle fut élevée
dans l'enceinte du couvent.
Quand elle atteignit l'âge
où Nature forme la beauté,
il n'y eut pas en Bretagne
de demoiselle si belle ni si courtoise.
Elle avait de la noblesse et une bonne éducation
qui émanaient de sa personne et de ses propos.
Personne ne pouvait la voir sans l'aimer
et sans lui vouer une grande estime.
    À Dol[3], il y avait un si bon seigneur
qu'on n'en connut jamais de meilleur jusqu'alors
    et depuis lors.
Je vous donnerai son nom :
dans le pays on l'appelait Goron.
Il entendit parler de la jeune fille
et se mit à l'aimer[4].
Il se rendit à un tournoi
et, sur le chemin du retour, passa par le couvent.
Il demanda à voir la jeune fille

L'abeesse li ad mustree.
Mut la vit bele e enseignee,
Sage, curteise e afeitee.
255 *Si il n[en] ad l'amur de li,*
Mut se tendrat a maubailli.
Esguarez est, ne seit coment;
Kar si il repeiruot sovent,
L'abeesse se aparcevreit,
260 *Jamés des oilz ne la vereit.*
De une chose se purpensa:
L'abeïe crestre vodra;
De sa tere tant i dura
Dunt a tuz jurs l'amendera;
265 *Kar il [i] vout aveir retur*
E le repaire e le sejur.
Pur aver lur fraternité
La ad grantment del soen doné;
Mes il ad autrë acheisun
270 *Que de receivre le pardun.*
Soventefeiz i repeira,
A la dameisele parla;
Tant li pria, tant li premist
Que ele otria ceo kë il quist.
275 *Quant a seür fu de s'amur,*
Si la mist a reisun un jur.
«Bele, fet il, ore est issi
Ke de mei avez fet ami.
Venez vus ent del tut od mei!   151a
280 *Saver poëz, jol qui e crei,*
Si vostre aunte s'apaceveit,
Mut durement li pesereit.
S'entur li feussez enceintiee,

et l'abbesse la lui montra.
Il la trouva belle et bien élevée,
avisée, courtoise et distinguée.
S'il n'obtient pas son amour,
il s'estimera malheureux.
Il est tout éperdu et ne sait comment faire.
Car, s'il revenait souvent,
l'abbesse comprendrait
et il ne pourrait plus jamais revoir la jeune fille.
Il eut alors une idée :
il cherchera à étendre le domaine du couvent ;
il lui fera don[1] d'une si grande partie de ses terres
qu'il enrichira ainsi l'abbaye pour toujours.
Il veut en effet avoir le droit en échange
de faire étape et de séjourner au couvent.
Pour appartenir à la communauté,
il prélève une bonne partie de son propre bien et
    lui en fait don.
Mais il a un autre motif
que celui de recevoir l'absolution de ses péchés.
À maintes reprises, il séjourna dans le couvent
et parla à la jeune fille.
Il la pria et lui promit tant
qu'elle lui accorda ce qu'il demandait.
Quand il fut certain de son amour,
il lui parla un jour en ces termes :
« Belle amie, il est arrivé
que vous avez fait de moi votre ami.
Alors, venez pour toujours avec moi.
Vous devez savoir, du moins je le pense,
que si votre tante venait à s'apercevoir de notre
    amour,
elle en concevrait une grande peine.
Et si vous deveniez enceinte chez elle,

Durement sereit curuciee.
285 Si mun cunseil crere volez,
Ensemble od mei vus en vendrez.
Certes, jamés ne vus faudrai,
Richement vus conseillerai.»
Cele que durement l'amot
290 Bien otriat ceo que li plot :
Ensemble od lui en est alee ;
A sun chastel l'en ad menee.
Sun paile porte e sun anel ;
De ceo li pout estre mut bel.
295 L'abeesse li ot rendu,
E dist coment est avenu,
Quant primes li fu enveiee :
Desus le freisne fu cuchee ;
Le paile e l'anel li bailla
300 Cil que primes la enveia ;
Plus de aveir ne receut od li ;
Come sa niece la nuri.
La meschine ben l'esgardat,
En un cofre les afermat.
305 Le cofre fist od sei porter,
Ne volt lesser në ublïer.
Li chevalier ki l'amena
Mut la cheri e mut l'ama,
E tut si humme e si servant.
310 N'i out un sul, petit ne grant,
Pur sa franchise ne l'amast
E ne cherist e honurast.
    Lungement ot od lui esté,
Tant que li chevaler fiufé
315 A mut grant mal li aturnerent :
Soventefeiz a lui parlerent
Que une gentil femme espusast

151b

elle laisserait éclater une terrible colère.
Fiez-vous à mon bon conseil !
Venez donc avec moi !
Assurément, jamais je ne vous abandonnerai
et je ne vous laisserai manquer de rien. »
La jeune fille qui l'aimait passionnément
lui accorda tout ce qu'il désirait.
Elle partit avec lui
et il l'emmena[1] dans son château.
Elle emporta son étoffe de soie et son anneau :
ils pourraient toujours lui être utiles.
L'abbesse les lui avait remis
en lui disant ce qui était arrivé
quand on la confia tout d'abord à elle :
on l'avait couchée dans le frêne ;
l'étoffe de soie et l'anneau lui avaient été donnés
par celui qui lui avait amené l'enfant ;
elle ne reçut rien d'autre ;
elle l'avait élevée comme sa nièce.
La jeune fille conserva précieusement ces objets
et les enferma dans un coffre.
Elle fit emporter le coffre avec elle ;
elle ne voulait surtout pas le laisser ou l'oublier.
Le chevalier qui l'emmena
l'aima et la chérit beaucoup.
De tous ses hommes et de tous ses serviteurs,
il n'y en eut pas un seul, petit ou grand,
qui ne l'aimât pour sa noblesse
et qui ne la chérît ou ne l'estimât.
　　Elle vécut longtemps à ses côtés
jusqu'à ce que ses chevaliers pourvus de fiefs
se mettent à le lui reprocher.
À maintes reprises, ils lui demandèrent
d'épouser une femme noble

E de cele se delivrast;
Lié serei[en]t s'il eüst heir,
320   *Quë aprés lui puïst aveir*
Sa terë e sun heritage;
Trop i avrei[en]t grant damage,
Si il laissast pur sa suinant
Que de espuse n'eüst enfant;
325   *Jamés pur seinur nel tendrunt*
Ne volenters nel servirunt,
Si il ne fait lur volenté.
Le chevalers ad graanté
Que en lur cunseil femme prendra;
330   *Ore esgardent u ceo sera.*
«Sire, funt il, ci pres de nus
Ad a produm, per est a vus;
Une fille ad, quë est suen heir:
Mut poëz tere od li aveir.
335   *La Codre ad nun la damesele;*
En [tut] cest païs ne ad si bele.
Pur le Freisne, que vus larrez,
En eschange le Codre av[r]ez.
En la Codre ad noiz e deduiz;
340   *Freisne ne portë unke fruiz.*
La pucele purchacerums;
Si Deu plest, si la vus durums.»
Cel mariage unt purchacié
E de tutes parz otrïé.
345   *Allas! cum est [mes]avenu*
Que li [prudume] ne unt seü

et de se débarrasser de celle-là[1].
Ils seraient heureux s'il avait un héritier
qui puisse, après sa mort,
recueillir sa terre et son grand domaine.
Par contre, ce serait pour eux un grand dommage[2]
si, à cause de sa maîtresse,
il refusait d'avoir un enfant d'une épouse légitime.
Jamais plus ils ne le considéreraient comme leur seigneur
et ils ne seraient plus de bon gré à son service
s'il ne respectait pas leur volonté.
Le chevalier promit alors qu'il prendrait femme
et s'en remettrait à eux pour le choix de celle-ci.
À eux de choisir l'élue !
« Seigneur, disent-ils, ici même, près de chez nous,
il y a un homme de bien, votre égal.
Il a une fille pour toute héritière.
Vous pourrez obtenir une grande terre avec elle.
La demoiselle se nomme Le Coudrier.
Dans tout le pays, il n'y en a pas de plus belle.
Vous laisserez Le Frêne
et en échange vous obtiendrez Le Coudrier.
Dans le coudrier, il y a du fruit et du plaisir à glaner[3]
alors que le frêne ne porte aucun fruit[4].
Nous chercherons à obtenir la jeune fille
et, s'il plaît à Dieu, nous vous la donnerons en mariage.
Ils ont présenté la demande en mariage
et obtenu tous les consentements.
Hélas ! Quelle malchance
que les seigneurs n'aient pas connu

L'aventure des dameiseles,
Quë esteient serur[s] gemeles!
Le Fresne cele fu celee;   151c
350 *Sis amis ad l'autre espusee.*
Quant ele sot kë il la prist,
Unques peiur semblant ne fist:
Sun seignur sert mut bonement
E honure tute sa gent.
355 *Li chevaler de la meisun*
E li vadlet e li garçun
Merveillus dol pur li feseient
De ceo ke perdre la deveient.
　　Al jur des noces qu'il unt pris,
360 *Sis sires maunde ses amis;*
E l'erceveke[s] i esteit,
Cil de Dol, que de lui teneit.
S'espuse li unt amenee.
Sa merë est od li alee;
365 *De la meschine aveit poür,*
Vers ki sis sire ot tel amur,
Quë a sa fille mal tenist
Vers sun seignur, s'ele poïst;
De sa meisun la getera,
370 *A sun gendre cunseilera*
Quë a un produm la marit;
Si s'en deliverat, ceo quit.
　　Les noces tindrent richement;
Mut i out esbanïement.
375 *La dameisele es chambres fu;*
Unques de quanke ele ad veü
Ne fist semblant que li pesast
Ne tant que ele se curuçast;
Entur la dame bonement,
380 *Serveit mut afeit[ï]ement.*

l'histoire des deux jeunes filles
qui étaient sœurs jumelles !
On cacha au Frêne
que son ami avait épousé[1] l'autre jeune femme.
Quand elle apprit qu'il l'avait épousée,
elle n'en fit pas pour autant une triste mine.
Elle servit son seigneur de bonne grâce
et honora tous ses gens.
Les chevaliers de la maison de Goron,
les valets et les domestiques,
tous laissèrent éclater leur incroyable tristesse
à l'idée qu'ils devaient la perdre.

   Au jour fixé pour les noces,
son seigneur invite ses amis.
L'archevêque de Dol[2] y était,
c'était son vassal.
On amena la future épouse
accompagnée de sa mère.
Celle-ci craignait que Le Frêne
pour qui Goron éprouvait un grand amour
ne desserve sa fille[3]
de tout son possible auprès de lui.
Elle la fera chasser de la maison
et recommandera à son gendre
de la marier à un homme de bien.
Elle se dit qu'elle s'en débarrassera ainsi.

   Il y eut des noces magnifiques
et de grandes réjouissances.
Frêne était dans ses appartements.
Pourtant, devant tout ce qu'elle voyait,
elle ne manifestait pas la moindre peine
ni la moindre colère.
Aux côtés de la dame, Le Frêne, de bonne grâce,
assurait le service avec prévenance.

A grant merveille le teneient
Cil e celes ki la veeient.
Sa mere l'ad mut esgardee,
En sun qor preisie e amee.   151d

385 Pensat e dist s'ele seüst
La maniere [e] kë ele fust,
Ja pur sa fille ne perdist,
Ne sun seignur ne li tolist.
     La noit, al lit aparailler,

390 U l'espuse devet cucher,
La damisele i est alee;
De sun mauntel est desfublee.
Les chamberleins i apela,
La maniere lur enseigna

395 Cument si sires le voleit,
Kar meintefeiz veü l'aveit.
Quant le lit orent apresté,
Un covertur unt sus jeté.
Li dras esteit d'un viel bofu;

400 La dameisele l'ad veü;
N'ert mie bons, ceo li sembla;
En sun curage li pesa.
Un cofre ovri, sun paile prist,
Sur le lit sun seignur le mist.

405 Pur lui honurer le feseit;
Kar l'erceveke[s] i esteit
Pur eus beneistre e enseiner;
Kar c'afereit a sun mestier.
Quant la chambre fu delivree,

410 La dame ad sa fille amenee.
Ele la volt fere cuchier,

Tous ceux et celles qui la voyaient
en restaient admiratifs.
Sa mère l'observa longuement
et lui accorda estime et amitié.
Elle se disait en elle-même
que si elle avait su quelle femme était Le Frêne
jamais, à cause de sa fille, Le Frêne
n'aurait perdu son seigneur et jamais elle-même
     ne le lui aurait arraché.
Le soir, Le Frêne alla
préparer le lit
où la mariée devait se coucher.
Elle n'avait pas son manteau sur elle.
Elle appela les chambellans
et leur enseigna la manière de faire le lit,
exactement comme son seigneur le voulait
car elle avait de l'expérience.
Après avoir préparé le lit,
les chambellans y jetèrent une couverture.
Elle était d'une étoffe de soie fanée.
La demoiselle s'en aperçut
et il lui sembla que ce n'était pas bien.
Cela l'ennuyait.
Elle ouvrit alors un coffre et en retira son étoffe
     de soie
qu'elle plaça sur le lit de son seigneur.
Elle agissait ainsi pour lui faire honneur.
L'archevêque était là en effet
pour bénir[1] les nouveaux époux d'un signe de
     croix
car cela relevait de son ministère.
Quand la chambre fut évacuée,
la dame y amena sa fille.
Elle voulait lui demander de se coucher

Si la cumande a despoilier.
Le paile esgarde sur le lit,
Quë unke mes si bon ne vit
415   Fors sul celui que ele dona
Od sa fille ke ele cela.
Idunc li remembra de li,
Tut li curages li fremi;
Le chamberlenc apele a sei.   152a
420   « Di mei, fait ele, par ta fei,
U fu cest bon paile trovez?
— Dame, fait il, vus le savrez:
La dameisele l'aporta,
Sur le covertur le geta,
425   Kar ne li sembla mie bons;
Jeo qui que le pailë est soens. »
La dame l'aveit apelee,
[E] ele est devant li alee;
De sun mauntel se desfubla,
430   E la mere l'areisuna:
« Bele amie, nel me celez!
U fu cist bons pailes trovez?
Dunt vus vient il? Kil vus dona?
Kar me dites kil vus bailla! »
435   La meschine li respundi:
« Dame, m'aunte, ke me nuri,
L'abeesse, kil me bailla,
A garder le me comanda;
Cest e un anel me baillerent
440   Cil ki a nurir me enveierent.
— Bele, pois jeo veer l'anel?
— Oïl, dame, ceo m'est [mut] bel. »
L'anel li ad dunc aporté,
E ele l'ad mut esgardé;

et lui ordonna de se déshabiller.
Elle aperçut l'étoffe de soie sur le lit;
elle n'en avait jamais vu de plus belle
excepté celle qu'elle donna
en même temps que sa fille qu'elle cacha.
Alors, la mémoire lui revint
et son cœur trembla d'émotion.
Elle appela le chambellan:
«Dis-moi, dit-elle, sur ta foi,
où a-t-on trouvé cette belle étoffe?
— Ma dame, je vais vous le dire:
c'est la demoiselle qui l'a apportée
et jetée sur la couverture
car celle-ci ne semblait pas belle.
Je crois que cette étoffe lui appartient.»
Alors, la dame fit appeler Le Frêne
qui vint la trouver.
Elle ôta son manteau
et sa mère l'interrogea:
«Ma belle amie, ne me cachez rien.
Où a-t-on trouvé cette belle étoffe de soie?
D'où vous vient-elle? Qui vous l'a donnée?
Dites-moi donc de qui vous la tenez!»
La demoiselle répondit:
«Ma dame, c'est ma tante qui me l'a donnée,
une abbesse qui m'a élevée.
Elle m'a bien recommandé de la garder.
Cette étoffe et un anneau m'ont été donnés
par ceux qui m'avaient envoyée à elle pour me
    faire élever.
— Belle, puis-je voir l'anneau?
— Oui, ma dame, avec plaisir!»
Elle lui apporta donc l'anneau
et la dame l'examina longuement;

445 *El l'ad tres bien reconeü*
E le paile ke ele ad veü.
Ne dutes mes, bien seit e creit
Que ele memes sa fille esteit;
Oiant tuz, dist, ne ceil[e] mie;
450 *« Tu es ma fille, bele amie! »*
De la pité kë ele en a
Ariere cheit, si se pauma.
E quant de paumeisun leva,
Pur sun seignur tost enveia;   152b
455 *E il [i] vient tut effreez.*
Quant il est en chambrë entrez,
La dame li cheï as piez,
Estreitement l[i] ad baisiez,
Pardun li quert de sun mesfait.
460 *Il ne feseit nïent del plait.*
« Dame, fet il, quei dites vus?
Il n'ad si bien nun entre nus.
Quanke vus plest seit parduné!
Dites mei vostre volunté!
465 *— Sire, quant parduné l'avez,*
Jel vus dirai; si m'escutez!
Jadis par ma grant vileinie
De ma veisine dis folie;
De ses deus enfanz mesparlai:
470 *Vers mei meïsmes [mes]errai.*
Verité est que j'enceintai,
Deus filles oi, l'une celai;
A un muster la fis geter
E nostre paile od li porter
475 *E l'anel que vus me donastes*
Quant vus primes od mei parlastes.

puis elle le reconnut parfaitement
tout comme l'étoffe de soie qu'elle avait vue.
Elle n'avait plus aucun doute. Elle était sûre
   maintenant
que Le Frêne était bel et bien sa fille.
Devant tout le monde, elle ne cache plus rien :
«Mon amie, tu es ma fille.»
Sous l'effet de l'émotion,
elle tomba à la renverse et s'évanouit.
Quand elle reprit ses esprits,
elle fit aussitôt chercher son mari
qui arriva tout troublé.
Quand il entra dans la chambre,
la dame se jeta à ses pieds
qu'elle couvrit de tendres baisers.
Elle lui demanda pardon de son forfait
mais il ignorait tout de l'affaire.
«Ma dame, fait-il, que dites-vous ?
Il n'y a pas la moindre brouille entre nous !
Je vous pardonne tout ce que vous voulez.
Dites-moi votre désir !
— Seigneur, puisque vous avez pardonné,
je vais vous dire de quoi il s'agit ; écoutez-moi !
Autrefois, j'ai tenu sur ma voisine
des propos insensés par pure bassesse.
Je l'ai insultée au sujet de ses deux enfants
et c'est contre moi que j'ai parlé.
Voilà la vérité : j'étais enceinte
et j'ai accouché de deux filles ; j'en ai caché une.
Je l'ai fait exposer devant un couvent
et je lui ai remis
notre étoffe de soie
ainsi que l'anneau que vous m'avez donné
la première fois que vous m'avez parlé d'amour.

Ne vus peot mie estre celé :
Le drap e l'anel ai trové.
Nostre fille ai ci coneüe,
480   *Que par ma folie oi perdue ;*
E ja est ceo la dameisele
Que tant est pruz e sage e bele,
Ke li chevaler ad amee
Ki sa serur ad espusee. »
485   *Li sires dit : « De ceo sui liez ;*
Unques mes ne fu[i] si haitiez ;
Quant nostre fille avum trovee,
Grant joie nus ad Deu donee,
Ainz que li pechez fust dublez.   152c
490   *Fille, fet il, avant venez !»*
La meschine must s'esjoï
De l'aventure ke ele oï.
Sun pere ne volt plus atendre ;
Il meïsmes vet pur sun gendre,
495   *E l'erceveke i amena,*
Cele aventure. li cunta.
Li chevaler, quant il le sot,
Unques si grant joie nen ot.
L'erceveke[s] ad cunseilié
500   *Quë issi seit la noit laissié ;*
El demain les departira,
Lui e cele qu'il espusa.
Issi l'unt fet e graanté.
El demain furent desevré ;
505   *Après ad s'aime espusee,*
E li peres li ad donee,
Que mut ot vers li bon curage ;
Par mi li part sun heritage
Il e la mere as noces furent

Il est impossible de vous le cacher :
j'ai retrouvé l'étoffe et l'anneau.
J'ai reconnu ici notre fille
que j'avais perdue par ma folie.
C'est cette demoiselle
si valeureuse, si avisée et si belle,
qui a été aimée du chevalier
ayant épousé sa sœur. »
Le seigneur lui dit : « J'en suis heureux.
Jamais je n'ai été aussi heureux
puisque nous avons retrouvé notre fille.
Dieu nous a accordé une grande joie
avant que nous ne commettions une autre faute
    envers elle.
Ma belle, fait-il, avancez ! »
Le Frêne est très heureuse
d'apprendre cette histoire.
Son père ne veut attendre plus longtemps.
Il va lui-même chercher son gendre
puis il fait venir l'archevêque
et lui conte cette histoire.
Quant au chevalier, lorsqu'il l'apprit,
il en conçut la plus grande joie de sa vie.
L'archevêque décida que,
pour la nuit, les choses en resteraient là.
Le lendemain il annulera le premier mariage
et mariera Le Frêne et Goron[1].
C'est ce que l'on fit d'un commun accord.
Le lendemain, le premier mariage fut rompu
et Goron épousa son amie
accordée en mariage par son père
qui avait envers elle les meilleurs sentiments.
Il lui donna la moitié de son héritage.
Le père et la mère participèrent aux noces

510 *Od leur fille, si cum il durent.*
Quant en lur païs s'en alerent,
La Coudre lur fille menerent;
Mut richement en lur cuntree
Fu puis la meschine donee.

515   *Quant l'aventure fu seüe*
Coment ele esteit avenue,
Le lai del Freisne en unt trové:
Pur la dame l'unt si numé.

avec leur fille, ainsi qu'ils le devaient.
En retournant chez eux,
ils ramenèrent Le Coudrier, leur autre fille.
Ils lui firent ensuite épouser
un très beau parti de la région.

Quand on connut cette aventure
telle qu'elle s'est déroulée,
on composa le lai du *Frêne*
et on lui donna ce nom à cause de la jeune fille.

BISCLAVRET

Quant de lais faire m'entremet,
Ne voil ublïer Bisclavret :
Bisclavret ad nun en bretan,
Garwaf l'apelent li Norman.
5   Jadis le poeit hume oïr
E sovent suleit avenir,
Humes plusurs garual devindrent
E es boscages meisun tindrent.
Garualf, c[eo] est beste salvage :
10   Tant cum il est en cele rage,
Hummes devure, grant mal fait,
Es granz forez converse e vait.
Cest afere les ore ester ;
Del bisclavret [vus] voil cunter.
15   En Bretaine maneit un ber,
Merveille l'ai oï loër ;
Beaus chevalers e bons esteit
E noblement se cunteneit.
De sun seinur esteit privez
20   E de tuz ses veisins amez.
Femme ot espuse mut vailant
E que mut feseit beu semblant.

152d

BISCLAVRET

Puisque je me mets à écrire sur des lais,
je ne veux pas oublier *Bisclavret*.
En breton son nom est *bisclavret*[1]
mais les Normands l'appellent *garou*[2].
Autrefois on pouvait entendre raconter
et il arrivait souvent
que beaucoup d'hommes devenaient loups-garous[3]
et habitaient dans les bois.
Un loup-garou est une bête sauvage[4].
Aussi longtemps qu'il se trouve dans cet état de
    rage[5],
il dévore les gens, fait beaucoup de mal
et hante les bois profonds.
Mais je laisse cette question
car je veux vous conter l'histoire du bisclavret[6].
    En Bretagne habitait un seigneur.
J'ai entendu à son sujet de prodigieuses louanges.
C'était un beau et bon chevalier
d'une conduite irréprochable[7].
Il était l'ami intime de son seigneur
et tous ses voisins l'aimaient.
Il avait épousé une femme de grande valeur
au visage très affable.

Il amot li e ele lui ;
Mes d'une chose ert grant ennui,
25 *Que en la semeine le perdeit*
   Treis jurs entiers, que el ne saveit
   U deveneit në u alout,
   Ne nul de soens nïent n'en sout.
   Une feiz esteit repeirez
30 *A sa meisun joius e liez ;*
   Demandé li ad e enquis.
   « Sire, fait el, beau duz amis,
   Une chose vus demandasse
   Mut volenters, si jeo osasse ;
35 *Mes jeo creim tant vostre curuz,*
   Que nule rien tant ne redut. »
   Quant il l'oï, si l'acola,
   Vers lui la traist, si la beisa.
   « Dame, fait il, [or] demandez !
40 *Ja cele chose ne querrez,*
   Si jo la sai, ne la vus die.
   — Par fei, fet ele, ore sui garie !   153a
   Sire, jeo sui en tel effrei
   Les jurs quant vus partez de mei,
45 *El quor en ai mut grant dolur*
   E de vus perdre tel poür,
   Si jeo n'en ai hastif cunfort,
   Bien tost en puis aver la mort.
   Kar me dites u vus alez,
50 *U vus estes, u conversez !*
   Mun escïent que vus amez,
   E si si est, vus meserrez.
   — Dame, fet il, pur Deu, merci !
   Mal m'en vendra, si jol vus di,
55 *Kar de m'amur vus partirai*

Il l'aimait autant qu'elle l'aimait.
Mais une chose tourmentait fort son épouse :
chaque semaine durant trois jours[1],
il disparaissait et elle ne savait
ni ce qu'il devenait ni où il allait.
Aucun des siens ne le savait non plus.
Un jour, après qu'il fut rentré
tout joyeux et gai à la maison,
elle le questionna :
« Seigneur, mon doux ami,
il y a une chose que je vous demanderais
bien volontiers, si je l'osais.
Mais je crains tellement votre colère
que je ne redoute rien de plus au monde. »
À ces mots, il la prit dans ses bras,
l'attira vers lui et l'embrassa.
« Dame, dit-il, demandez donc !
À toute question que vous me poserez,
j'apporterai une réponse, si du moins je la connais.
— Par ma foi, dit-elle, alors je suis sauvée.
Seigneur, je suis dans un tel effroi
les jours où vous me quittez,
et j'ai dans le cœur une si grande douleur
ainsi qu'une telle crainte de vous perdre,
que si vous ne m'apportez pas un prompt récon-
    fort,
il se pourrait que je meure très bientôt.
Dites-moi donc où vous allez,
où vous êtes, où vous demeurez.
À mon avis, vous aimez une autre femme
mais s'il en est ainsi, vous commettez une faute.
— Dame, fait-il, pitié, au nom de Dieu !
Il m'arrivera malheur si je vous le dis
car cela vous dissuadera de m'aimer

E mei meïsmes en perdrai.»
Quant la dame l'ad entendu,
Ne l'ad neent en gab tenu.
Suventefeiz li demanda;
60 *Tant le blandi e losenga*
Que s'aventure li cunta;
Nule chose ne li cela.
«Dame, jeo devienc bisclavret:
En cele grant forest me met,
65 *Al plus espés de la gaudine,*
S'i vif de preie e de ravine.»
Quant il li aveit tut cunté,
Enquis li ad e demaundé
S'il se despuille u vet vestu.
70 *«Dame, fet il, jeo vois tut nu.*
— Di mei, pur Deu, u sunt voz dras.
— Dame, ceo ne dirai jeo pas;
Kar si jes eüsse perduz
E de ceo feusse aparceüz,
75 *Bisclavret sereie a tuz jurs;*
Jamés n'avreie mes sucurs,   153b
De si k'il me fussent rendu.
Pur ceo ne voil k'il seit seü.
— Sire, la dame li respunt,
80 *Jeo vus eim plus que tut le mund:*
Nel me devez nïent celer,
Ne [mei] de nule rien duter;
Ne semblereit pas amisté.
Qu'ai jeo forfait? Pur queil peché
85 *Me dutez vus de nule rien?*
Dites [le] mei, si ferez bien!,

et causera ma propre perte[1]. »
Quand la dame a entendu sa réponse,
elle a bien compris qu'il ne plaisantait pas.
À plusieurs reprises, elle lui posa la question.
À force de le flatter et de le cajoler,
elle finit par obtenir qu'il lui raconte son aventure.
Il ne lui cacha rien.
« Dame, je deviens bisclavret.
Je pénètre dans cette grande forêt,
et au plus profond des bois,
je vis de proies et de rapine. »
Quand il lui eut tout raconté,
elle lui demande de préciser
s'il enlève ses vêtements ou s'il les garde.
« Dame, répond-il, j'y vais tout nu[2].
— Dites-moi, au nom de Dieu, où sont vos vête-
     ments ?
— Dame, cela, je ne peux pas vous le dire,
car si je les perdais
et si on me découvrait en train de les ôter,
je resterais bisclavret à tout jamais.
Il n'y aurait plus pour moi aucun recours
tant que l'on ne m'aurait pas rendu mes vêtements.
C'est pour cela que je veux garder le secret sur
     tout cela.
— Seigneur, lui répond la dame,
je vous aime plus que tout au monde.
Vous ne devez rien me cacher
ni redouter quoi que ce soit de ma part,
ou alors ce serait la preuve que vous ne m'aimez
     pas.
Qu'ai-je fait de mal ? Pour quelle faute
redoutez-vous de moi quoi que ce soit ?
Dites-le-moi, vous ferez bien ! »

Tant l'anguissa, tant le suzprist,
Ne pout el faire, si li dist.
« Dame, fet il, delez cel bois,
90   Lez le chemin par unt jeo vois,
Une vielz chapele i esteit,
Ke meintefeiz grant bien me feit :
La est la piere cruose e lee
Suz un buissun, dedenz cavee ;
95   Mes dras i met suz le buissun,
Tant que jeo revi[e]nc a meisun. »
La dame oï cele merveille,
De poür fu tute vermeille ;
De l'aventure se esfrea.
100   E[n] maint endreit se purpensa
Cum ele s'en puïst partir ;
Ne voleit mes lez lui gisir.
Un chevaler de la cuntree,
Que lungement l'aveit amee
105   E mut preié e mut requise
E mut duné en sun servise —
Ele ne l'aveit unc amé
Ne de s'amur aseüré —
Celui manda par sun message,
110   Si li descovri sun curage.
« Amis, fet ele, seez leéz !   153c
Ceo dunt vus estes travaillez
Vus otri jeo sanz nul respit :
Ja n'i avrez nul cuntredit ;
115   M'amur e mun cors vus otrei,
Vostre drue fetes de mei ! »
Cil l'en mercie bonement
E la fiance de li prent ;
E el le met par serement.

Elle le tourmente et le harcèle tant
qu'il ne peut que lui révéler la chose.
« Dame, dit-il, à côté de ce bois,
près du chemin que je prends,
se trouve une vieille chapelle[1]
qui souvent me rend grand service.
Là se trouve une pierre lée[2] et creuse,
en dessous d'un buisson[3].
Je mets mes vêtements sous le buisson
jusqu'à ce que je revienne à la maison. »
La dame écoute ce récit prodigieux
et en devient rouge de peur.
Cette aventure la plonge dans l'effroi.
Elle réfléchit aux différents moyens
de se séparer de son mari.
Elle ne veut plus coucher avec lui.
Il se trouvait dans la contrée un chevalier
qui l'avait longtemps aimée,
qui avait maintes fois requis et imploré son amour
et qui était tout dévoué à son service.
Elle ne l'avait jamais aimé
ni même assuré de son amour.
Elle le fit convoquer par l'intermédiaire de son
    messager
et lui découvrit ses sentiments.
« Ami, dit-elle, soyez heureux !
Je veux satisfaire sans nul répit
ce désir qui vous tourmente.
Rien ne pourra plus le contrarier :
je vous accorde mon amour et mon corps,
faites de moi votre amie ! »
Le chevalier la remercie courtoisement ;
il prend sa promesse et
elle reçoit son serment[4].

120   *Puis li cunta cumfaitement*
      Ses sire ala e k'il devint ;
      Tute la veie kë il tint
      Vers la forest l[i] enseigna ;
      Pur sa despuille l'enveia.
125   *Issi fu Bisclavret trahiz*
      E par sa femme maubailiz.
      Pur ceo que hum le perdeit sovent
      Quidouent tuz communalment
      Que dunc s'en fust del tut alez.
130   *Asez fu quis e demandez,*
      Mes n'en porent mie trover ;
      Si lur estuit lesser ester.
      La dame ad cil dunc espusee,
      Que lungement aveit amee.
135   *Issi remist un an entier,*
      Tant que li reis ala chacier ;
      A la forest ala tut dreit,
      La u li bisclavret esteit.
      Quant li chiens furent descuplé,
140   *Le bisclavret unt encuntré ;*
      A lui cururent tute jur
      E li chien e li veneür,
      Tant que pur poi ne l'eurent pris
      E tut deciré e maumis,
145   *De si qu'il ad le rei choisi ;*
      Vers lui curut quere merci.   153d
      Il l'aveit pris par sun estrié,
      La jambe li baise e le pié.
      Li reis le vit, grant poür ad ;
150   *Ses cumpainuns tuz apelad.*
      « Seignurs, fet il, avant venez !
      Ceste merveillë esgardez,

Puis elle lui conta
comment son mari la quittait
et ce qu'il devenait.
Elle lui révéla le chemin
qu'il suivait jusqu'à la forêt.
Elle l'envoya voler les habits de son mari.
C'est ainsi que Bisclavret fut trahi[1]
et mis en fâcheuse posture par sa femme.
Mais du fait qu'on le perdait souvent de vue,
beaucoup de gens pensaient que, cette fois,
il était définitivement parti.
On le chercha et on s'enquit beaucoup à son sujet
mais il restait introuvable.
Il fallut alors abandonner les recherches.
La dame épousa donc
celui qui l'avait longtemps aimée.
    Une année entière passa ainsi,
jusqu'au jour où le roi partit à la chasse.
Il se rendit tout droit dans la forêt
où se trouvait le bisclavret.
Une fois que les chiens furent lâchés
ils tombèrent sur lui.
Chiens et veneurs
le poursuivirent toute la journée.
Il s'en fallut de peu qu'ils ne le capturent,
ne le lacèrent et ne le mettent à mal.
Dès que le bisclavret aperçut le roi,
il courut vers lui pour implorer sa pitié.
Après l'avoir saisi par l'étrier,
il lui baisa la jambe et le pied.
À sa vue, le roi prit peur
et appela tous ses compagnons :
« Seigneurs, dit-il, approchez !
Regardez cette merveille !

Cum ceste beste se humilie !
Ele ad sen de hume, merci crie.
155 *Chacez mei tuz ces chiens arere,*
Si gardez quë hum ne la fiere !
Ceste beste ad entente e sen.
Espleitez vus ! Alum nus en !
A la beste durrai ma pes ;
160 *Kar jeo ne chacerai hui mes. »*
     Li reis s'en est turné atant.
Le bisclavret li vet siwant ;
Mut se tint pres, n'en vout partir,
Il n'ad cure de lui guerpir.
165 *Li reis l'en meine en sun chastel ;*
Mut en fu liez, mut li est bel,
Kar unke mes tel n'ot veü ;
A grant merveille l'ot tenu
E mut le tient a grant chierté.
170 *A tuz les suens ad comaundé*
Que sur s'amur le gardent bien
E li ne mesfacent de rien,
Ne par nul de eus ne seit feruz ;
Bien seit abevreiz e peüz.
175 *Cil le garderent volenters ;*
Tuz jurs entre les chevalers
E pres del rei se alout cuchier.
N'i ad celui que ne l'ad chier ;
Tant esteit franc et deboneire,
180 *Unques ne volt a rien mesfeire.*
U ke li reis deüst errer,   154a
Il n'out cure de desevrer ;
Ensemble od lui tuz jurs alout :
Bien s'aparceit quë il l'amout.
185   *Oëz aprés cument avint.*

Regardez comme cette bête se prosterne !
Elle possède la raison d'un être humain, elle
   demande pitié.
Faites-moi reculer tous ces chiens
et veillez à ce que personne ne la frappe.
Cette bête est douée d'intelligence et de raison.
Dépêchez-vous ! Partons d'ici !
J'accorderai ma protection à cette bête
car je ne chasserai plus aujourd'hui. »
   Alors le roi s'en retourne
et le bisclavret le suit.
Il le suivait à la trace et ne voulait plus partir.
Il ne cherchait nullement à le quitter.
Le roi l'emmène dans son château.
Il en est tout heureux et cela lui plaît beaucoup
car il n'avait jamais vu une chose pareille.
Il considère le bisclavret comme un prodige
et l'entoure des plus grands soins.
Il recommande à tous ses gens
de bien le soigner par amour pour lui
et de ne lui faire aucun mal.
Personne ne devait le frapper.
Il devait recevoir à boire et à manger.
Les chevaliers s'occupèrent volontiers de lui.
Tous les jours, le bisclavret allait coucher
parmi eux et tout près du roi.
Tous se mettent à l'aimer,
tellement il était brave et d'une bonne nature.
Jamais il ne veut faire le moindre mal.
Partout où le roi se rend,
il tient à l'accompagner.
Il se tenait toujours à ses côtés.
Le roi comprit qu'il avait de l'affection pour lui.
   Écoutez ensuite ce qui arriva.

A une curt ke li rei tint
Tuz les baruns aveit mandez,
Ceus ki furent de lui chasez,
Pur aider sa feste a tenir
190 *E lui plus beal faire servir.*
Li chevaler i est alez,
Richement e bien aturnez,
Ki la femme Bisclavret ot.
Il ne saveit ne ne quidot
195 *Que il le deüst trover si pres.*
Si tost cum il vint al paleis
E le bisclavret le aparceut,
De plain esleis vers lui curut ;
As denz le prist, vers lui le trait.
200 *Ja li eüst mut grant leid fait,*
Ne fust li reis ki l'apela,
De une verge le manaça.
Deus feiz le vout mordre al jur.
Mut s'esmerveillent li plusur ;
205 *Kar unkes tel semblant ne fist*
Vers nul hume kë il veïst.
Ceo dïent tut par la meisun
Ke il nel fet mie sanz reisun ;
Mesfait li ad, coment que seit ;
210 *Kar volenters se vengereit.*
A cele feiz remist issi,
Tant que la feste departi
E li barun unt pris cungé ;
A lur meisun sunt repeiré.
215 *Alez s'en est li chevaliers,*
Mien escïent tut as premers,
Que le bisclavret asailli ;
N'est merveille s'il le haï.

154b

À une cour que tint le roi
furent convoqués tous les barons
qui avaient reçu un fief de sa part,
afin de donner du lustre à la fête
et lui conférer plus d'éclat et de solennité.
Le chevalier qui avait épousé
la femme de Bisclavret
s'y rendit dans un bel équipage.
Il ne savait ni ne pensait
que le mari se trouverait si près de lui.
Dès qu'il arriva au palais
et que le bisclavret l'aperçut,
la bête bondit sur lui.
Elle le saisit avec ses crocs et le tira à lui.
Elle n'aurait pas manqué de lui faire du mal
si le roi ne l'avait appelé
en le menaçant d'un bâton.
Par deux fois, le bisclavret voulut mordre le
    mari ce jour-là,
la plupart des gens s'en étonnèrent
car il n'avait jamais adopté une telle attitude
envers un homme.
Les gens de la maison du roi disent
qu'il ne fait pas cela sans raison.
D'une manière ou d'une autre
le chevalier lui a fait du mal
car l'animal se vengerait volontiers.
Mais, pour cette fois, les choses en restèrent là
jusqu'à ce que la fête prît fin
et que les barons prissent congé.
Ils rentrèrent chez eux.
Le chevalier que le bisclavret avait assailli
s'en est allé dans les tout premiers, il me semble.
Il n'est pas étonnant qu'il le haïsse.

    Ne fu puis gueres lungement,
220 *Ceo m'est avis, si cum j'entent,*
Que a la forest ala li reis,
Que tant fu sages e curteis,
U li Bisclavret fu trovez ;
E il i est od lui alez.
225 *La nuit quant il s'en repeira,*
En la cuntree herberga.
La femme Bisclavret le sot ;
Avenantment se appareilot.
Al demain vait al rei parler,
230 *Riche present li fait porter.*
Quant Bisclavret la veit venir,
Nul hum nel poeit retenir ;
Vers li curut cum enragiez.
Oiez cum il est bien vengiez !
235 *Le neis li esracha del vis.*
Quei li peüst il faire pis ?
De tutes parz l'unt manacié ;
Ja l'eüssent tut depescié,
Quant un sages hum dist al rei :
240 *« Sire, fet il, entent a mei !*
Ceste beste ad esté od vus ;
N'i ad ore celui de nus
Que ne l'eit veü lungement
E pres de lui alé sovent ;
245 *Unke mes humme ne tucha*
Ne felunie ne mustra,
Fors a la dame que ici vei.
Par cele fei ke jeo vus dei,
Aukun curuz ad il vers li,
250 *E vers sun seignur autresi.*
Ceo est la femme al chevaler

Il ne se passa guère de temps,
il me semble, à la manière dont je comprends
  les choses,
que le roi si avisé et si courtois
retourna dans la forêt
où l'on avait trouvé le bisclavret.
La bête l'avait accompagné.
Cette nuit-là, sur le moment du retour,
le roi se logea dans le pays.
La femme de Bisclavret l'apprit.
Elle s'habilla avec élégance.
Le lendemain, elle alla parler au roi
et lui fit porter un magnifique cadeau.
Quand Bisclavret la vit venir,
il fut impossible de le retenir.
Il courut vers elle comme une bête enragée.
Écoutez comme il s'est bien vengé !
Il lui arrache le nez[1].
Que pouvait-il lui faire de pire ?
De tous les côtés, on le menace
et on allait le mettre en pièces
lorsqu'un homme fort avisé dit au roi :
« Seigneur, écoutez-moi !
Cette bête a vécu à vos côtés,
tous ici nous l'avons vue
pendant longtemps
et nous l'avons approchée.
Jamais elle n'a touché quiconque
ni montré la moindre cruauté
sauf envers la dame que voici.
Par la foi que je vous dois,
la bête a quelque motif de colère envers la dame
mais aussi contre son mari.
C'est la femme de ce chevalier

Que taunt par suliez aveir chier,
Que lung tens ad esté perduz,
Ne seümes qu'est devenuz.
255 *Kar metez la dame en destreit,*
S'aucune chose vus direit,
Pur quei ceste beste la heit ;
Fetes li dire s'el le seit !
Meinte merveille avum veü
260 *Quë en Bretaigne est avenu. »*
Li reis ad sun cunseil creü :
Le chevaler ad retenu ;
De l'autre part la dame ad prise
E en mut grant destresce mise.
265 *Tant par destresce e par poür*
Tut li cunta de sun seignur :
Coment ele l'aveit trahi
E sa despoille li toli,
L'aventure qu'il li cunta,
270 *E quei devint e u ala ;*
Puis que ses dras li ot toluz,
Ne fud en sun païs veüz ;
Tres bien quidat e bien creeit
Que la beste Bisclavret seit.
275 *Le reis demande la despoille ;*
U bel li seit u pas nel voille,
Ariere la fet aporter,
Al bisclavret la fist doner.
Quant il l'urent devant lui mise,
280 *Ne se prist garde en nule guise.*
Li produm le rei apela,
Cil ki primes le cunseilla :
« Sire, ne fetes mie bien :
Cist nel fereit pur nule rien,
285 *Que devant vus ses dras reveste*

pour lequel vous aviez autrefois tant d'amitié.
Depuis bien longtemps, il a disparu
sans qu'on sache ce qu'il est devenu.
Soumettez donc la dame à la question[1]
pour savoir si elle ne vous révélerait pas
les raisons que cette bête a de la haïr.
Faites-le-lui avouer, si elle le sait.
Nous avons déjà vu se produire
bien des merveilles en Bretagne. »
Le roi suivit son conseil.
Il garda le chevalier prisonnier
et d'autre part fit saisir la dame
qu'il soumit à un cruel supplice.
Sous l'effet de la torture et de la peur,
elle raconta toute l'histoire de son mari,
comment elle l'avait trahi
en lui enlevant ses vêtements,
le récit qu'il lui fit de ce qu'il devenait
et où il allait.
Depuis qu'elle lui avait enlevé ses vêtements,
plus personne ne l'avait revu dans le pays.
Elle croit et pense donc
que la bête est Bisclavret lui-même.
Le roi demande les vêtements à la dame
et, que cela lui plaise ou non,
il les fait rapporter
et présenter au bisclavret.
Mais une fois qu'ils furent placés devant lui,
il n'y prêta absolument aucune attention.
Alors l'homme de bien qui avait conseillé le roi
déclara à celui-ci :
« Seigneur, vous ne faites pas comme il faut.
Pour rien au monde, le bisclavret
ne prendrait ses vêtements devant vous

Ne mut la semblance de beste.   154d
Ne savez mie que ceo munte :
Mut durement en ad grant hunte.
En tes chambres le fai mener
290   E la despoille od lui porter;
Une grant piece l'i laissums.
S'il devient hum, bien le verums. »
Li reis meïsmes le mena
E tuz les hus sur lui ferma.
295   Al chief de piece i est alez,
Deus baruns ad od lui menez;
En la chambrë entrent tut trei.
Sur le demeine lit al rei
Truevent dormant le chevaler.
300   Li reis le curut enbracier,
Plus de cent feiz l'acole e baise.
Si tost cum il pot aver aise,
Tute sa tere li rendi;
Plus li duna ke jeo ne di.
305   La femme ad del païs ostee
E chacie de la cuntree.
Cil s'en alat ensemble od li,
Pur ki sun seignur ot trahi.
Enfanz en ad asés eüz,
310   Puis unt esté bien cuneüz
[E] del semblant e del visage :
Plusurs [des] femmes del lignage,
C'est verité, senz nes sunt nees
E si viveient esnasees.
315   L'aventure ke avez oïe
Veraie fu, n'en dutez mie.
De Bisclavret fu fet li lais
Pur remembrance a tutdis mais.

ni ne changerait son apparence animale.
Vous ne comprenez pas combien cela est impor-
    tant à ses yeux ;
c'est pour lui un motif de grande honte.
Faites-le conduire dans vos appartements
et faites porter en même temps les vêtements.
Laissons-le là un bon moment
et s'il redevient homme, nous le verrons bien. »
Le roi le conduisit lui-même
et referma toutes les portes sur lui.
Au bout d'un moment, il y retourna
accompagné de deux barons.
Ils entrèrent tous les trois dans la chambre
et sur le lit même du roi
ils trouvèrent le chevalier endormi.
Le roi courut l'embrasser.
Plus de cent fois il l'enlace
et lui donne des baisers.
Dès qu'il le peut,
il lui rend toutes ses terres
et lui donne encore plus que je ne peux dire.
Il fait partir sa femme
et la chasse du pays.
Avec elle partit
celui pour qui elle avait trahi son mari.
Elle eut par la suite de nombreux enfants,
bien reconnaissables à leur air et à leur visage.
Bien des femmes de son lignage,
c'est la vérité, naquirent sans nez[1]
et vécurent de la sorte.

   L'aventure que vous venez d'entendre
est vraie, n'en doutez pas.
On en fit le lai de *Bisclavret*
pour en garder le souvenir à tout jamais.

LANVAL

    L'aventure d'un autre lai
Cum ele avient, vus cunterai:
Fait fu d'un mut gentil vassal ·
En bretans l'apelent Lanval.
5   *A Kardoel surjurnot li reis,*
Artur, li pruz e li curteis,
Pur les Escoz e pur les Pis,
Que destrui[ei]ent le païs:
En la terre de Loengre entroënt
10   *E mut suvent la damagoënt.*
A la Pentecuste en esté
I aveit li reis sujurné.
Asez i duna riches duns:
E as cuntes e as baruns,
15   *A ceus de la table r[o]ünde —*
N'ot tant de teus en tut le munde —
Femmes e tere departi,
Par tut, fors un ki l'ot servi:
Ceo fu Lanval, ne l'en sovient,
20   *Ne nul de[s] soens bien ne li tient.*
Pur sa valur, pur sa largesce,
Pur sa beauté, pur sa prüesce

LANVAL

Je vous conterai, comme elle advint,
l'aventure concernant un autre lai.
Il fut fait[1] au sujet d'un très noble chevalier ;
en breton, on l'appelle Lanval.
   À Cardeuil[2] séjournait le roi,
le preux et courtois Arthur,
à cause des Scots et des Pictes[3]
qui ravageaient le pays.
Ils pénétraient sur la terre de Logres[4]
et bien souvent la dévastaient.
À la Pentecôte[5], en été[6],
le roi y avait séjourné.
Il avait fait de très riches présents[7],
aux comtes ainsi qu'aux barons,
ceux de la Table Ronde[8] —
il n'y avait nulle part dans le monde
autant de chevaliers de leur valeur.
Il distribua femmes et terres
à tous, sauf à un seul qui l'avait servi.
C'était Lanval[9], il ne se souvint pas de lui
et aucun des siens ne défendit sa cause.
Pour sa valeur et sa largesse,
pour sa beauté et son courage,

L'envioënt tut li plusur;
Tel li mustra semblant d'amur,
25 S'al chevaler mesavenist,
Ja une feiz ne l'en pleinsist.
Fiz a rei fu de haut parage,
Mes luin ert de sun heritage.
De la meisne[e] le rei fu.
30 Tut sun aveir ad despendu;
Kar li reis rien ne li dona,
Ne Lanval ne li demanda.
Ore est Lanval mut entrepris,
Mut est dolent e mut pensis.
35 Seignurs, ne vus esmerveillez:
Hume estrange descunseillez
Mut est dolent en autre tere,
Quant il ne seit u sucurs quere.   155b
Le chevaler dunt jeo vus di,
40 Que tant aveit le rei servi,
Un jur munta sur son destrer,
Si s'est alez esbaneer.
Fors de la vilë est eissuz,
Tut sul est en un pre venuz;
45 Sur une ewe curaunt descent;
Mes sis cheval tremble forment:
Il le descengle, si s'en vait,
En mi le pre vuiltrer le lait.
Le pan de sun mantel plia,
50 Desuz sun chief puis le cucha.
Mut est pensis pur sa mesaise,
Il ne veit chose ke li plaise.
La u il gist en teu maniere,
Garda aval lez la riviere,
55 [Si] vit venir deus dameiseles,
Unc n'en ot veü[es] plus beles.

beaucoup enviaient Lanval.
Un tel faisait semblant de l'aimer,
mais si quelque malheur était arrivé au chevalier,
il ne l'aurait pas plaint le moins du monde.
Lanval était fils de roi, de haute naissance
mais il était loin de son héritage.
Il appartenait à la maison du roi.
Il avait dépensé tous ses biens,
car le roi ne lui donna rien
et Lanval ne lui demandait rien non plus.
Maintenant Lanval est bien malheureux,
il est très triste et très anxieux.
Seigneurs, ne vous en étonnez pas!
Un étranger abandonné
souffre beaucoup sur une terre étrangère
quand il ne sait pas où chercher du secours.

   Le chevalier dont je vous parle
et qui avait tant servi le roi,
monta un jour sur son destrier
et partit se distraire.
Il sortit de la ville,
et arriva seul dans un pré.
Près d'une eau courante, il descend de sa monture
mais son cheval tremble beaucoup.
Il le dessangle et s'en va;
il le laisse s'ébattre au milieu du pré.
Il plia le pan de son manteau
puis l'étendit sous sa tête.
Il est très soucieux à cause de sa misère
et ne voit chose qui lui plaise.
Tandis qu'il était couché,
il regarda en bas vers la rivière[1]
et vit venir deux demoiselles[2].
Il n'en avait jamais vu d'aussi belles.

Vestues ierent richement,
Laciees mut estreitement
En deus blians de purpre bis;
60 Mut par aveient bel le vis.
L'eisnee portout un[s] bacins,
Doré furent, bien faiz e fins;
Le veir vus en dirai sanz faile.
L'autre portout une tuaile.
65 Eles s'en sunt alees dreit
La u li chevaler giseit.
Lanval, que mut fu enseigniez,
Cuntre eles s'en levad en piez.
Celes l'unt primes salué,
70 Lur message li unt cunté:
«Sire Lanval, ma dameisele,
Que tant est pruz e sage e bele,
Ele nus enveie pur vus;   155c
Kar i venez ensemble od nus!
75 Sauvement vus i cundurums.
Veez, pres est li paveilluns!»
Li chevalers od eles vait;
De sun cheval ne tient nul plait,
Que devant lui pesseit al pré.
80 Treskë al tref l'unt amené,
Que mut fu beaus e bien asis.
La reïne Semiramis,
Quant ele ot unkes plus aveir
E plus pussaunce e plus saveir,
85 Ne l'emperere Octaviën
N'esligasent le destre pan.
Un aigle d'or ot desus mis;
De cel ne sai dire le pris,
Ne des cordes ne des peissuns
90 Que del tref tienent les giruns;

Elles étaient somptueusement vêtues
et lacées[1] très étroitement
dans leurs tuniques de soie grise.
Leur visage était d'une beauté remarquable.
La plus âgée portait deux bassins[2]
d'or pur, bien ouvragés et fins.
Je vous dirai toute la vérité sans mentir.
L'autre portait une serviette.
Elles se dirigèrent tout droit
à l'endroit où le chevalier était couché.
Lanval, qui était très bien élevé,
se leva en les voyant venir.
Elles le saluèrent en premier
et lui rapportèrent leur message :
« Seigneur Lanval[3], ma dame
qui est si bonne, si sage et si belle
nous envoie vous chercher.
Venez donc avec nous et accompagnez-nous !
Nous vous y conduirons sans danger.
Voyez, le pavillon est tout près ! »
Le chevalier va avec elles,
sans se soucier de son cheval
qui paissait devant lui dans le pré.
Elles l'ont mené jusqu'à la tente
qui était fort belle et bien plantée.
La reine Sémiramis[4],
à l'époque de sa plus grande richesse,
de sa plus grande puissance et sagesse,
et l'empereur Auguste[5]
n'auraient pas pu en acheter le pan droit.
On avait placé à son sommet un aigle d'or[6]
dont je ne sais estimer le prix,
ni d'ailleurs celui des cordes et des piquets
qui tenaient les pans de la tente.

Suz ciel n'ad rei ki[s] esligast
Pur nul aver k'il i donast.
Dedenz cel tref fu la pucele :
Flur de lis [e] rose nuvele,
95 *Quant ele pert al tens d'esté,*
Trepassot ele de beauté.
Ele jut sur un lit mut bel —
Li drap valeient un chastel —
En sa chemise senglement.
100 *Mut ot le cors bien fait e gent ;*
Un cher mantel de blanc hermine,
Covert de purpre alexandrine,
Ot pur le chaut sur li geté ;
Tut ot descovert le costé,
105 *Le vis, le col e la peitrine ;*
Plus ert blanche que flur d'espine.
   Le chevaler avant ala,
E la pucele l'apela.
Il s'est devant le lit asis.
110 *« Lanval, fet ele, beus amis,*
Pur vus vienc jeo fors de ma tere ;
De luinz vus sui venu[e] quere.
Se vus estes pruz e curteis,
Emperere ne quens ne reis
115 *N'ot unkes tant joie ne bien ;*
Kar jo vus aim sur tute rien. »
Il l'esgarda, si la vit bele ;
Amurs le puint de l'estencele,
Que sun quor alume e esprent.
120 *Il li respunt avenantment.*
« Bele, fet il, si vus pleiseit
E cele joie me aveneit
Que vus me vousissez amer,

155d

Aucun roi de la terre ne pourrait les acheter
en dépit de toute la fortune qu'il pourrait en donner.
À l'intérieur de cette tente se trouvait une jeune
    fille ;
elle surpassait en beauté
la fleur de lys et la rose nouvelle
quand elles éclosent en été.
Simplement revêtue de sa chemise,
elle était couchée sur un lit magnifique
dont les draps valaient le prix d'un château.
Elle avait le corps très bien fait et joli ;
pour ne pas prendre froid, elle avait jeté sur ses
    épaules
un précieux manteau d'hermine blanche
recouverte de soie d'Alexandrie ;
Elle avait découvert tout son côté,
ainsi que son visage, son cou et sa poitrine ;
elle était plus blanche que l'aubépine.
    Le chevalier s'avança
et la jeune fille le fit venir près d'elle.
Il s'assit devant son lit.
« Lanval, dit-elle, mon cher ami,
c'est à cause de vous que j'ai quitté mon pays ;
je suis venue vous chercher[1] de bien loin.
Si vous êtes preux et courtois,
aucun empereur, aucun comte, aucun roi
n'a jamais eu tant de joie et de bonheur,
car je vous aime par-dessus tout. »
Il la regarda bien et admira sa beauté ;
Amour le pique d'une étincelle
qui embrase son cœur et l'enflamme.
Il lui répond avec gentillesse :
« Ma belle, si c'était votre désir
de vouloir m'aimer,
si cette joie pouvait m'arriver,

Ne savrïez rien comander
125 Que jeo ne face a mien poeir,
Turt a folie u a saveir.
Jeo f[e]rai voz comandemenz,
Pur vus guerpirai tutes genz.
Jamés ne queor de vus partir:
130 Ceo est la rien que plus desir. »
Quant la meschine oï parler
Celui que tant la peot amer,
S'amur e sun cors li otreie.
Ore est Lanval en dreite veie!
135 Un dun li ad duné aprés:
Ja cele rien ne vudra mes
Quë il nen ait a sun talent;
Doinst e despende largement,
Ele li troverat asez.
140 Mut est Lanval bien herbergez:
Cum plus despendra richement,
[E] plus avrat or e argent.
« Ami, fet ele, or vus chasti,   156a
Si vus comant e si vus pri,
145 Ne vus descovrez a nul humme!
De ceo vus dirai ja la summe:
A tuz jurs m'avrïez perdue,
Se ceste amur esteit seüe;
Jamés ne me purriez veeir
150 Ne de mun cors seisine aveir. »
Il li respunt que bien tendra
Ceo que ele li comaundera.
Delez li s'est al lit cuchiez:
Ore est Lanval bien herbergez.
155 Ensemble od li la relevee
Demurat tresque a la vespree,

vous ne sauriez donner aucun ordre
que je n'exécute dans la mesure de mes moyens,
que cela entraîne folie ou sagesse.
Je ferai ce que vous me commanderez,
pour vous j'abandonnerai le monde entier.
Je souhaite ne jamais vous quitter.
Vous êtes mon plus cher désir. »
Quand la jeune fille entendit parler
celui qui la pouvait tant aimer,
elle lui accorda son amour et son corps.
Maintenant Lanval est sur le bon chemin.
Elle lui fit ensuite un présent :
jamais plus il ne voudra d'une chose
sans qu'aussitôt il l'obtienne à discrétion.
Qu'il donne et dépense généreusement,
elle lui trouvera beaucoup d'argent.
Lanval est très bien loti :
plus il dépensera généreusement
et plus il aura d'or et d'argent.
« Ami, dit-elle, maintenant je vous avertis,
je vous le recommande et je vous en prie :
ne vous confiez à personne[1].
Je vais vous dire la raison de la chose :
vous me perdriez à tout jamais
si cet amour était connu.
Plus jamais vous ne pourriez me voir
ni prendre possession de mon corps. »
Il lui répond qu'il observera bien
tout ce qu'elle lui commandera.
Dans le lit, à côté d'elle, il se coucha.
Comme Lanval est bien loti à présent !
Il resta en sa compagnie
tout l'après-midi jusqu'au soir ;

E plus i fust, së il poïst
E s'amie lui cunsentist.
«Amis, fet ele, levez sus!
160 Vus n'i poëz demurer plus.
Alez vus en, jeo remeindrai;
Mes un[e] chose vus dirai:
Quant vus vodrez od mei parler,
Ja ne savrez cel liu penser,
165 U nuls puïst aver s'amie
Sanz reproece, sanz vileinie,
Que jeo ne vus seie en present
A fere tut vostre talent;
Nul hum fors vus ne me verra
170 Ne ma parole nen orra.»
Quant il l'oï, mut en fu liez,
Il la baisa, puis s'est dresciez.
Celes quë al tref l'amenerent
De riches dras le cunreerent;
175 Quant il fu vestu de nuvel,
Suz ciel nen ot plus bel dancel;
N'esteit mie fous ne vileins.
L'ewe li donent a ses meins
E la tuaille a [es]suer;   156b
180 Puis li [a]portent a manger.
Od s'amie prist le super;
Ne feseit mie a refuser.
Mut fu servi curteisement,
E il a grant joie le prent.
185 Un entremés i ot plener,
Que mut pleiseit al chevalier:
Kar s'amie baisout sovent
E acolot estreitement.
    Quant del manger furent levé,
190 Sun cheval li unt amené;

il y serait resté plus longtemps, s'il avait pu,
et si son amie y avait consenti.
«Ami, dit-elle, levez-vous!
Vous ne pouvez pas rester ici plus longtemps.
Partez, moi je resterai;
toutefois, je vais vous dire une chose:
quand vous désirerez me parler,
vous ne saurez imaginer de lieu
où quelqu'un pourrait rencontrer son ami,
sans reproche et sans vilenie,
sans que je ne me présente aussitôt,
toute prête à vous satisfaire.
Aucun homme en dehors de vous ne me verra
ni n'entendra ma parole.»
À ces mots, il fut très heureux,
il l'embrassa puis se leva.
Les jeunes filles qui l'avaient amené à la tente
le revêtirent de riches habits.
Quand il fut vêtu de neuf,
il n'y eut sous le ciel de plus beau jeune homme.
Il n'était ni fou ni rustre.
Elles lui versent de l'eau sur les mains
et lui passent une serviette pour s'essuyer.
Puis elles lui apportent à manger.
Il dîna avec son amie;
ce n'était pas une chose à refuser.
Il fut servi très courtoisement
et il mangea avec une grande joie.
Il y avait un divertissement de choix
qui plaisait beaucoup au chevalier
car il embrassait souvent son amie
et l'enlaçait très étroitement.
    Quand ils se levèrent de table,
on lui amena son cheval

Bien li ourent la sele mise;
Mut ad trové riche servise.
Il prent cungé, si est muntez;
Vers la cité s'en est alez.
195 *Suvent esgarde ariere sei;*
Mut est Lanval en grant esfrei;
De s'aventure vait pensaunt
E en sun curage dotaunt;
Esbaïz est, ne seit que creir[e],
200 *Il ne la quide mie a veir[e].*
Il est a sun ostel venuz;
Ses humme[s] treve bien vestuz.
Icele nuit bon ostel tient;
Mes nul ne sot dunt ceo li vient.
205 *N'ot en la vile chevalier*
Ki de surjur ait grant mestier,
Quë il ne face a lui venir
E richement e bien servir
Lanval donout les riches duns,
210 *Lanval aquitout les prisuns,*
Lanval vesteit les jugleürs,
Lanval feseit les granz honurs:
N'i ot estrange ne privé   156c
A ki Lanval n'eüst doné.
215 *Mut ot Lanval joie e deduit:*
U seit par jur u seit par nuit,
S'amie peot veer sovent,
Tut est a sun comandement.
  Ceo m'est avis, meïsmes l'an,
220 *Aprés la feste seint Johan,*
D'ici qu'a trente chevalier
S'erent alé esbanïer
En un vergier desuz la tur

et on lui ajusta bien la selle.
Il a trouvé une aide fort à propos.
Il prend congé et monte à cheval.
Il s'en alla vers la ville
et regarda souvent derrière lui :
Lanval était très troublé.
Il allait en pensant à son aventure,
doutant en son cœur de sa réalité.
Ébahi, il ne sait que croire,
il ne la tient pas pour vraie.
Il est arrivé à son logis
et il trouve ses hommes bien vêtus[1].
Cette nuit-là, il tient table ouverte.
Mais nul ne sait d'où lui vient cette soudaine
    richesse.
Il n'y avait pas dans la cité de chevalier
qui eût grand besoin de se refaire
qu'il ne fît venir à lui
et servir richement et bien.
Lanval faisait les riches présents,
Lanval libérait les prisonniers de leurs dettes,
Lanval équipait les jongleurs,
Lanval menait la grande vie.
Il n'y avait pas de personnage connu ou inconnu
à qui Lanval n'eût donné.
Lanval avait beaucoup de joie et de plaisir.
De jour ou de nuit,
il pouvait voir souvent son amie ;
il est tout à son commandement.
    Je crois savoir que, la même année,
après la saint-Jean[2],
jusqu'à trente chevaliers
étaient allés se divertir
dans un jardin aux pieds de la tour

    U la reïne ert a surjur;
225 *Ensemble od eus [esteit] Walwains*
    E sis cusins, li beaus Ywains.
    E dist Walwains, li francs, li pruz,
    Que tant se fist amer de tuz:
    «Par Deu, seignurs, nus feimes mal
230 *De nostre cumpainun Lanval,*
    Que tant est larges e curteis,
    E sis peres est riches reis,
    Que od nus ne l'avum amené.»
    Atant sunt ariere turné;
235 *A sun ostel revunt ariere,*
    Lanval ameinent par preere.
      A une fenestre entaillie
    S'esteit la reïne apuïe;
    Treis dames ot ensemble od li.
240 *La maisnie le rei choisi;*
    Lanval conut e esgarda.
    Une des dames apela;
    Par li manda ses dameiseles,
    Les plus quointes [e] les plus beles:
245 *Od li s'irrunt esbainïer*
    La u cil erent al vergier.
    Trente en menat od li e plus;
    Par les degrez descendent jus.   **156d**
    Les chevalers encuntre vunt,
250 *Que pur eles grant joïë unt.*
    Il les unt prises par les mains;
    Cil parlemenz n'ert pas vilains.
    Lanval s'en vait a une part,
    Mut luin des autres; ceo l'est tart
255 *Que s'amie puïst tenir,*
    Baiser, acoler e sentir;

où la reine habitait.
En leur compagnie se trouvait Gauvain
et son cousin le bel Yvain[1].
Le preux et noble Gauvain
qui se fit tant aimer de tous dit alors:
« Par Dieu, seigneurs, nous avons mal agi
envers notre compagnon Lanval
qui est si généreux et courtois
et dont le père est un roi très puissant
car nous ne l'avons pas emmené avec nous! »
Alors ils rebroussèrent chemin
et retournèrent à son logis;
ils prièrent Lanval de venir les rejoindre.
     La reine[2] s'était appuyée
à l'embrasure d'une fenêtre.
Trois dames lui tenaient compagnie.
Elle aperçut les chevaliers du roi,
reconnut Lanval et le regarda.
Elle appela une de ses dames
et lui demanda de convoquer ses demoiselles,
les plus aimables et les plus belles.
Elles iront se distraire avec leur reine,
dans le jardin où les chevaliers se trouvaient.
Une bonne trentaine de demoiselles l'accompa-
     gnaient.
Elles descendirent les escaliers jusqu'en bas.
Les chevaliers vinrent à leur rencontre
et éprouvèrent un grand plaisir de les voir.
Ils les prirent par la main.
Cette assemblée n'avait rien de méprisable.
Lanval s'en va à l'écart,
très loin des autres chevaliers, il lui tarde
d'étreindre son amie, de lui donner des baisers,
de la tenir dans ses bras et de la sentir proche.

L'autrui joie prise petit,
Si il nen ad le suen delit.
Quant la reïne sul le veit,
260 *Al chevaler en va tut dreit,*
Lunc lui s'asist, si l'apela,
Tut sun curage li mustra:
« Lanval, mut vus ai honuré
E mut cheri e mut amé.
265 *Tute m'amur poëz aveir;*
Kar me dites vostre voleir!
Ma drüerie vus otrei;
Mut devez estre lié de mei.
— Dames, fet il, lessez m'ester!
270 *Jeo n'ai cure de vus amer.*
Lungement ai servi le rei;
Ne li voil pas mentir ma fei.
Ja pur vus ne pur vostre amur
Ne mesf[e]rai a mun seignur. »
275 *La reïne s'en curuça,*
Irie fu, si mesparla.
« Lanval, fet ele, bien le quit,
Vuz n'amez gueres cel delit;
Asez le m'ad hum dit sovent
280 *Que des femmez n'avez talent.*
Vallez avez bien afeitiez,
Ensemble od eus vus deduiez.
Vileins cuarz, mauveis failliz,   157a
Mut est mi sires maubailliz
285 *Que pres de lui vus ad suffert;*
Mun escïent que Deus en pert! »
Quant il l'oï, mut fu dolent;
Del respundre ne fu pas lent.
Teu chose dist par maltalent

Il apprécie peu la joie d'autrui
s'il ne trouve pas son propre plaisir.
Quand la reine voit qu'il est seul,
elle va le trouver ;
Elle s'assoit à côté de lui, elle l'interpelle
et lui dévoile ses sentiments :
« Lanval, je vous ai déjà fait un grand honneur,
je vous ai fort chéri et beaucoup aimé.
Vous pouvez avoir tout mon amour.
Dites-moi votre volonté.
Je vous accorde mon amour ;
vous devez être très content de moi.
— Dame, répondit-il, laissez-moi tranquille !
Je ne me soucie pas de vous aimer.
J'ai servi le roi pendant longtemps.
Je ne veux pas manquer à la foi que je lui ai
    jurée.
Ni pour vous, ni pour votre amour,
je ne ferai du tort à mon seigneur. »
La reine se fâcha de ces propos.
Elle était en colère et s'emporta inconsidérément :
« Lanval, dit-elle, c'est bien ce que je pense,
vous n'aimez guère ce plaisir.
On me l'a dit bien souvent,
vous n'avez que faire des femmes ;
vous avez de jeunes compagnons bien élevés,
vous prenez votre plaisir avec eux.
Misérable lâche, infâme perfide,
mon seigneur est bien malheureux
de vous avoir supporté à ses côtés !
Je crois bien qu'il en perdra la faveur divine ! »
    À ces mots, grande fut la douleur de Lanval.
Il ne fut pas lent à lui répondre
et il dit, sous l'effet de la colère,

290   *Dunt il se repenti sovent.*
       «Dame, dist il, de cel mestier
       Ne me sai jeo nïent aidier;
       Mes jo aim, [e] si sui amis
       Cele ke deit aver le pris
295   *Sur tutes celes que jeo sai.*
       E une chose vus dirai,
       Bien le sachez a descovert:
       Une de celes ke la sert,
       Tute la plus povre meschine,
300   *Vaut meuz de vus, dame reïne,*
       De cors, de vis e de beauté,
       D'enseignement e de bunté.»
       La reïne s'en part atant,
       En sa chambrë en vait plurant.
305   *Mut fu dolente e curuciee*
       De ceo k'il [l']out [si] avilee.
       En sun lit malade cucha;
       Jamés, ceo dit, ne levera,
       Si li reis ne l'en feseit dreit
310   *De ceo dunt ele se pleindreit.*
            Li reis fu del bois repeiriez,
       Mut out le jur esté haitiez.
       As chambres la reïne entra.
       Quant el le vit, si se clamma;
315   *As piez li chiet, merci [li] crie*
       E dit que Lanval l'ad hunie:
       De drüerie la requist;
       Pur ceo que ele l'en escundist,   157b
       Mut [la] laidi e avila;
320   *De tele amie se vanta,*
       Que tant iert cuinte e noble e fiere
       Que meuz valut sa chamberere,

des choses dont il se repentit souvent:
«Madame, dit-il, dans ce commerce
je n'ai aucune aptitude;
mais j'aime et je suis l'ami[1]
de celle qui doit être reconnue
comme la meilleure de toutes celles que je connais.
Et je vais vous dire une chose,
sachez-le sans détour:
une de celles qui la servent,
même sa plus pauvre servante,
vaut mieux que vous, Madame la reine,
de corps, de visage et de beauté,
d'éducation et de valeur.»
Là-dessus, la reine se retira
et partit dans sa chambre en pleurant.
Elle souffrait extrêmement et était fort courroucée
de ce qu'il l'avait ainsi outragée.
Malade, elle s'alita.
Jamais, dit-elle, elle ne se lèverait
si le roi ne lui faisait pas justice
sur le motif de ses plaintes.
  Le roi était revenu du bois.
Pendant la journée, il avait été comblé.
Il entra dans les chambres de la reine.
Quand elle le vit, elle se plaignit:
elle tomba à ses pieds, implora sa pitié
et dit que Lanval l'avait offensée[2]:
il l'avait priée d'amour;
pour l'avoir éconduit,
il lui fit honte et l'outragea.
Il se vanta d'avoir une amie
qui était si aimable, noble et fière
que sa plus humble femme de chambre
valait mieux que la reine elle-même.

La plus povre que tant serveit,
Que la reïne ne feseit.
325 Li reis s'en curuçat forment,
Juré en ad sun serement:
S'il ne s'en peot en curt defendre,
Il le ferat arder u pendre.
Fors de la chambre eissi li reis,
330 De ses baruns apelat treis;
Il les enveie pur Lanval,
Quë asez ad dolur e mal.
A sun ostel fu revenuz;
Il s'est[eit] bien aparceüz
335 Qu'il aveit perdue s'amie:
Descovert ot la drüerie.
En une chambre fu tut suls,
Pensis esteit e anguissus;
S'amie apele mut sovent,
340 Mes ceo ne li valut neent.
Il se pleigneit e suspirot,
D'ures en autres se pasmot;
Puis li crie cent feiz merci
Que ele parolt a sun ami.
345 Sun quor e sa buche maudit;
C'est merveille k'il ne s'ocit.
Il ne seit tant crïer ne braire
Ne debatre ne sei detraire
Que ele en veulle merci aveir,
350 Sul tant que la puisse veeir.
Oi las, cument se cuntendra?
    Cil ke li reis ci enveia,
Il sunt venu, si li unt dit
Que a la curt voise sanz respit: 157c
355 Li reis l'aveit par eus mandé,
La reïne l'out encusé.

Le roi s'en courrouça fort.
Il jura que si Lanval
ne pouvait pas se justifier en cour de justice,
il le ferait brûler ou pendre.
Le roi sortit de la chambre
et appela trois de ses barons[1].
Il les envoya chercher Lanval
qui éprouvait beaucoup de souffrances et de peines.
Il était revenu chez lui ;
il s'était bien rendu compte
qu'il avait perdu son amie ;
leur liaison était découverte.
Il était tout seul dans une chambre,
soucieux et angoissé.
Il appelait sans cesse son amie
mais cela ne lui servait à rien.
Il se plaignait et soupirait,
par moments il se pâmait,
puis il lui demandait cent fois pitié
de sorte qu'elle accepte de parler à son ami.
Il maudit son propre cœur et sa bouche ;
c'est merveille qu'il ne se soit pas donné la mort.
Il ne sait pas assez crier, hurler,
se débattre, se torturer
pour qu'elle veuille avoir pitié de lui,
fût-ce seulement pour qu'il puisse la voir.
Hélas, le malheureux, comment se comportera-
    t-il ?
    Les envoyés du roi arrivèrent,
et lui dirent
de se rendre à la cour sans plus attendre.
Le roi l'avait fait demander par leur intermédiaire,
la reine l'avait accusé.

Lanval i vait od sun grant doel;
Il l'eüssent ocis sun veoil.
Il est devant le rei venu;
360 *Mut fu dolent, taisanz e mu,*
De grant dolur mustre semblant.
Li reis li dit par maltalant:
«Vassal, vus me avez mut mesfait!
Trop començastes vilein plait
365 *De mei hunir e aviler*
E la reïne lendengier.
Vanté vus estes de folie:
Trop par est noble vostre amie,
Quant plus est bele sa meschine
370 *E plus vaillanz que la reïne.»*
    Lanval defent la deshonur
E la hunte de sun seignur
De mot en mot, si cum il dist,
Que la reïne ne requist;
375 *Mes de ceo dunt il ot parlé*
Reconut il la verité,
De l'amur dunt il se vanta;
Dolent en est, perdue l'a.
De ceo lur dit qu'il en ferat
380 *Quanque la curt esgarderat.*
Li reis fu mut vers lui irez;
Tuz ses hummes ad enveiez
Pur dire dreit qu'il en deit faire,
Que [hum] ne li puis[se] a mal retraire.
385 *Cil unt sun commandement fait,*
U eus seit bel, u eus seit lait.
Comunement i sunt alé
E unt jugé e esgardé

Lanval s'y rendit avec sa grande peine ;
ils l'auraient tué s'il n'avait tenu qu'à eux.
Il arriva devant le roi,
il était très anxieux, silencieux et ne disait mot,
son visage reflétait sa grande douleur.
Le roi lui dit avec colère :
«Vassal, vous m'avez causé un grand tort !
Vous avez entamé une dispute d'une bassesse
    sans pareille
en me déshonorant et en m'outrageant
et en injuriant la reine.
Vous vous êtes vanté de choses insensées.
Votre amie est vraiment bien noble
puisque sa servante, selon vous, est plus belle
et douée de plus grandes qualités que la reine.»
    Lanval se défend d'avoir causé le déshonneur
et la honte de son seigneur,
d'avoir requis l'amour de la reine ;
il répond mot pour mot aux accusations.
Mais il reconnaît la vérité
des propos qu'il a tenus
à propos de l'amour dont il se vanta.
Il en souffre beaucoup car il a perdu cet amour.
À ce sujet, il leur dit qu'il fera
tout ce que la cour décidera.
Le roi était très irrité envers lui ;
il envoya tous ses hommes délibérer à part[1]
pour dire véritablement ce qu'il devait faire au
    sujet de cette affaire,
afin qu'on ne pût pas le lui imputer à mal.
Ceux-ci ont exécuté son ordre,
que cela leur plût ou non,
ils y sont allés ensemble ;
ils ont jugé et estimé

Que Lanval deit aveir un jur;
390 *Mes plegges truisse a sun seignur*
Qu'il atendra sun jugement
E revendra en sun present:
Si serat la curt esforcie[e],
Kar n'i ot dunc fors la maisne[e].
395 *Al rei revienent li barun,*
Si li mustr[er]ent la reisun.
Li reis ad plegges demandé.
Lanval fu sul e esgaré,
N'i aveit parent në ami.
400 *Walwain i vait, ki l'a plevi,*
E tuit si cumpainun aprés.
Li reis lur dit: «E jol vus les
Sur quanke vus tenez de mei,
Teres e fieus, chescun par sei.»
405 *Quant plevi fu, dunc n'[i] ot el.*
Alez s'en est a sun ostel.
Li chevaler l'unt convéé;
Mut l'unt blasmé e chastïé
K'il ne face si grant dolur,
410 *E maudïent si fol amur.*
Chescun jur l'aloënt veer,
Pur ceo k'il voleient saveir
U il beüst, u il mangast;
Mut dotouent k'il s'afolast.
415 *Al jur que cil orent numé*
Li barun furent asemblé.
Li reis e la reïne i fu,
E li plegge unt Lanval rendu.
Mut furent tuz pur lui dolent:
420 *Jeo quid k'il en i ot teus cent*

que Lanval devait être ajourné
mais qu'il devait trouver des cautions[1]
qui garantissent à son seigneur
qu'il attendra son jugement
et qu'il reviendra se présenter devant lui.
Ainsi, la cour pourra être renforcée
car il n'y avait alors que la maison du roi.
Les barons revinrent près du roi
et lui exposèrent la marche à suivre.
Le roi demanda des cautions.
Lanval était seul et abandonné,
il n'avait là ni parent ni ami.
Gauvain y alla et lui servit de caution,
ainsi que tous ses compagnons.
Le roi leur dit :
«Je vous accorde de vous obliger seulement
chacun en votre propre nom
sur les terres et les fiefs que vous tenez de moi[2].»
Quand il fut cautionné, il n'y eut rien d'autre.
Il retourna chez lui.
Les chevaliers l'ont accompagné ;
ils l'ont fort blâmé et lui ont recommandé
de ne pas montrer un tel chagrin
et ils ont maudit un si fol amour.
Ils allaient le voir tous les jours
parce qu'ils voulaient savoir
s'il buvait et s'il mangeait ;
ils craignaient fort qu'il ne se fît du mal.
    Au jour fixé, les barons
se réunirent en assemblée.
Le roi et la reine étaient présents
et les garants rendirent Lanval à la justice.
Tout le monde était très peiné à cause de lui.
Il y avait bien cent personnes au moins

Ki feïssent tut lur poeir
Pur lui sanz pleit delivre aveir;
Il iert retté a mut grant tort.   158a
Li reis demande le recort
425   Sulunc le cleim e les respuns;
Ore est trestut sur les baruns.
Il sunt al jugement alé,
Mut sunt pensifs e esgaré
Del franc humme d'autre païs
430   Quë entre eus ert si entrepris.
Encumbrer le veulent plusur
Pur la volenté sun seignur.
Ceo dist li quoens de Cornwaille:
«Ja endreit nus n'i avra faille;
435   Kar ki que en plurt e ki que en chant,
Le dreit estuet aler avant.
Li reis parla vers sun vassal,
Que jeo vus oi numer Lanval;
De felunie le retta
440   E d'un mesfait l'acheisuna,
D'un amur dunt il se vanta,
E ma dame s'en curuça.
Nuls ne l'apele fors le rei:
Par cele fei ke jeo vus dei,
445   Ki bien en veut dire le veir,
Ja n'i deüst respuns aveir,
Si pur ceo nun que a sun seignur
Deit hum par tut fairë honur.
Un serement l'engagera,
450   E li reis le nus pardura.
E s'il peot aver sun guarant
E s'amie venist avant
E ceo fust veir k'il en deïst,

qui auraient donné tout ce qu'ils avaient au monde
pour que Lanval fût libre sans procès.
Il était accusé très injustement.
Le roi demande le rappel des faits
d'après l'accusation et la défense[1];
désormais tout dépend des barons.
Ils en venaient au jugement;
ils étaient très soucieux et inquiets
au sujet de ce noble jeune homme venu d'un pays
    étranger
qui était si malheureux chez eux.
Plusieurs voulaient l'accabler
pour plaire à leur seigneur.
Le comte de Cornouailles disait:
«Quant à nous, nous ne ferons pas défaut,
car qu'on en pleure ou qu'on en chante,
le droit passe avant tout.
Le roi parla contre son vassal
que je vous ai entendus appeler Lanval.
Il l'a accusé de félonie et l'a inculpé
de lui avoir fait du tort
au sujet d'un amour dont il se vanta,
ce dont ma dame se courrouça.
Le roi est seul à accuser Lanval.
Par la foi que je vous dois,
à vrai dire,
le roi n'aurait jamais eu le droit de se plaindre
sinon parce qu'un homme lige
doit partout faire honneur à son seigneur.
Un serment lui servira de gage
et le roi nous le remettra.
S'il peut produire son garant,
si son amie vient se présenter
et si sont vraies les déclarations

Dunt la reïne se marist,
455 *De ceo avra il bien merci,*
Quant pur vilté nel dist de li.
E s'il ne peot garant aveir,
Ceo li devum faire saveir: 158b
Tut sun servise pert del rei,
460 *E sil deit cungeer de sei. »*
Al chevaler unt enveé,
Si li unt dit e nuntïé
Que s'amie face venir
Pur lui tencer e garentir.
465 *Il lur dit quë il ne poeit:*
Ja pur li sucurs nen avreit.
Cil s'en revunt as jugeürs,
Ki n'i atendent nul sucurs.
Li reis les hastot durement
470 *Pur la reïne kis atent.*
   Quant il deveient departir,
Deus puceles virent venir
Sur deus beaus palefreiz amblaz.
Mut par esteient avenanz;
475 *De cendal purpre sunt vestues*
Tut senglement a lur char nues.
Cil les esgardent volenters.
Walwain, od lui treis chevalers,
Vait a Lanval, si li cunta,
480 *Les deus puceles li mustra.*
Mut fu haitié, forment li prie
Qu'il li deïst si c'ert [s]'amie.
Il lur ad dit ne seit ki sunt
Ne dunt vienent ne u eles vunt.
485 *Celes sunt alees avant*
Tut a cheval; par tel semblant
Descendirent devant le deis,

dont la reine prit ombrage,
pour cela il obtiendra son pardon,
puisqu'il n'aura pas parlé par mépris envers la
   reine.
S'il ne peut pas produire de garant,
nous devons lui faire savoir ceci :
il perd tout l'avantage d'être au service du roi[1]
et le roi doit le bannir de sa présence. »
Ils envoyèrent des messages au chevalier
et lui dirent de faire venir son amie
pour le couvrir et lui servir de garant.
Lanval leur répondit qu'il ne pouvait pas.
Jamais il n'aurait de secours de sa part à elle.
Les messagers s'en retournent auprès des juges
eux qui n'en attendent aucun secours.
Le roi les pressait de se dépêcher
à cause de la reine qui attendait (leur décision).
   Au moment où les juges devaient trancher la cause,
ils virent venir deux jeunes filles
montées sur deux beaux palefrois trottant à l'amble.
Elles étaient très agréables à regarder.
Elles portaient un habit en taffetas de soie
à même leur chair nue.
On les regardait avec plaisir.
Accompagné de trois chevaliers, Gauvain
se dirigea vers Lanval et lui parla
en lui montrant les deux jeunes filles.
Il était très heureux et il le pria instamment
de lui dire si c'était son amie.
Lanval leur dit qu'il ne savait ni qui elles étaient
ni d'où elles venaient ni où elles allaient.
Elles s'avancèrent en chevauchant ;
c'est dans cet équipage qu'elles descendirent
devant la table ronde[2]

La u seeit Artur li reis.
Eles furent de grant beuté,
490 *Si unt curteisement parlé:*
«Reis, fai tes chambres delivrer
E de pailes encurtiner,
U ma dame puïst descendre: 158c
Ensemble od vus veut ostel prendre.»
495 *Il lur otria volenters,*
Si appela deus chevalers:
As chambres les menerent sus.
A cele feiz ne distrent plus.
  Li reis demande a ses baruns
500 *Le jugement e les respuns*
E dit que mut l'unt curucié
De ceo que tant l'unt delaié.
«Sire, funt il, nus departimes.
Pur les dames que vus veïmes
505 *Nus n'i avum nul esgart fait.*
Or recumencerum le plait.»
Dunc assemblerent tut pensif;
Asez i ot noise e estrif.
  Quant il ierent en cel esfrei,
510 *Deus puceles de gent cunrei*
Vestues de deus pailes freis,
Chevauchent deus muls espanneis
Virent venir la rue aval.
Grant joie en eurent li vassal;
515 *Entre eus dïent que ore est gariz*
Lanval li pruz e li hardiz.
Yweins i est a lui alez,
Ses cumpainuns i ad menez.
«Sire, fet il, rehaitiez vus!
520 *Pur amur Deu, parlez od nus!*
Ici vienent deus dameiseles

où siégeait le roi Arthur.
Elles étaient d'une grande beauté
et parlaient avec courtoisie :
« Roi, fais préparer tes chambres
et fais-les tendre de rideaux de soie
pour que ma dame puisse y descendre.
Elle veut loger en votre compagnie. »
Le roi le leur accorda volontiers,
il appela deux chevaliers
qui les menèrent à leur chambre.
Pour cette fois, elles n'en dirent pas plus.

Le roi demande à ses barons
le verdict et la sentence
et il dit qu'ils l'ont fort irrité
d'avoir tant retardé l'issue du procès.
« Sire, disent-ils, nous nous sommes séparés.
À cause des dames que nous avons vues,
nous n'avons pris aucune décision.
Maintenant, nous allons reprendre la séance. »
Ils s'assemblèrent donc tout songeurs ;
il y eut beaucoup de bruit et de discussion.

Tandis qu'ils étaient dans cette agitation,
ils virent venir, descendant la rue,
deux jeunes filles en gracieux équipage,
vêtues de deux tuniques de soie ornées
montées sur deux mulets d'Espagne.
Les chevaliers en conçurent une grande joie.
Ils se dirent entre eux que maintenant
le preux et hardi Lanval est sauvé.
Yvain va le trouver
et emmène avec lui ses compagnons.
« Sire, dit-il, reprenez courage !
Pour l'amour de Dieu, parlez-nous !
Voici venir deux demoiselles

Mut acemees e mut beles :
C'est vostre amie vereiment !»
Lanval respunt hastivement
525 *E dit qu'il pas nes avuot*
Ne il nes cunut ne nes amot.
Atant furent celes venues,
Devant le rei sunt descendues.   ¹58d
Mut les loërent li plusur
530 *De cors, de vis e de colur ;*
N'i ad cele meuz ne vausist
Que unkes la reïne ne fist.
L'aisnee fu curteise e sage,
Avenantment dist sun message :
535 *«Reis, kar nus fai chambres baillier*
A oés ma dame herbergier ;
Ele vient ci a tei parler.»
Il les cumandë a mener
Od les autres quë ainceis vindrent.
540 *Unkes des muls nul plai[t] ne tindrent.*
Quant il fu d'eles delivrez,
Puis ad tuz ses baruns mandez
Que le jugement seit renduz :
Trop ad le jur esté tenuz ;
545 *La reïne s'en curuceit,*
Que si lunges les atendeit.
Ja departissent a itant,
Quant par la vile vient errant
Tut a cheval une pucele,
550 *En tut le secle n'ot plus bele.*
Un blanc palefrei chevachot,
Que bel e süef la portot :

fort avenantes et fort belles :
assurément c'est votre amie ! »
Lanval répond hâtivement
et dit qu'il ne les reconnaît pas
qu'il ne les a ni connues ni aimées.
Entre-temps, elles étaient arrivées
et descendirent de cheval devant le roi.
La plupart des présents firent grand éloge
de leur corps, de leur visage et de leur teint.
Jamais la reine ne valut
une de ces jeunes filles.
La plus âgée était courtoise et sage
et elle lui dit son message aimablement :
« Roi, fais-nous donc donner des chambres
pour héberger ma maîtresse.
Elle vient ici pour te parler. »
Il ordonne de les mener
avec les autres qui étaient déjà arrivées précé-
    demment.
Elles ne se soucièrent à aucun moment des mulets.
Quand il se fut occupé d'elles,
il convoqua tous ses barons
pour que le jugement fût rendu.
La sentence a été trop différée durant la journée.
La reine s'en irritait
car elle trouvait que les choses traînaient en lon-
    gueur.
    Sans plus, ils auraient tranché la cause
quand, passant par la ville,
arriva une jeune fille à cheval.
Dans le monde entier il n'y en avait pas de plus
    belle.
Elle chevauchait un blanc palefroi
qui la portait bien et doucement.

Mut ot bien fet e col e teste,
Suz ciel nen ot plus bele beste.
555 *Riche atur ot al palefrei :*
Suz ciel nen ad cunte ne rei
Ki tut [le] peüst eslegier
Sanz tere vendre u engagier.
Ele iert vestue en itel guise :
560 *De chainsil blanc e de chemise,*
Que tuz les costez li pareient,
Que de deus parz laciez esteient.
Le cors ot gent, basse la hanche,   159a
Le col plus blanc que neif sur branche,
565 *Les oilz ot vairs e blanc le vis,*
Bele buche, neis bien asis,
Les surcilz bruns e bel le frunt
E le chef cresp e aukes blunt ;
Fil d'or ne gette tel luur
570 *Cum si chevel cuntre le jur.*
Sis manteus fu de purpre bis ;
Les pans en ot entur li mis.
Un espervier sur sun poin tient,
E un levrer aprés li vient.
575 *Il n'ot al burc petit ne grant*
Ne li veillard ne li enfant
Que ne l'alassent esgarder.
Si cum il la veent errer,
De sa beauté n'iert mie gas.
580 *Ele veneit meins que le pas.*
Li jugeür, que la veeient,
A [grant] merveille le teneient ;
Il n'ot un sul ki l'esgardast
De dreite joie n'eschaufast.
585 *Cil ki le chevaler amoënt*
A lui vienent, si li cuntouent

Sa tête et son encolure étaient superbes
et sous le ciel il n'y avait pas de bête plus racée.
Il y avait de riches harnachements sur le palefroi :
sous le ciel, il n'y a ni comte ni roi
qui puisse l'acheter en entier
sans vendre ou engager sa terre.
Elle était vêtue ainsi :
une tunique blanche et une chemise
étaient lacées des deux côtés
et laissaient apparaître ses flancs.
Son corps était bien fait, sa hanche basse,
son cou était plus blanc que neige sur branche.
Elle avait les yeux vifs et le teint blanc,
une belle bouche, un nez bien planté,
les sourcils foncés et un beau front,
les cheveux bouclés et très blonds[1].
Un fil d'or ne jette pas autant d'éclat
que ses cheveux face à la lumière.
Son manteau était de soie grise ;
elle en avait disposé les pans autour d'elle.
Elle tenait sur son poing un épervier[2]
et un lévrier[3] la suivait.
Il n'y avait dans la ville petit ni grand,
vieillard ni enfant
qui n'allassent la regarder
dès qu'ils la voyaient passer ;
sa beauté n'était pas vaine.
Elle avançait très lentement.
Les juges qui la virent s'en étonnèrent ;
il n'y en avait pas un seul qui, à sa vue,
ne se sentît le cœur tout échauffé de joie.
Les amis du chevalier allèrent le trouver
et lui parlèrent

De la pucele ki veneit,
Si Deu plest, quel delivereit:
«Sire cumpain, ci en vient une,
590   Mes el n'est pas fave ne brune;
Ceo [e]st la plus bele del mund,
De tutes celes kë i sunt.»
Lanval l'oï, sun chief dresça;
Bien la cunut, si suspira.
595   Li sanc li est munté al vis;
De parler fu aukes hastifs.
«Par fei, fet il, ceo est m'amie!
Or m'en est gueres ki m'ocie,   159b
Si ele n'ad merci de mei;
600   Kar gariz sui, quant jeo la vei.»
La damë entra al palais;
Unques si bele n'i vient mais.
Devant le rei est descendue
Si que de tuz iert bien veüe.
605   Sun mantel ad laissié chaeir,
Que meuz la püissent veer.
Li reis, que mut fu enseigniez,
Il s'est encuntre li desciez,
E tuit li autre l'enurerent,
610   De li servir se presenterent.
Quant il l'orent bien esgardee
E sa beauté forment loëe,
Ele parla en teu mesure,
Kar de demurer nen ot cure:
615   «Reis, j'ai amé un tuen vassal:
Veez le ci! ceo est Lanval!
Acheisuné fu en ta curt
Ne vuil mie que a mal li turt
De ceo qu'il dist; ceo sachez tu
620   Que la reïne ad tort eü:

de la jeune fille qui venait
et qui, plût à Dieu, le délivrerait :
«Seigneur ami, voici venir une jeune fille
mais elle n'est ni rousse[1] ni brune ;
c'est la plus belle
de toutes celles qui sont au monde.»
À ces mots, Lanval redressa la tête,
il la reconnut parfaitement et soupira.
Le sang lui monta au visage.
Il fut très rapide à parler :
«Par ma foi, dit-il, c'est mon amie !
Alors peu importe qu'on me tue
si elle n'a pas pitié de moi,
car je suis sauvé puisque je la vois.»
La dame[2] entra dans la grande salle du palais ;
jamais il n'en vint d'aussi belle.
Elle mit pied à terre devant le roi,
de sorte qu'elle fut bien aperçue de tous.
Elle laissa choir son manteau
afin qu'ils pussent mieux la voir.
Le roi qui avait de nobles manières
se leva pour la saluer
et tous les autres lui présentèrent leurs hommages
et offrirent leurs services.
Quand ils l'eurent bien regardée
et qu'ils eurent bien loué sa beauté,
elle parla ainsi car elle n'avait pas le désir de s'at-
    tarder :
«Roi, j'ai aimé un de tes vassaux,
le voici, c'est Lanval !
Il a été inculpé devant ta cour,
je ne veux pas qu'il ait à souffrir
de ce qu'il a dit ; car sache-le
la reine l'a accusé injustement :

Unques nul jur ne la requist.
De la vantance kĕ il fist,
Si par me peot estre aquitez,
Par voz baruns seit delivrez!»
625 Ceo qu'il en jugerunt par dreit
Li reis otrie ke issi seit.
N'i ad un sul que n'ait jugié
Que Lanval ad tut desrainié.
Delivrez est par lur esgart,
630 E la pucele s'en depart.
Ne la peot li reis retenir;
Asez gent ot a li servir.
Fors de la sale aveient mis   159c
Un grant perrun de marbre bis,
635 U li pesant humme muntoënt,
Que de la curt le rei aloënt:
Lanval esteit munté desus.
Quant la pucele ist fors a l'us,
Sur le palefrei detriers li
640 De plain eslais Lanval sailli.
Od li s'en vait en Avalun,
Ceo nus recuntent li Bretun,
En un isle que mut est beaus;
La fu ravi li dameiseaus.
645 Nul hum n'en oï plus parler,
Ne jeo n'en sai avant cunter.

jamais, à aucun moment, il n'a requis son amour.
S'il peut être justifié, grâce à moi,
de la vanterie qu'il fit,
qu'il soit libéré par vos barons. »
Le roi accorde qu'il en soit fait
selon la décision prise d'après le droit.
Il n'y en a pas un seul qui n'ait jugé
qu'elle a mis Lanval tout à fait hors de cause.
Il est acquitté par leur verdict
et la jeune fille s'en va.
Le roi ne peut la retenir ;
il y avait beaucoup de monde pour la servir.
Hors de la salle, on avait installé
un grand montoir[1] de marbre gris
où se hissaient les hommes d'armes lourdement
    équipés
qui quittaient la cour du roi ;
Lanval y était monté.
Quand la jeune fille eut franchi la porte,
Lanval sauta d'un seul élan
sur le palefroi derrière elle.
Avec elle, il s'en va vers Avalon[2],
c'est ce que nous racontent les Bretons,
dans une île qui est très belle.
C'est là que le jeune homme fut emporté[3].
Nul n'en entendit plus parler
et moi je ne sais rien raconter de plus.

LES DEUS AMANZ

Jadis avint en Normendie
Une aventure mut oïe
De deus enfanz que s'entramerent;
Par amur ambedeus finerent.
5   Un lai en firent li Bretun:
De Deus Amanz recuilt le nun.
  Verité est kë en Neustrie,
Que nus apelum Normendie,
Ad un haut munt merveilles grant:
10   Las sus gisent li dui enfant.
Pres de cel munt a une part
Par grant cunseil e par esgart
Une cité fist faire uns reis
Quë esteit sire de Pistreis;
15   Des Pistreins la fist [il] numer
E Pistre la fist apeler.
Tuz jurs ad puis duré li nuns;
Uncore i ad vile e maisuns.
Nus savum bien de la contree,
20   Li vals de Pistrë est nomee.
Li reis ot une fille bele
[E] mut curteise dameisele [1].

159d

LES DEUX AMANTS

    Il arriva jadis en Normandie[1]
une aventure que l'on raconte encore souvent[2]
à propos de deux jeunes gens qui s'aimèrent
et qui moururent tous deux de leur amour.
Les Bretons en firent un lai
qui prit le nom de *Deux Amants*.
    Il est bien vrai qu'en Neustrie[3]
que nous appelons maintenant la Normandie
se trouve un mont très escarpé[4].
Les jeunes gens sont enterrés à son sommet[5].
À quelque distance de ce mont,
un roi qui fut seigneur des Pistrois
fit construire une cité
par une sage décision mûrement réfléchie.
Il tira son nom de celui des Pistrois
et la fit appeler Pîtres[6].
Ce nom lui est resté depuis lors ;
la ville et les maisons y subsistent encore.
Nous connaissons bien le pays,
il s'appelle le Val de Pîtres.
Le roi avait une fille,
c'était une belle demoiselle, d'une parfaite courtoisie[7].

Cunfortez fu par la meschine,
Puis que perdue ot la reïne.
25 *Plusurs a mal li aturnerent,*
Li suen meïsme le blamerent.
Quant il oï que hum en parla,
Mut fu dolent, mut li pesa;
Cumença sei a purpenser
30 *Cument s'en purrat delivrer*
Que nul sa fille ne quesist.
[E] luinz e pres manda e dist:
Ki sa fille vodreit aveir,
Une chose seüst de veir:
35 *Sortit esteit e destiné,*
Desur le munt fors la cité
Entre ses braz la portereit,
Si que ne se reposereit.
Quant la nuvelë est seüe
40 *E par la cuntree espandue,*
Asez plusurs s'i asaierent,
Que nule rien n'i espleiterent.
Teus [i ot] que tant s'esfourçouent
Quë en mi le munt la portoënt;
45 *Ne poeient avant aler,*
Iloec l'esteut laissier ester.
Lung tens remist cele a doner,
Que nul ne la volt demander.
  Al païs ot un damisel,
50 *Fiz a un cunte, gent e bel;*
De bien faire pur aveir pris
Sur tuz autres s'est entremis.
En la curt le rei conversot,
Asez sovent i surjurnot;
55 *[E] la fillë al rei ama,*

Cette jeune fille lui apportait son réconfort
depuis que la reine, son épouse, était morte[1].
Beaucoup le lui reprochèrent
et ses proches même l'en blâmèrent.
Quand il entendit qu'on jasait,
il en fut très affligé et cela lui pesa.
Il se mit alors à réfléchir
au meilleur moyen de se tirer d'affaire
pour que nul ne demandât sa fille en mariage.
Il fit proclamer partout la chose suivante :
celui qui voudrait avoir sa fille
devait bien savoir une chose :
il était fixé par le sort et le destin
qu'il devrait la porter dans ses bras
hors de la ville jusqu'au sommet du mont
sans jamais se reposer[2].
Quand on apprit la nouvelle
et qu'elle fut répandue dans tout le pays,
beaucoup de prétendants firent la tentative
mais ne réussirent pas.
Certains, après bien des efforts,
arrivaient à mi-hauteur
mais ils ne pouvaient continuer au-delà.
Il leur fallait renoncer à cet endroit.
La fille du roi resta donc pendant longtemps fille
    à marier
car nul ne voulut plus demander sa main.
    Dans le pays, il y avait un jeune homme,
noble et gracieux, le fils d'un comte.
Il s'appliqua, plus que les autres,
à bien se conduire pour être estimé.
Il fréquentait la cour du roi
où il séjournait très souvent.
Il tomba amoureux de la fille du roi

E meintefeiz l'areisuna
Que ele s'amur li otriast   160a
E par drüerie l'amast.
Pur ceo ke pruz fu e curteis
60   *E que mut le presot li reis,*
[Li otria sa drüerie,
E cil humblement l'en mercie.]
Ensemble parlerent sovent
E s'entramerent lëaument
65   *E celerent a lur poeir,*
Que hum nes püist aparceveir.
La suffrance mut lur greva;
Mes li vallez se purpensa
Que meuz en volt les maus suffrir
70   *Que trop haster e dunc faillir.*
Mut fu pur li amer destreiz.
Puis avient si que a une feiz
Que a s'amie vient li danzeus,
Que tant est sages, pruz e beus;
75   *Sa pleinte li mustrat e dist:*
Anguissusement li requist
Que s'en alast ensemble od lui,
Ne poeit mes suffrir l'enui;
S'a sun pere la demandot,
80   *Il saveit bien que tant l'amot*
Que pas ne li vodreit doner,
Si il ne la püist porter
Entre ses braz en sum le munt.
La damisele li respunt:
85   «*Amis, fait ele, jeo sai bien,*
Ne m'i porterïez pur rien:
N'estes mie si vertuus.
Si jo m'en vois ensemble od vus,
Mis pere avreit e doel e ire,

et maintes fois lui demanda
de lui accorder son amour
et d'avoir une liaison avec lui.
Parce qu'il était preux et courtois
et que le roi l'appréciait beaucoup,
elle accepta d'être son amie
et il la remercia très humblement.
Ils avaient de fréquentes entrevues
et s'aimaient loyalement ;
ils se cachèrent de leur mieux
pour qu'on ne pût pas les découvrir.
Cette situation les fit beaucoup souffrir
mais le jeune homme s'avisa
qu'il valait mieux souffrir de la sorte
plutôt que de se précipiter trop et d'échouer.
Cet amour lui causait pourtant du tourment.
Puis, un beau jour,
le jeune homme alla trouver son amie,
lui qui était si avisé, si preux et si beau.
Il exhala sa plainte
et la supplia anxieusement
de partir avec lui.
Il ne peut plus supporter cette torture.
S'il la demandait à son père,
il savait bien que celui-ci l'aimait trop
pour vouloir la lui accorder,
à moins qu'il ne puisse la porter dans ses bras
jusqu'au sommet du mont.
La demoiselle lui répond :
« Ami, je sais bien
que vous ne réussirez pas à me porter.
Vous n'avez pas assez de force.
Si je pars avec vous,
mon père en concevra douleur et tourment

90   *Ne vivreit mie sanz martire,*
     Certes, tant l'eim e si l'ai chier,
     Jeo nel vodreie curucier.
     Autre cunseil vus estuet prendre,
     Kar cest ne voil jeo pas entendre.   160b
95   *En Salerne ai une parente,*
     Riche femme, mut ad grant rente;
     Plus de trente anz i ad esté.
     L'art de phisike ad tant usé
     Que mut est saives de mescines:
100 *Tant cunust herbes e racines,*
     Si vus a li volez aler
     E mes lettres od vus porter
     E mustrer li vostre aventure,
     Ele en prendra cunseil e cure;
105 *Teus lettuaires vus durat*
     E teus beivres vus baillerat
     Que tut vus recunforterunt
     E bone vertu vus durrunt.
     Quant en cest païs revendrez,
110 *A mun pere me requerez;*
     Il vus en tendrat pur enfant,
     Si vus dirat le cuvenant
     Que a nul humme ne me durrat,
     Ja cele peine n'il mettrat,
115 *S'al munt ne me peüst porter*
     Entre ses braz sanz resposer.»
     Li vallez oï la novele
     E le cunseil a la pucele;
     Mut en fu liez, si l'en mercie;
120 *Cungé demandë a s'amie,*
       En sa cuntree en est alez.

et sa vie ne sera plus qu'un martyre.
Je l'aime tellement et si tendrement
que je ne voudrais pas le fâcher.
Il vous faut donc vous résoudre à une autre solu-
    tion
car je refuse de prendre en compte celle-ci.
À Salerne[1], j'ai une parente,
une femme qui a des biens et des revenus impor-
    tants.
Cela fait plus de trente ans qu'elle y habite.
Elle a tant pratiqué l'art de la médecine
qu'elle est fort experte en remèdes.
Elle connaît bien les herbes et les racines[2].
Si vous acceptiez d'aller la trouver,
de lui porter ma lettre
et de lui exposer votre affaire,
elle y réfléchira et s'occupera de vous.
Elle vous donnera alors des électuaires[3]
et des breuvages[4] capables
de vous rendre plus fort
et de vous donner toute la vigueur nécessaire.
À votre retour dans ce pays,
vous demanderez ma main à mon père.
Il vous prendra pour un gamin
et vous rappellera le décret selon lequel
il n'est pas question de me donner à un homme,
quel que soit le mal qu'il se donne,
s'il ne peut me porter au sommet du mont
entre ses bras sans s'arrêter. »
Le jeune homme entendit ces propos
et le conseil de la demoiselle.
Il en est tout heureux et l'en remercie.
Il demande son congé à son amie
    et retourne dans son pays.

Hastivement s'est aturnez
De riche[s] dras e de deniers,
De palefreiz e de sumers;
125 *De ses hummes les plus privez*
Ad li danzeus od sei menez.
A Salerne vait surjurner,
A l'aunte s'amie parler.
De sa part li dunat un brief. 160c
130 *Quant el l'ot lit de chief en chief,*
Ensemble od li l'a retenu
Tant que sun estre ad tut seü
Par mescines l'a esforcié,
Un tel beivre li ad baillié,
135 *Ja ne serat tant travaillez*
Ne si ateint ne si chargiez,
Ne li resfreschist tut le cors,
Neïs les vaines ne les os,
E qu'il nen ait tute vertu,
140 *Si tost cum il l'avra beü.*
Puis le remeine en sun païs.
Le beivre ad en un vessel mis.

Li damiseus, joius e liez,
Quant ariere fu repeiriez,
145 *Ne surjurnat pas en la tere.*
Al rei alat sa fille quere,
Qu'il li donast, il la prendreit,
En sum le munt la portereit.
Li reis ne l'en escundist mie;
150 *Mes mut le tint a grant folie,*
Pur ceo qu'il iert de jeofne eage.
Tant produm[e] vaillant e sage
Unt asaié icel afaire
Ki n'en purent a nul chef traire.
155 *Terme li ad numé e pris,*

En toute hâte, il prend
de magnifiques vêtements et de l'argent,
des palefrois et des chevaux de somme.
Il n'emmène avec lui
que ses amis intimes.
Il va faire un séjour à Salerne
pour parler à la tante de son amie.
De sa part il lui remit une lettre.
Après l'avoir lue de bout en bout,
elle retient le jeune homme à ses côtés
jusqu'à connaître tous les détails de son affaire.
Par des médicaments, elle le fortifie.
Elle lui remet une potion telle que,
aussi fatigué, exténué ou épuisé qu'il soit,
toujours ce breuvage rendrait la vigueur à son
    corps,
y compris à ses veines et à ses os,
et lui-même retrouverait toutes ses forces
dès qu'il l'aurait bu.
Il ramène le breuvage dans son pays
après l'avoir versé dans un récipient.
    À son retour,
le jeune homme, heureux et comblé,
ne s'attarda guère sur ses terres
mais il alla trouver le roi pour qu'il lui donnât
sa fille : il la prendrait
pour la porter au sommet du mont.
Le roi ne l'éconduisit pas
mais il le prit pour un fou
car il était encore bien jeune.
Il y avait tant d'hommes valeureux et avisés
qui avaient tenté l'entreprise
sans jamais parvenir au but !
Pourtant le roi lui fixe un jour.

Ses humme[s] mande e ses amis
E tuz ceus k'il poeit aveir:
N'en i laissa nul remaneir.
Pur sa fille [e] pur le vallet,
160 Ki en aventure se met
De li porter en sum le munt,
De tutes parz venuz i sunt.
La dameisele s'aturna:
Mut se destreint, mut jeüna   160d
165 A sun manger pur alegier,
Que a sun ami voleit aidier.
Al jur quant tuz furent venu,
Li damisels primer i fu;
Sun beivre n'i ublia mie.
170 Devers Seigne en la praerie
En la grant gent tut asemblee
Li reis ad sa fille menee.
N'ot drap vestu fors la chemise;
Entre ses braz l'aveit cil prise.
175 La fiolete od tut sun beivre —
Bien seit que el nel vout pas deceivre —
En sa mein [a] porter li baille;
Mes jo creim que poi [ne] li vaille,
Kar n'ot en lui point de mesure.
180 Od li s'en veit grant aleüre,
Le munt munta de si qu'en mi.
Pur la joie qu'il ot de li
De sun beivre ne li membra.
Ele senti qu'il alassa.
185 «Amis, fet ele, kar bevez!
Jeo sai bien que vus [a]lassez:
Si recuvrez vostre vertu!»

Il convoque ses vassaux, ses amis
et tous ceux qu'il peut joindre,
sans laisser personne à l'écart.
Pour voir sa fille et le jeune homme
qui prend le risque de la porter au sommet du
      mont,
ils sont venus de toutes parts.
La demoiselle se prépare ;
elle se prive et jeûne beaucoup
pour devenir plus légère,
parce qu'elle voulait aider son ami.
Au jour fixé, tous se trouvent là
mais le jeune homme est arrivé le premier.
Il n'oublia pas sa potion.
Du côté de la Seine, dans la prairie,
au milieu de la foule rassemblée,
le roi a conduit sa fille.
Elle n'est vêtue que de sa tunique.
Le jeune homme prend la fille du roi dans ses
      bras.
Il a la petite fiole qui contient sa potion.
Sachant parfaitement que son amie ne veut pas
      le trahir,
il la lui met dans la main pour qu'elle la porte.
Mais je crains que cela ne lui serve guère
car il ne connaît pas la mesure.
Il emporte la jeune fille d'un pas rapide
et gravit la moitié de la pente.
Dans sa joie d'être avec elle,
il en oublie la potion.
Elle sent qu'il se fatigue.
« Ami, dit-elle, buvez donc !
Je vois bien que vous vous fatiguez.
Reprenez vos forces ! »

Li damisel ad respundu:
«Bele, jo sent tut fort mun quer:
190 Ne m'arestereie a nul fuer
Si lungement que jeo beüsse,
Pur quei treis pas aler peüsse.
Ceste gent nus escrïereient,
De lur noise m'esturdireient;
195 Tost me purreient desturber.
Jo ne voil pas ci arester.»
Quant les deus parz fu munté sus,
Pur un petit qu'il ne chiet jus.
Sovent li prie la meschine: 161a
200 «Ami, bevez vostre mescine!»
Ja ne la volt oïr ne creire;
A grant anguisse od tut l[i] eire.
Sur le munt vint, tant se greva,
Ileoc cheï, puis ne leva;
205 Li quors del ventre s'en parti.
La pucele vit sun ami,
Quida k'il fust en paumeisuns;
Lez lui se met en genuilluns,
Sun beivre li voleit doner;
210 Mes il ne pout od li parler.
Issi murut cum jeo vus di.
Ele le pleint a mut haut cri;
Puis ad geté e espaundu
Li veissel u le beivre fu.
215 Li muns en fu bien arusez,
Mut en ad esté amendez
Tut le païs e la cuntree:
Meinte bone herbe i unt trovee,
Ki del beivrë orent racine.

Le jeune homme lui répondit :
« Belle, je sens mon cœur plein de vigueur ;
je ne m'arrêterais à aucun prix
pour prendre le temps de boire,
pourvu que je puisse encore faire trois pas.
Tous ces gens crieraient sur nous
et leurs clameurs m'étourdiraient.
Ils ne tarderaient pas à me troubler.
Je ne veux pas m'arrêter ici. »
Parvenu aux deux tiers de la pente,
il manqua de tomber.
La jeune fille l'implore à plusieurs reprises :
« Ami, buvez votre potion ! »
Mais il ne veut pas l'écouter ni suivre son conseil.
Douloureusement, il avance avec la jeune fille
    dans ses bras.
Arrivé au sommet, il s'est tant épuisé
qu'il tomba là et ne se releva plus.
Son cœur dans sa poitrine[1] l'avait trahi.
En voyant son ami, la jeune fille
crut qu'il s'était évanoui.
Elle se met à genoux près de lui
et veut lui donner sa potion
mais il ne peut plus lui parler.
C'est ici qu'il mourut, comme je viens de le dire.
Elle se lamente en poussant de grands cris
puis elle vide et jette partout
le flacon qui contenait la potion.
Le mont en fut bien arrosé.
Le pays et la contrée
en retirèrent un réel profit[2].
On y trouve depuis lors
quantité de bonnes herbes
qui ont poussé grâce à la potion.

220   *Or vus dirai de la meschine.*
Puis que sun ami ot perdu,
Unkes si dolente ne fu;
Lez lui se cuchë e estent,
Entre ses braz l'estreint e prent,
225   *Suvent li baisë oilz e buche;*
Li dols de lui al quor la tuche.
Ilec murut la dameisele,
Que tant ert pruz e sage e bele.
Li reis e cil kis atendeient,
230   *Quant unt veü qu'il ne veneient,*
Vunt aprés eus, sis unt trovez.
Li reis chiet a tere paumez.
Quant pot parler, grant dol demeine,
E si firent la gent foreine.   161b
235   *Treis jurs les unt tenu sur tere.*
Sarcu de marbre firent quere,
Les deus enfanz unt mis dedenz
Par le cunseil de cele genz
[De]sur le munt les enfuïrent,
240   *E puis atant se departirent.*
    Pur l'aventure des enfaunz
Ad nun li munz des Deus Amanz.
Issi avint cum dit vus ai;
Li Bretun en firent un lai.

Maintenant, je vais vous parler de la jeune fille.
Après la mort de son ami,
elle éprouve la plus grande souffrance de sa vie.
Elle se couche et s'étend auprès de lui,
elle le serre et le retient dans ses bras ;
elle lui baise souvent les yeux et la bouche.
La douleur de sa mort lui atteint le cœur[1].
C'est là que mourut la demoiselle
qui était si valeureuse, si sage et si belle.
Le roi et tous ceux qui les attendaient
ne les voyaient pas venir.
Ils partirent à leur recherche et les trouvèrent
   enfin.
Le roi tombe à terre évanoui.
Quand il peut parler à nouveau, il exprime une
   profonde douleur
et même les étrangers manifestent leur peine.
Pendant trois jours, ils les laissèrent sur le sol.
Puis ils envoyèrent chercher un cercueil de marbre
où ils déposèrent les deux jeunes gens.
Suivant le conseil des témoins,
on les enterra au sommet du mont
puis tout le monde se dispersa.

   L'aventure des deux jeunes gens
valut au mont le nom de Deux Amants[2].
Il y advint ce que je vous ai raconté.
Les Bretons en firent un lai.

YONEC

    Puis que des lais ai comencé,
Ja n'iert par mun travail laissé:
Les aventures que j'en sai
Tut par rime les cunterai.
5 En pensé ai e en talent
Que d'Iwenec vus die avant,
Dunt il fu nez, e de sun pere
Cum il vint primes a sa mere;
Cil ki engendra Yuuenec
10 Aveit a nun Muldumarec.
    En Bretain[e] maneit jadis
Un riches hum viel e antis;
De Carwent fu avouez
E del païs sire clamez.
15 La cité siet sur Düelas;
Jadis i ot de nes trepas.
Mut fu trespassez en eage.
Pur ceo k'il ot bon heritage,
Femme prist pur enfanz aveir,
20 Quë aprés lui fuissent si heir.
De haute gent fu la pucele,
Sage, curteise e forment bele,

YONEC

Puisque j'ai entrepris de raconter des lais,
je continuerai ma tâche sans ménager ma peine.
Les aventures que je connais[1],
je les mettrai toutes en rimes.
J'ai l'intention et le désir
de poursuivre mon travail en vous parlant d'Yonec[2],
des circonstances de sa naissance,
de la rencontre de son père et de sa mère.
Celui qui engendra Yonec
s'appelait Muldumarec[3].
En Bretagne habitait jadis
un homme riche, vieux et très âgé.
Il était seigneur de Carwent[4]
et il était reconnu pour tel dans le pays.
La cité est bâtie sur la Daoulas[5].
Jadis, les navires passaient par là.
Il était très avancé en âge.
Parce qu'il avait beaucoup de biens à léguer,
il prit femme pour avoir des enfants
qui seraient à sa mort ses héritiers.
La jeune femme qu'on donna
à cet homme riche était de haute naissance,
avisée, courtoise et très belle.

Quë al riche hume fu donee.
Pur sa beauté l'ad mut amee.
25　De ceo kë ele ert bele e gente,　　　　　161c
En li garder mist mut s'entente:
Dedenz sa tur l'ad enserree
En une grant chambre pavee.
Il ot une sue serur,
30　Veillë e vedve, sanz seignur;
Ensemble od la dame l'ad mise
Pur li tenir meuz en justise.
Autres femmes i ot, ceo crei,
En un'autre chambre par sei;
35　Mes ja la dame n'i parlast,
Si la vielle ne comandast.
　　Issi la tient plus de set anz —
Unques entre eus n'eurent enfanz —
Ne fors de cele tur ne eissi
40　Ne pur parent ne pur ami.
Quant li sires se ala cuchier,
N'i ot chamberlenc ne huisser
Ki en la chambre osast entrer
Ne devant lui cirge alumer.
45　Mut ert la dame en grant tristur;
Od lermes, od suspir e plur
Sa beauté pert en teu mesure
Cume cele que n'en ad cure.
De sei meïsme meuz vousist
50　Que mort hastive la preisist.
　　Ceo fu al meis de avril entrant,
Quant cil oisel meinent lur chant.
Li sires fu matin levez;
De aler en bois s'est aturnez.
55　La viellë ad fet lever sus
E aprés lui fermer les hus.

Il l'avait beaucoup aimée à cause de sa beauté.
Parce qu'elle était belle et gracieuse,
il s'appliquait à la garder pour lui seul.
Il l'enferma dans sa tour,
dans une grande chambre pavée.
Il avait une sœur;
elle était vieille et veuve.
Il la mit avec son épouse
pour la garder plus étroitement encore.
Il y avait d'autres femmes encore, je crois,
dans une autre chambre où elles étaient entre
   elles.
Mais la dame ne leur aurait jamais parlé
si la vieille ne l'eût permis.
    Il la retint ainsi plus de sept ans.
Ils n'eurent jamais d'enfants[1]
et elle ne sortit jamais de cette tour
que ce soit pour voir un parent ou un ami.
Quand le seigneur allait se coucher,
aucun chambellan ni aucun portier
n'osait entrer dans la chambre
ni allumer un cierge devant lui.
La dame était dans une fort grande tristesse.
À force de larmes, de soupirs et de pleurs,
elle perd sa beauté en femme
qui n'en prend aucun soin.
S'il n'eût tenu qu'à elle,
elle eût préféré qu'une mort hâtive la frappât.
    Cela se passa au début du mois d'avril[2],
quand les oiseaux sont tous à chanter.
Le seigneur s'était levé de bon matin;
il s'est préparé pour aller dans les bois.
Il a fait lever la vieille
et lui a fait fermer les portes derrière lui.

Cele ad fet sun comandement.
Li sires s'en vet od sa gent.
La vielle portot sun psauter,
60   U ele voleit verseiller.   *161d*
La dame en plur e en esveil
Choisi la clarté del soleil.
De la vielle est apaceüe
Que de la chambre esteit eissue.
65   Mut se pleineit e suspirot
E en plurant se dementot.
« Lasse, fet ele, mar fui nee !
Mut est dure ma destinee !
En ceste tur sui en prisun,
70   Ja n'en istrai si par mort nun.
Cist viel gelus, de quei se crient,
Quë en si grant prisun me tient ?
Mut par est fous e esbaïz,
Il crient tuz jurs estre trahiz.
75   Jeo ne puis al muster venir
Ne le servise Deu oïr.
Si jo puïsse od gent parler
E en deduit od eus aler,
Jo li mustrasse beu semblant,
80   Tut n'en eüsse jeo talant.
Malëeit seient mi parent
E li autre communalment
Ki a cest gelus me donerent
E a sun cors me marïerent !
85   A forte corde trai e tir !
Il ne purrat jamés murir.
Quant il dut estre baptiziez,
Si fu al flum d'enfern plungiez :
Dur sunt li nerf, dures les veines,

Celle-ci a exécuté son ordre.
Le seigneur s'en va avec ses gens.
La vieille apporta son psautier
dans lequel elle voulait lire et chanter des versets.
La dame était éveillée et pleurait;
elle remarqua la clarté du soleil.
Elle s'était aperçue que la vieille
avait quitté la chambre.
Elle se plaignait beaucoup et soupirait
et, en pleurant, elle se lamentait:
« Hélas! fait-elle, je fus mise au monde pour mon
    malheur.
Ma destinée est très dure.
Je suis emprisonnée dans cette tour;
jamais je n'en sortirai sinon par la mort!
Ce vieux jaloux, que craint-il donc
pour me mettre dans une telle prison?
Il est vraiment très fou et bête.
Il craint toujours d'être trahi.
Je ne peux même pas aller à l'église
pour écouter la messe.
Si je pouvais parler aux gens
et me divertir avec eux,
alors je lui montrerais un agréable visage,
même si je n'en avais nulle envie.
Maudits soient mes parents
et tous les autres aussi
qui me donnèrent à ce jaloux
et qui m'ont mariée à lui!
Je tire sur une corde bien solide[1]!
Il ne pourra jamais mourir.
Quand il fut sur le point d'être baptisé,
on le plongea dans le fleuve d'enfer.
Durs sont ses nerfs ainsi que ses veines

90 *Que de vif sanc sunt tutes pleines.*
    Mut ai sovent oï cunter
    Que l'em suleit jadis trover
    Aventures en cest païs,
    Ki rechatouent les pensis:
95 *Chevalers trovoënt puceles*   162a
    A lur talent gentes e beles,
    E dames truvoënt amanz
    Beaus e curteis, [pruz] e vaillanz,
    Si que blamees n'en esteient,
100 *Ne nul fors eles nes veeient.*
    Si ceo peot estrë e ceo fu,
    Si unc a nul est avenu,
    Deu, ki de tut ad poësté,
    Il en face ma volenté!»
105   *Quant ele ot faite pleinte issi,*
    L'umbre d'un grant oisel choisi
    Par mi une estreite fenestre.
    Ele ne seit quei ceo pout estre.
    En la chambre volant entra;
110 *Gez ot as piez, ostur sembla,*
    De cinc mues fu u de sis.
    Il s'est devant la dame asis.
    Quant il i ot un poi esté
    E el l'ot bien esgardé,
115 *Chevaler bel e gent devint.*
    La dame a merveille le tint;
    Li sans li remut e fremi,
    Grant poür ot, sun chief covri.
    Mut fu curteis li chevalers:
120 *Il l'en areisunat primers.*
    «Dame, fet il, n'eiez poür!
    Gentil oisel ad en ostur;

qui sont toutes pleines d'un sang vif.
J'ai très souvent entendu raconter
que jadis on trouvait souvent
des aventures dans ce pays
qui redonnaient du courage aux gens tristes.
Les chevaliers trouvaient des jeunes filles
selon leur désir, nobles et belles,
et les dames trouvaient des amants,
beaux et courtois, preux et vaillants
de sorte qu'on ne leur en faisait jamais reproche
et personne en dehors d'elles ne les voyait.
Et s'il est vrai que cela a pu exister,
si jamais cela est advenu à quelqu'un,
que Dieu qui a tout en son pouvoir,
en fasse ma volonté!»
   Quand elle se fut lamentée ainsi,
elle aperçut l'ombre d'un grand oiseau,
dans l'embrasure d'une étroite fenêtre.
Elle ne sait pas ce que cela peut être.
L'oiseau entra dans la chambre en volant;
il avait des lanières aux pattes et ressemblait à un
    autour[1].
Il avait mué cinq ou six fois.
Il s'est posé devant la dame.
Après être resté là un moment,
et après que la dame l'eut bien regardé,
il devint un beau et noble chevalier[2].
La dame considéra cela comme un prodige.
Son sang s'agita en elle et frémit.
Elle eut grand-peur et se couvrit le visage.
Le chevalier était très courtois
et il lui adressa la parole en premier.
«Dame, dit-il, n'ayez pas peur!
Un gentil oiseau se cache sous l'autour.

Si li segrei [vus] sunt oscur,
Gardez ke seiez a seür,
125 Si fetes de mei vostre ami!
Pur ceo, fet il, vienc jeo [i]ci.
Jeo vus ai lungement amé
E en mun quor mut desiré;
Unques femme fors vus n'amai
130 Ne jamés autre ne amerai.   162b
Mes ne poeie a vus venir
Ne fors de mun païs eissir,
Si vus ne me eüssiez requis.
Or puis bien estre vostre amis!»
135 La dame se raseüra,
Sun chief descovri, si parla;
Le chevaler ad respundu
E dit qu'ele en ferat son dru,
S'en Deu creïst e issi fust
140 Que lur amur estre peüst.
Kar mut esteit de grant beauté:
Unkes nul jur de sun eé
Si beals chevaler ne esgarda
Ne jamés si bel ne verra.
145 «Dame, dit il, vus dites bien.
Ne vodreie pur nule rien
Que de mei i ait acheisun,
Mescreauncë u suspesçun.
Jeo crei mut bien al Creatur,
150 Que nus geta de la tristur,
U Adam nus mist, nostre pere,
Par le mors de la pumme amere;
Il est e ert e fu tuz jurs
Vie e lumere as pecheürs.
155 Si vus de ceo ne me creez,
Vostre chapelain demandez;

Si tout cela vous paraît bien mystérieux,
soyez certaine que vous n'avez rien à craindre
et faites de moi votre ami !
C'est pour cela, dit-il, que je suis venu ici[1].
Quant à moi, cela fait longtemps que je vous aime
et je vous ai beaucoup désirée dans mon cœur.
Jamais je n'ai aimé d'autre femme que vous
et jamais je n'en aimerai d'autre que vous.
Mais je n'aurais pas pu venir à vous
ni sortir de mon pays,
si vous ne m'en aviez pas fait la demande.
À présent, je peux bien être votre ami ! »
La dame se rassura,
elle découvrit son visage et parla.
Elle répondit au chevalier
et lui dit qu'elle ferait de lui son ami,
s'il croyait en Dieu et s'il se pouvait
que leur amour pût effectivement exister.
Car il était d'une grande beauté.
À aucun jour de sa vie,
elle n'avait vu de si beau chevalier
et jamais elle n'en verra d'aussi beau.
« Dame, dit-il, vous avez bien parlé.
Je ne voudrais pour rien au monde
que vous puissiez éprouver
quelque doute ou quelque soupçon à mon égard.
Je crois avant tout au Créateur
qui nous délivra du malheur
où nous mit Adam notre père
en mordant dans la pomme amère[2].
Il est, sera et fut toujours
vie et lumière pour les pécheurs.
Si vous ne me croyez pas,
faites venir votre chapelain.

Dites ke mal vus ad susprise,
Si volez aver le servise
Que Deus ad el mund establi,
160 Dunt li pecheür sunt gari ;
La semblance de vus prendrai,
Le cors [Damne]deu recevrai,
Ma creance vus dirai tute ;
Ja de ceo ne seez en dute !»
165 El li respunt que bien ad dit.   162c
Delez li s'est cuché al lit ;
Mes il ne vout a li tucher
[Ne] de acoler ne de baiser.
Atant la veille est repeirie ;
170 La dame trovat esveillie,
Dist li que tens est de lever ;
Ses dras li voleit aporter.
La dame dist que ele est malade,
Del chapelain [se] prenge garde,
175 Sil face tost a li venir,
Kar grant poür ad de murir.
La veille dist : « Or vus suffrez !
Mis sires est al bois alez ;
Nul n'enterra ça enz fors mei. »
180 Mut fu la dame en grant esfrei ;
Semblant fist que ele se pasma.
Cele le vit, mut s'esmaia.
L'us de la chambre ad defermé,
Si ad le prestre demandé ;
185 E cil i vint cum plus tost pot,
Corpus domini aportot.
Li chevaler l'ad receü,
Le vin del chalice beü.
Li chapeleins s'en est alez,

Dites-lui que la maladie vous a surprise
et que vous voulez avoir le sacrement
que Dieu a établi dans le monde
pour sauver les pécheurs.
Je prendrai votre apparence,
je recevrai le corps du Seigneur Dieu[1]
et je réciterai tout mon credo[2].
Vous n'avez alors aucune raison de mettre ma
    parole en doute. »
Elle lui répond qu'il a bien parlé.
Il s'est couché à côté d'elle dans le lit
mais il ne voulait pas la toucher
ni l'étreindre ni l'embrasser.
C'est alors que la vieille est revenue.
Elle trouva la dame éveillée
et lui dit qu'il était temps de se lever.
Elle voulait lui apporter ses vêtements.
La dame dit qu'elle était malade,
que sa garde devait se préoccuper du chapelain
et qu'elle devait le faire venir rapidement
car elle avait très peur de mourir.
La vieille lui répondit : « Allons, patientez !
Mon seigneur est parti dans les bois.
Nul autre que moi n'entrera céans. »
La dame était alors dans une très grande détresse ;
elle fit semblant de s'évanouir.
En la voyant, la vieille prit peur.
Elle ouvrit la porte de la chambre
et demanda au prêtre de venir ;
il arriva le plus vite qu'il put.
Il apportait le corps de Notre Seigneur[3].
Le chevalier l'a reçu
et il a bu le vin du calice[4].
Le chapelain est reparti

190　*E la vielle ad les us fermez.*
　　　La dame gist lez sun ami:
　　Unke si bel cuple ne vi.
　　Quant unt asez ris e jüé
　　E de lur priveté parlé,
195　*Li chevaler ad cungé pris;*
　　Raler s'en volt en sun païs.
　　Ele le prie ducement
　　Quë il la reveie sovent.
　　«Dame, fet il, quant vus plerra,
200　*Ja l'ure ne trespassera.*　　　　　　162d
　　Mes tele mesure esgardez
　　Que nus ne seium encumbrez:
　　Ceste veille nus traïra,
　　[E] nuit e jur nus gaitera.
205　*Ele parcevra nostre amur,*
　　S'il cuntera a sun seignur.
　　Si ceo avi[e]nt cum jeo vus di,
　　[E] nus serum issi trahi,
　　Ne m'en puis mie departir,
210　*Que mei nen estuce murir.»*
　　　Li chevalers atant s'en veit,
　　A grant joie s'amie leit.
　　Al demain lieve tute seine;
　　Mut fu haitie la semeine,
215　*Sun cors teneit a grant chierté,*
　　Tute recovre sa beauté.
　　Or li plest plus a surjurner
　　Que en nul autre deduit aler.
　　Sun ami volt suvent veer
220　*E de lui sun delit aveir*
　　Desque sis sires [s'en] depart,
　　E nuit e jur e tost e tart,

et la vieille a fermé les portes.

La dame était couchée à côté de son ami ;
Je n'ai jamais vu d'aussi beau couple.
Après qu'ils eurent bien ri et joué ensemble
et qu'ils eurent bien parlé de leur amour,
le chevalier prit congé.
Il veut s'en retourner dans son pays.
Elle le prie tendrement
de revenir la voir souvent.
«Dame, dit-il, quand il vous plaira !
Il ne se passera pas une heure avant que j'arrive.
Mais faites en sorte
que nous ne soyons pas surpris.
Cette vieille nous trahira[1] ;
nuit et jour elle nous guettera.
Elle s'apercevra de notre amour,
elle le dévoilera à son seigneur.
S'il en est comme je vous dis
et que nous sommes ainsi trahis,
je ne pourrai plus jamais repartir
sans qu'il me faille mourir[2]. »

Alors le chevalier s'en va,
il laisse son amie dans une grande joie.
Le lendemain, elle se lève toute guérie.
Elle fut heureuse pendant toute la semaine.
Elle entourait son corps de soins attentifs.
Elle retrouva toute sa beauté.
À présent, il lui plaît le plus de rester dans sa
    chambre
plutôt que d'aller à quelque autre divertissement.
Elle veut voir souvent son ami
et veut obtenir de lui tout son plaisir.
Dès que son seigneur s'en va,
nuit et jour, tôt le matin ou tard le soir,

Ele l'ad tut a sun pleisir.
Or li duinst Deus lunges joïr!
225 Pur la grant joie u ele fu,
Que ot suvent pur veer sun dru,
Esteit tut sis semblanz changez.
Sis sire esteit mut veiz[ï]ez:
En sun curage se aparceit
230 Que autrement est k'i[l] ne suleit;
Mescreance ad vers sa serur.
Il la met a reisun un jur
E dit que mut [a] grant merveille
Que la dame si se appareille;
235 Demande li que ceo deveit.   163a
La vielle dit que el ne saveit —
Kar nul ne pot parler od li,
Në ele n'ot dru në ami —
Fors tant que sule remaneit
240 Plus volenters que el ne suleit;
De ceo s'esteit aparceüe.
Dunc l'ad li sires respundue:
«Par fei, fet il, ceo qui jeo bien!
Or vus estuet fere une rien:
245 Al matin, quant jeo erc levez
E vus avrez les hus fermez,
Fetes semblant de fors eissir,
Si la lessez sule gisir;
En un segrei liu vus estez,
250 E si veez e esgardez
Quei ceo peot estre e dunt ço vient
Ki en si grant joie [la] tient.»
De cel cunseil sunt departi.
Allas! cum ierent malbailli
255 Cil ki l'un veut si agaitier
Pur eus traïr e enginner!

elle a son amant tout à loisir.
Que Dieu lui en donne longue jouissance!
À cause de la grande joie où elle était
de pouvoir rencontrer souvent son amant,
tout son visage s'était transformé.
Son seigneur était très avisé.
Il s'aperçut en lui-même
qu'elle était autrement qu'à l'accoutumée.
Il éprouve du soupçon envers sa sœur.
Il lui en parle un jour
et lui dit son étonnement
de voir la dame si bien habillée.
Il lui demande ce que cela signifie.
La vieille répondit qu'elle n'en savait rien
car personne ne pouvait parler avec elle,
elle n'avait ni amant ni ami,
toutefois elle demeurait seule
plus volontiers que d'habitude;
de cela, elle s'était aperçue.
Alors le seigneur lui a répondu:
«Ma foi, je vous crois parfaitement.
À présent, il vous faut faire une chose;
le matin, quand je serai levé
et que vous aurez fermé les portes,
faites semblant de sortir
et laissez-la seule dans son lit.
Tenez-vous bien cachée!
Regardez et voyez
ce qu'est et d'où vient
ce qui la rend si heureuse.»
Ils se quittent sur cette décision.
Hélas! Comme ils sont malheureux
ceux que l'on veut ainsi espionner
pour les trahir et les prendre au piège!

Tiers jur aprés, ceo oi cunter,
Fet li sires semblant de errer.
A sa femme ad dit e cunté
260 Que li reis [l]'ad par briefs mandé;
Mes hastivement revendra.
De la chambre ist e l'us ferma.
Dunc s'esteit la vielle levee,
Triers une cortine est alee;
265 Bien purrat oïr e veer
Ceo que ele cuveite a saver.
La dame jut; pas ne dormi,
Kar mut desire sun ami.
Venuz i est, pas ne demure,
270 Ne trespasse terme në hure.   163b
Ensemble funt joie mut grant,
E par parole e par semblant,
De si ke tens fu de lever;
Kar dunc li estuveit aler.
275 Cele le vit, si l'sgarda,
Coment il vient e il ala;
De ceo ot ele grant poür
Que hume le vit e pus ostur.
Quant li sires fu repeirez,
280 Que gueres n'esteit esluignez,
Cele li ad dit e mustré
Del chevalier la verité;
E il en est forment pensifs.
Des engins faire fu hastifs
285 A ocire le chevalier.
Broches de fer fist [granz] forgier
E acerer le chief devant:
Suz ciel n'ad rasur plus trenchant.
Quant il les ot apparailliees
290 E de tutes parz enfurchiees,

Deux jours après, m'a-t-on raconté,
le seigneur fait semblant de partir.
Il dit bien à sa femme
que le roi l'avait convoqué par lettre
mais il reviendra vite.
Il sortit de la chambre et ferma la porte.
Alors la vieille s'était levée
et était allée derrière une tenture.
Elle pourra bien entendre et voir
ce qu'elle brûle de savoir.
La dame était couchée; elle ne dormait pas
car elle désirait beaucoup son ami.
Alors il est venu la voir, il n'a pas tardé à venir,
il n'a pas laissé passer le terme ni l'heure.
Ils menèrent une grande joie l'un et l'autre
et le montrèrent par leur parole et leur visage,
jusqu'à l'heure du réveil
car alors il lui fallait partir.
La vieille le vit et regarda
comment il vint puis repartit.
Elle eut grand-peur
de le voir d'abord homme et ensuite autour.
Quand le seigneur fut de retour,
il ne s'était guère éloigné en fait,
la vieille lui a dit et raconté
la vérité au sujet du chevalier
et il s'en montra fort soucieux.
Il se dépêcha de tendre un piège
pour tuer le chevalier.
Il fait forger de grandes broches de fer
bien acérées à leur extrémité.
il n'y a pas sur terre de lame plus tranchante.
Quand il les eut apprêtées
et garnies de pointes barbelées de toutes parts,

Sur la fenestre les ad mises,
Bien serreies e bien asises,
Par unt le chevaler passot,
Quant a la dame repeirot.
295 Deus! qu'il ne sout la traïsun
Quë aparaillot le felun.
　　Al demain en la matinee
Li sires lieve ainz l'ajurnee
E dit qu'il vot aler chacier.
300 La vielle le vait cunveer,
Puis se recuche pur dormir,
Kar ne poeit le jur choisir.
La dame veille, si atent
Celui que ele eime lëalment,
305 E dit que or purreit bien venir
E estre od li tut a leisir.
Si tost cum el l'ad demandé,
N'i ad puis gueres demuré :
En la fenestre vient volant,
310 Mes les broches furent devant ;
L'une le fiert par mi le cors,
Li sanc vermeil en eissi fors.
Quant il se sot de mort nafré,
Desferré tut enz est entré ;
315 Devant la dame al lit descent,
Que tut li drap furent sanglent.
Ele veit le sanc e la plaie,
Mut anguissusement s'esmaie.
Il li ad dit : « Ma duce amie,
320 Pur vostre amur perc jeo la vie ;
Bien le vus dis qu'en avendreit :
Vostre semblant nus ocireit. »
Quant el l'oï, dunc chiet pasmee ;
Tute fu morte une loëe.

163c

il les disposa sur la fenêtre,
bien serrées et bien plantées,
à l'endroit où le chevalier passait
quand il retournait voir la dame.
Dieu! que n'a-t-il pas su la trahison
que lui préparaient les félons!

Le lendemain, dans la matinée,
le seigneur se leva avant l'aurore
et dit qu'il voulait aller chasser.
La vieille l'accompagne
puis elle se recouche pour dormir
car elle ne pouvait pas encore apercevoir le jour.
La dame veille et attend
celui qu'elle aime loyalement
et dit que maintenant il pourrait bien venir
pour être avec elle tout à loisir.
Dès qu'elle l'eut demandé,
il ne tarda plus guère.
Il vient en volant dans la fenêtre
mais les tiges se dressaient devant lui.
L'une lui transperce le milieu du corps
et un sang vermeil en gicle.
Quand il se sut blessé à mort,
il se dégagea du fer puis entra.
Il descend devant la dame dans le lit
de sorte que les draps étaient tout ensanglantés.
Elle voit le sang et la plaie
et s'émeut douloureusement.
Il lui dit: «Ma douce amie,
c'est à cause de votre amour que je perds la vie.
Je vous avais bien dit ce qui arriverait:
votre visage nous serait fatal.»
À ces mots, elle tomba évanouie.
Elle fut comme morte un certain temps.

325 *Il la cunforte ducement*
     E dit que dols n'i vaut nïent;
     De lui est enceinte d'enfant,
     Un fiz avra pruz e vaillant :
     Icil [la] recunforterat;
330 *Yonec numer le f[e]rat,*
     Il vengerat [e] lui e li,
     Il oscirat sun enemi.
     Il ne peot dunc demurer mes,
     Kar sa plaie seignot adés.
335 *A grant dolur s'en est partiz.*
     Ele le siut a mut grant criz.
     Par une fenestre s'en ist;
     C'est merveille k'el ne s'ocist,
     Kar bien aveit vint piez de haut
340 *Iloec u ele prist le saut.*   163d
     Ele esteit nue en sa chemise.
     A la trace del sanc s'est mise,
     Que del chevaler [de]curot
     Sur le chemin u ele alot.
345 *Icel senti[e]r errat e tient,*
     De s[i] que a une hoge vient.
     En cele hoge ot une entree,
     De cel sanc fu tute arusee;
     Ne pot nïent avant veer.
350 *Dunc quidot ele bien saver*
     Que sis amis entré i seit;
     Dedenz se met en grant espleit.
     El n'i trovat nule clarté.
     Tant ad le dreit chemin erré
355 *Que fors de la hoge [est] issue*
     E en un mut bel pre venue;
     [Del sanc trova l'erbe muilliee,
     Dunc s'est ele mut esmaiee;]

Il la réconforte tendrement
et dit qu'il ne sert à rien de s'affliger.
Elle est enceinte de lui.
Elle aura un fils preux et vaillant.
Il la réconfortera.
Elle lui donnera le nom de Yonec,
il les vengera lui et elle,
il tuera son ennemi.
Il ne peut donc demeurer davantage
car sa plaie saigne toujours.
Il est parti avec une très grande douleur.
Elle l'accompagna de ses grands cris.
Elle sortit[1] par une fenêtre.
C'est un miracle qu'elle ne se soit pas tuée
car la fenêtre d'où elle sauta
avait bien vingt pieds de haut[2].
Elle était nue sous sa chemise.
Elle suivit la trace du sang
que le chevalier perdait
sur le chemin où elle avançait.
Elle cheminait sur le sentier et le suivit
jusqu'à ce qu'elle arrivât à un tertre[3].
Dans ce tertre, il y avait une entrée,
elle était toute arrosée de ce sang.
Elle ne pouvait rien voir devant elle.
Alors elle se douta
que son ami y était entré.
Elle y pénétra en toute hâte.
Elle ne trouva aucune lumière à l'intérieur.
À force de suivre son chemin droit devant elle,
elle sortit du tertre
et arriva dans un très beau pré.
Elle trouva l'herbe toute mouillée de sang
et cela l'émut beaucoup.

La trace en siut par mi le pre.
360 *Asez pres ot une cité;*
     De mur fu close tut entur;
     N'i ot mesun, sale ne tur,
     Que ne parust tute d'argent;
     Munt sunt riche li mandement.
365 *Devers le burc sunt li mareis*
     E les forez e les difeis.
     De l'autre part vers le dunjun
     Curt une ewe tut envirun;
     Ileoc arivoënt les nefs;
370 *Plus i aveit de treis cent tres.*
     La porte aval fu desfermee;
     La dame est en la vile entree
     Tuz jurs aprés le sanc novel
     Par mi le burc deske al chastel.
375 *Unkes nul a li ne parla;*
     Humme ne femme n'i trova.
     Al paleis vient al paviment,   164a
     Del sanc [le] treve tut sanglent.
     En une bele chambre entra;
380 *Un chevaler dormant trova,*
     Nel cunut pas, si vet avant
     En un'autre chambre plus grant;
     Un lit trevë e nïent plus,
     Un chevaler dormant desus.
385 *Ele s'en est utre passee;*
     En la tierce chambre est entree,
     Le lit sun ami ad trové.
     Li pecul sunt de or esmeré;
     Ne sai mie les dras preisier;
390 *Li cirgë e li chandelier,*
     Que nuit e jur sunt alumé,
     Valent tut l'or d'une cité.

Elle suivit la trace de sang sur le pré.
Il y avait tout près une cité.
Elle était tout entourée de murs ;
il n'y avait de maison, de salle ou de tour
qui ne parût toute d'argent.
Les bâtiments sont très riches.
Devant le bourg, il y a les marais,
les forêts et les bois en défens[1].
De l'autre côté, vers le donjon
et tout autour de lui, coule une rivière.
C'est là qu'abordaient les vaisseaux,
il y avait plus de trois cents mâts.
La porte en aval était ouverte.
La dame entra dans la ville,
elle suit toujours le sang dont les traces fraîches
la conduisent du bourg au château.
Personne ne lui parla, à aucun moment ;
elle n'y trouva ni homme ni femme.
Elle arrive dans le palais, dans une salle pavée,
où elle voit plein de sang.
Elle entra dans une belle chambre
et y trouva un chevalier qui dormait.
Elle ne le connaissait pas et poursuivit son chemin.
Dans une autre chambre, plus grande,
elle trouve un lit, rien de plus,
et un chevalier dormant sur ce lit.
Elle passa outre
et entra dans la troisième chambre.
Elle trouva le lit de son ami.
Les montants du lit étaient en or pur[2].
Je ne sais pas évaluer le prix des draps.
Les cierges et les chandeliers
qui sont allumés jour et nuit
valent tout l'or d'une cité.

Si tost cum ele l'ad veü,
Le chevaler ad cuneü.
395 Avant alat tut esfrëe[e],
Par desus lui chei pasmee.
Cil la receit que forment l'aime,
Maleürus sovent se claime.
Quant de pasmer fu trespassee,
400 Il l'ad ducement cunfortee:
«Bele amie, pur Deu merci!
Alez vus en! Fuiez d'ici!
Sempres murai devant le jur;
Ci einz avrat si grant dolur,
405 Si vus [i] esteiez trovee,
Mut en serïez turmentee:
Bien iert entre ma gent seü
Que me unt vostre amur perdu.
Pur vus sui dolent e pensis.»
410 La dame li ad dit: «Amis,
Meuz voil ensemble od vus murir
Que od mun seignur peine suffrir.
S'a lui revois, il me ocira.» 164b
Li chevalier l'aseüra.
415 Un anelet li ad baillé,
Si li ad dit e enseigné:
Ja, tant cum el le gardera,
A sun seignur n'en membera
De nule rien que fete seit,
420 Ne ne l'en tendrat en destreit.
S'espee li cumande e rent,
Puis la cunjurë e defent
Que ja nul hum n'en seit saisiz,
Mes bien la gart a oés sun fiz.
425 Quant il serat creüz e grant

Dès qu'elle le vit,
elle reconnut le chevalier.
Elle s'avança tout effrayée
et s'évanouit sur lui.
Le chevalier qui l'aimait beaucoup la reçoit dans
    ses bras.
Souvent, il dit combien il est malheureux.
Quand elle eut repris conscience,
il la réconforta tendrement.
« Ma chère amie, pour l'amour de Dieu,
allez-vous-en ! Fuyez d'ici !
Je vais bientôt mourir, aujourd'hui même.
Ici, on mènera une telle douleur
que si l'on vous trouvait
vous pourriez être très inquiétée.
Mes gens finiront par savoir
qu'ils m'ont perdu à cause de votre amour.
À cause de vous, je suis triste et inquiet. »
La dame lui dit : « Mon ami,
je préfère mourir avec vous
plutôt que souffrir auprès de mon mari.
Si je retourne auprès de lui, il me tuera. »
Le chevalier la rassura ;
il lui donna un petit anneau,
puis il lui dit et apprit ceci :
aussi longtemps qu'elle le gardera,
son mari n'aura aucun souvenir
de tout ce qui s'est passé
et il ne la persécutera pas.
Il lui donne et lui confie son épée
puis il la conjure et lui prescrit
de ne jamais la remettre à quiconque
mais de bien la garder à l'usage de son fils.
Quand il aura grandi

E chevalier pruz e vaillant,
A une feste u ele irra,
Sun seignur e lui amerra.
En une abbeïe vendrunt;
430 *Par une tumbe k'il verrunt*
Orrunt renoveler sa mort
E cum il fu ocis a tort.
Ileoc li baillerat s'espeie.
L'aventure li seit cuntee
435 *Cum il fu nez, ki le engendra;*
Asez verrunt k'il en fera.
Quant tut li ad dit e mustré,
Un chier bliant li ad doné,
Si li cumandë a vestir;
440 *Puis l'ad fete de lui partir.*
Ele s'en vet, l'anel en porte
E l'espee ki la cunforte.
A l'eissue de la cité
N'ot pas demie liwe erré,
445 *Quant ele oï les seins suner*
E le doel al chastel mener[1];
De la dolur quë ele en ad   164c
Quatre fïees se pasmad.
E quant de paumesuns revient,
450 *Vers la hoge sa veie tient;*
Dedenz entra, si est passee,
Si en reveit en sa cuntree.
Ensemblement od sun seignur
Aprés [i] demurat meint jur,
455 *Que de cel fet ne la retta*
Ne ne mesdist ne ne gaba.
*   Lur fiz fu nez e bien nuriz*
E bien gardez e bien cheriz.

et qu'il sera un chevalier preux et vaillant,
elle l'emmènera, lui et son mari,
à une fête où elle se rendra.
Ils viendront dans une abbaye.
Grâce à une tombe qu'ils verront,
ils entendront raconter sa mort
et les circonstances dans lesquelles il fut tué à
    tort.
Là elle lui confiera son épée.
Qu'on lui raconte ensuite l'histoire,
comment il est né, qui l'a engendré
et ils verront bien comment il réagira.
Après lui avoir tout dit et expliqué,
il lui donne une tunique précieuse
et lui recommande de la revêtir
puis il la fait partir.
Elle s'en va, emporte l'anneau
et l'épée qui la réconforte.
Au sortir de la cité,
elle n'eut pas parcouru une demi-lieue
qu'elle entendit sonner les cloches
et que des lamentations retentirent au château[1].
La douleur qu'elle en éprouve
la fait s'évanouir quatre fois.
Lorsqu'elle retrouva ses esprits,
elle se dirigea vers le tertre,
elle y pénétra, passa outre
et se retrouva dans son pays.
Avec son mari, elle resta
bien des jours ensuite,
sans qu'il l'accusât à ce sujet.
Il ne la brusqua pas ni ne la railla.

    Puis son fils naît, il est bien éduqué,
bien entouré et bien chéri.

Yonec le firent numer;
460 *El regne ne pot hom trover*
Si bel, si pruz e si vaillant
E larges e bien despendant.
Quant il fu venuz en eez,
A chevaler l'unt [a]dubez.
465 *A l'an meïsmes que ceo fu,*
Oëz cum[ent] est avenu!

A la feste seint Aaron,
C'on selebrot a Karlïon
E en plusurs autres citez,
470 *Li sire aveit esté mandez*
Qu'il i alast od ses amis
A la custume del païs;
Sa femme e sun fiz i menast
E richement s'aparaillast.
475 *Issi avint, alez i sunt;*
Mes il ne seivent u il vunt.
Ensemble od eus ot un meschin,
Kis ad mené le dreit chemin,
Tant qu'il viendrent a un chastel;
480 *En tut le siecle n'ot plus bel.*
Une abbeïe i ot dedenz
De mut religïuses genz.   164d
Li vallez les i herbega,
Quë a la feste les mena.
485 *En la chambre que fu l'abbé*
Bien sunt servi e honuré.
A demain vunt la messe oïr;
Puis s'en voleient departir.
Li abes vet od eus parler,
490 *Mut les prie de surjurner;*
Si lur must[er]rat sun dortur,

Ils le nommèrent Yonec.
Dans tout le royaume, on ne pouvait trouver
un homme si beau, si preux et si vaillant,
si plein de largesse et de générosité.
Lorsqu'il en à l'âge,
on l'adoube chevalier[1].
L'année même où cela advint,
écoutez ce qui est arrivé.

   On avait demandé au seigneur
d'aller avec ses amis,
selon la coutume du pays,
à la fête de saint Aaron[2]
qu'on célébrait à Carlion[3]
ainsi que dans plusieurs autres cités.
Il emmena sa femme et son fils
et revêtit ses plus beaux atours.
Il en advint ainsi et ils se rendirent dans la ville
mais ils ne surent pas où se diriger.
En leur compagnie, il y avait un jeune homme
qui les mena tout droit
jusqu'à un château.
Dans le monde entier, il n'y en eut jamais de plus
   beau.
Il y avait à l'intérieur une abbaye
de gens très pieux.
Le jeune homme qui les avait menés à la fête
leur fit trouver un logis.
Dans la chambre qui était celle de l'abbé,
ils furent bien servis et honorés.
Le lendemain, ils allèrent écouter la messe
puis ils voulurent repartir.
L'abbé va leur parler
et les prie de prolonger leur séjour.
Il leur montrera son dortoir,

Sun chapitre, sun refeitur,
E cum il sunt [bien] herbergiez.
Li sires lur ad otrïez.
495   *Le jur quant il orent digné,*
As officines sunt alé.
Al chapitre vindrent avant;
Une tumbe troverent grant
Covert[e] de un paile roé,
500 *De un chier orfreis par mi bendé.*
Al chief, as piez e as costez
Aveit vint cirges alumez.
De or fin erent li chandelier,
D'ametiste li encensier,
505 *Dunt il encensouent le jur*
Cele tumbe pur grant honur.
Il unt demandé e enquis
Icels ki erent del païs
De la tumbe ki ele esteit,
510 *E queil hum fu ki la giseit.*
Cil comencerent a plurer
E en plurant a recunter
Que c'iert le meudre chevalier
E le fort e le plus fier,
515 *Le plus beaus [e] le plus amez*
Que jamés seit el secle nez.
De ceste tere ot esté reis;   165a
Unques ne fu nul si curteis.
A Carwent fu entrepris,
520 *Pur l'amur de une dame ocis.*
«Unques puis n'eümes seignur;
Ainz avum atendu meint jur
Un fiz que en la dame engendra,

son chapitre[1], son réfectoire,
et la manière dont ils sont logés.
Le seigneur y consentit.
    Ce jour-là, après le dîner,
ils vont voir les diverses parties de l'abbaye.
Ils vinrent d'abord au chapitre;
ils y trouvèrent une grande tombe,
couverte d'un tissu de soie à motif de rosaces,
traversé en son milieu par une somptueuse bro-
    derie d'or.
À la tête, aux pieds et sur les côtés
il y avait vingt cierges allumés.
Les chandeliers étaient d'or pur;
avec des encensoirs d'améthyste,
on encensait pendant la journée
cette tombe en signe de respect.
Ils questionnèrent et interrogèrent
les gens de la région
pour savoir qui était enterré dans cette tombe
et quel genre d'homme reposait là.
Les gens se mirent alors à pleurer
et à raconter en pleurant
que c'était le meilleur chevalier,
le plus fort et le plus courageux,
le plus beau et le plus aimé
qui ait jamais vu le jour sur terre.
Il avait été le roi de cette terre
et jamais personne ne manifesta plus de courtoisie.
Il fut pris dans un piège à Carwent
et on le tua à cause de l'amour d'une dame.
«Depuis ce temps-là, nous n'avons plus jamais eu
    de seigneur
mais nous avons attendu longtemps
un fils que la dame conçut avec lui,

Si cum il dist e cumanda.»
525 *Quant la dame oï la novele,*
    A haute voiz sun fiz apele.
    «Beaus fiz, fet ele, avez oï
    Cum Deus nus ad mené ici!
    C'est vostre pere que ici gist,
530 *Que cist villarz a tort ocist.*
    Or vus comant e rent s'espee:
    Jeo l'ai asez lung tens gardee.»
    Oianz tuz, li ad coneü
    Que l'engendrat e sis fiz fu,
535 *Cum il suleit venir a li*
    E cum si sires le trahi;
    La verité li ad cuntee.
    Sur la tumbe cheï pasmee,
    En la paumeisun devia;
540 *Unc puis a humme ne parla.*
    Quant sis fiz veit que el morte fu,
    Sun parastre ad le chief tolu;
    De l'espeie que fu sun pere
    Ad dunc vengié le doel sa mere.
545 *Puis ke si fu dunc avenu*
    E par la cité fu sceü,
    A grant honur la dame unt prise
    E al sarcu posee e mise[1].
    Lur seignur firent de Yonec,
550 *Ainz quë il partissent d'ilec.*
      Cil que ceste aventure oïrent
    Lunc tens aprés un lai en firent,   165b
    De la pité, de la dolur
    Que cil suffrirent pur amur.

et cela, selon ses paroles et ses ordres. »
Apprenant ce qui venait de se dire,
la dame appela son fils à voix haute et dit :
« Mon cher fils, vous avez entendu
comment Dieu nous a conduits jusqu'ici !
C'est votre père qui gît ici
et ce vieillard l'a tué à tort.
Maintenant, je vous donne et vous confie son épée :
je ne l'ai que trop gardée. »
Puis, devant tout le monde, elle lui révéla
que c'était ce roi qui l'avait engendré et qu'il était
    son fils ;
comment il venait souvent chez elle
et comment son mari l'avait trahi ;
elle lui raconta toute la vérité.
Elle tombe évanouie sur la tombe
et meurt pendant son évanouissement.
Jamais depuis elle ne parla à quiconque.
Quand son fils vit qu'elle était morte,
il trancha la tête de son beau-père[1].
Avec l'épée qui fut celle de son père,
il a donc vengé le deuil de sa mère.
Après que cet événement
se fut répandu dans la cité,
les gens vinrent en grande pompe prendre le corps
    de la dame
et ils le déposèrent dans le tombeau[2].
Ils firent de Yonec leur seigneur
avant qu'il ne quitte les lieux.
    Ceux qui ont entendu cette aventure,
longtemps après en firent un lai
inspiré par la pitié des douleurs
que les deux amants avaient souffertes dans leur
    amour.

LAÜSTIC

Une aventure vus dirai,
Dunt li Bretun firent un lai:
Laüstic ad nun, ceo m'est vis,
Si l'apelent en lur païs;
5 Ceo est russignol en franceis
E nihtegale en dreit engleis.
   En Seint Mallo en la cuntree
Ot une vile renumee.
Deus chevalers ilec maneënt
10 E deuz forz maisuns [i] aveient.
Pur la bunté des deus baruns
Fu de la vile bons li nuns.
Li uns aveit femme espusee,
Sage, curteise e acemee;
15 A merveille se teneit chiere
Sulunc l'usage e la manere.
Li autres fu un bachelers
Bien coneü entre ses pers
De prüesce, de grant valur,
20 E volenters feseit honur:
Mut turneöt e despendeit

LE ROSSIGNOL

Je vais vous raconter une aventure
dont les Bretons firent un lai[1].
On le nomme *Laostic*[2], il me semble ;
c'est ainsi qu'ils l'intitulent dans leur pays.
Cela veut dire *rossignol* en français
et *nightingale* en bon anglais.
    Dans la région de Saint-Malo,
il y avait une ville réputée.
Deux chevaliers y habitaient
et y possédaient chacun une maison forte.
La valeur des deux barons
avait fait la réputation de la ville.
L'un avait épousé une femme
intelligente, courtoise et avenante.
Elle se faisait merveilleusement apprécier pour
    sa conduite
qui respectait l'usage et les bonnes manières.
L'autre était un jeune célibataire
bien connu entre ses pairs
pour son courage et sa grande valeur.
Il menait une vie fastueuse,
participait à de nombreux tournois et dépensait
    généreusement.

E bien donot ceo qu'il aveit.
La femme sun veisin ama;
Tant la requist, tant la preia
25 *E tant par ot en lui grant bien*
Que ele l'ama sur tute rien,
Tant pur le bien quë ele oï,
Tant pur ceo qu'il iert pres de li.
Sagement e bien s'entramerent;
30 *Mut se covrirent e garderent*
Qu'il ne feussent aparceüz
E desturbez ne mescreüz
E eus le poient bien fere,
Kar pres esteient lur repere,
35 *Preceines furent lur maisuns*
E lur sales e lur dunguns;
N'i aveit bare ne devise
Fors un haut mur de piere bise.
Des chambres u la dame jut,
40 *Quant à la fenestre s'estut,*
Poeit parler a sun ami
De l'autre part, e il a li,
E lur aveirs entrechangier
E par geter e par lancier.
45 *N'unt gueres rien que lur despleise,*
Mut esteient amdui a eise,
Fors tant k'il ne poënt venir
Del tut ensemble a lur pleisir;
Kar la dame ert estreit gardee,
50 *Quant cil esteit en la cuntree.*
Mes de tant aveient retur,
U fust par nuit u fust par jur,
Que ensemble poeient parler;
Nul nes poeit de ceo garder

165c

Il donnait volontiers ce qu'il possédait.
Il tomba amoureux de la femme de son voisin.
À force de requêtes et de prières
mais aussi à cause de ses grandes qualités,
il finit par obtenir l'amour passionné de la dame,
d'abord pour le bien qu'elle entendit dire de lui
mais aussi parce qu'il habitait tout près d'elle.
Ils s'aimèrent en toute sagesse.
Ils prirent soin de se cacher et d'éviter
d'être découverts,
dérangés ou soupçonnés.
Cela ne leur était pas difficile
car leurs demeures étaient toutes proches.
Leurs maisons étaient voisines[1]
ainsi que les grandes salles de leurs donjons.
Il n'y avait pas d'autre obstacle ni d'autre sépa-
    ration
qu'un grand mur de pierre grise.
De la chambre où elle couchait,
en se mettant à sa fenêtre,
la dame pouvait parler à son ami
de l'autre côté et lui pouvait faire de même.
Ils pouvaient échanger des cadeaux
en se les jetant et en se les lançant.
Ils n'ont aucun motif de déplaisir
et tous deux sont très heureux,
excepté qu'ils ne peuvent
être ensemble à loisir
car la dame était étroitement surveillée
quand son ami se trouvait dans le pays.
Ils avaient néanmoins une consolation,
car de nuit ou de jour
ils avaient la possibilité de se parler.
Personne ne pouvait les empêcher

55   Que a la fenestre n'i venissent
      E iloec [ne] s'entreveïssent.
      Lungement se sunt entramé,
      Tant que ceo vient a un esté,
      Que bruil e pre sunt reverdi
60   E li vergier ierent fluri.
      Cil oiselet par grant duçur
      Mainent lur joie en sum la flur.
      Ki amur ad a sun talent,
      N'est merveille s'il i entent.
65   Del chevaler vus dirai veir:
      Il i entent a sun poeir,
      E la dame de l'autre part
      E de parler e de regart.   165d
      Les nuiz, quant la lune luseit
70   E ses sires cuché esteit,
      Dejuste lui sovent levot
      E de sun mantel se afublot.
      A la fenestre ester veneit
      Pur sun ami qu'el i saveit
75   Que autreteu vie demenot,
      [Que] le plus de la nuit veillot.
      Delit aveient al veer,
      Quant plus ne poeient aver.
      Tant i estut, tant i leva
80   Que ses sires s'en curuça
      E meintefeiz li demanda
      Pur quei levot e u ala.
      « Sire, la dame li respunt,
      Il nen ad joïe en cest mund,
85   Ki n'ot le laüstic chanter.

d'aller à la fenêtre
et d'avoir des entrevues.
Pendant longtemps, ils se sont aimés de la sorte
jusqu'à l'arrivée d'un printemps[1]
où les bosquets et les prés ont reverdi
et où les jardins ont refleuri.
Les petits oiseaux avec une grande douceur
chantaient leur joie au sommet des arbres en
    fleur.
Il n'est pas étonnant alors
que celui qui a la liberté d'aimer s'abandonne à
    l'amour.
À propos du chevalier, je vous dirai la vérité :
il s'y adonne autant qu'il peut,
tout comme la dame de l'autre côté,
en paroles et en regards.
La nuit, quand la lune luisait
et que son mari était couché,
souvent elle le quittait pour se lever
et pour passer un manteau.
Elle allait se mettre à la fenêtre
pour son ami dont elle savait
qu'il en faisait tout autant
et passait la plus grande partie de la nuit à veiller.
Ils avaient du plaisir à se voir,
à défaut d'autre chose.
Tous ces levers et tous ces séjours près de la
    fenêtre
finirent par susciter la colère du mari
qui demanda maintes fois à sa femme
pourquoi elle se levait et où elle allait.
« Seigneur, lui répondit la dame,
il ignore ce qu'est la joie en ce monde
celui qui n'entend pas le rossignol[2] chanter.

Pur ceo me vois ici ester.
Tant ducement l'i oi la nuit
Que mut me semble grant deduit ;
Tant me delit' e tant le voil
90 *Que jeo ne puis dormir de l'oil.»*
Quant li sires ot que ele dist,
De ire e [de] maltalent en rist.
De une chose se purpensa :
Le laüstic enginnera.
95 *Il n'ot vallet en sa meisun*
Ne face engin, reis u laçun,
Puis les mettent par le vergier ;
N'i ot codre ne chastainier
U il ne mettent laz u glu,
100 *Tant que pris l'unt e retenu.*
Quant le laüstic eurent pris,
Al seignur fu rendu tut vis.
Mut en fu liez quant il le tient ;
As chambres [a] la dame vient.
105 *«Dame, fet il, u estes vus ?*
Venez avant! Parlez a nus !
J'ai le laüstic englué,
Pur quei vus avez tant veillé.
Desor poëz gisir en peis :
110 *Il ne vus esveillerat meis.»*
Quant la dame l'ad entendu,
Dolente e cureçuse fu.
A sun seignur l'ad demandé,
E il l'ocist par engresté ;
115 *Le col li rumpt a ses deus meins —*
De ceo fist il que trop vileins —
Sur la dame le cors geta,
Se que sun chainse ensanglanta

166a

C'est pour cela que je vais me placer près de la
    fenêtre.
J'y écoute son chant si doux[1] la nuit
que j'en ressens une grande joie.
J'y prends un tel plaisir et j'en ai un tel désir
que je ne puis fermer l'œil de la nuit. »
Quand le mari entend ses paroles,
il ricane de colère et de fureur.
Il médite un plan :
il prendra le rossignol au piège.
Tous les domestiques de sa maison
se mettent à fabriquer pièges, filets et lacets
qu'ils disposent ensuite dans le jardin.
Il n'y a ni coudrier ni châtaignier
où ils ne mettent des lacets ou de la glu
si bien qu'ils capturent et gardent le rossignol.
Quand ils l'eurent pris,
ils le remirent vivant à leur seigneur.
Celui-ci, tout heureux de le tenir,
se rendit dans la chambre de la dame.
« Dame, dit-il, où êtes-vous ?
Approchez donc ! Venez me parler !
J'ai pris au piège le rossignol
qui vous a tant fait veiller.
Désormais, vous pourrez dormir en paix,
il ne vous réveillera plus. »
Quand la dame l'entendit parler ainsi,
elle fut triste et affligée.
Elle demanda le rossignol à son mari
qui le tua par pure méchanceté.
De ses deux mains, il lui brise le cou —
ce fut un geste totalement ignoble —
il jeta ensuite le corps sur la dame
de sorte qu'il fit une petite tache de sang

  Un poi desur le piz devant.
120 *De la chambre s'en ist atant.*
  La dame prent le cors petit;
  Durement plure e si maudit
  Ceus ki le laüstic traïrent
  E les engins e laçuns firent;
125 *Kar mut li unt toleit grant hait.*
  «Lasse, fet ele, mal m'estait!
  Ne purrai mes la nuit lever
  Ne aler a la fenestre ester,
  U jeo suil mun ami veer.
130 *Une chose sai jeo de veir:*
  Il quid[e]ra ke jeo me feigne;
  De ceo m'estuet que cunseil preigne.
  Le laüstic li trametrai,
  L'aventure li manderai.»
135 *En une piece de samit,*
  A or brusdé e tut escrit,
  Ad l'oiselet envolupé.
  Un sun vatlet ad apelé,   166b
  Sun message li ad chargié,
140 *A sun ami l'ad enveié.*
  Cil est al chevalier venuz;
  De part sa dame dist saluz,
  Tut sun message li cunta,
  Le laüstic li presenta.
145 *Quant tut li ad dit e mustré*
  E il l'aveit bien escuté,
  De l'aventure esteit dolenz;
  Mes ne fu pas vileins ne lenz.
  Un vasselet ad fet forgeér;
150 *Unques n'i ot fer në acer:*
  Tut fu de or fin od bones pieres,
  Mut precïuses e mut cheres;

sur le devant de sa robe, juste à l'endroit du cœur.
Après quoi, il quitta la chambre.
La dame prend le petit oiseau,
pleure à chaudes larmes et maudit
tous ceux qui ont trahi le rossignol
et qui ont fabriqué pièges et lacets
car ils l'ont privée d'une grande joie.
«Hélas, dit-elle, quel malheur pour moi!
Je ne pourrai plus me lever la nuit
ni me tenir à la fenêtre
et continuer à voir mon ami.
Je ne sais qu'une chose de sûre,
c'est qu'il va croire que je le délaisse.
Il faut que je trouve une solution.
Je lui enverrai le rossignol
et lui ferai savoir ce qui est arrivé.»
Dans une pièce de brocart
où toute leur histoire était brodée[1] en fil d'or,
elle enveloppe le petit oiseau.
Elle fait venir un de ses domestiques,
lui confie le message
et l'envoie à son ami.
Le domestique arriva chez le chevalier,
il lui transmit les salutations de sa dame,
lui fit part de son message
et lui remit le rossignol.
Quand il lui eut tout dit et raconté,
le chevalier qui l'avait bien écouté,
éprouva de la peine pour ce qui était arrivé.
Mais il ne tarda pas à réagir fort courtoisement.
Il fit forger un petit coffre,
non pas en fer ni en acier,
mais en or pur serti de pierres précieuses
d'une très grande valeur,

Covercle i ot tres bien asis.
Le laüstic ad dedenz mis;
155 *Puis fist la chasse enseeler,*
Tuz jurs l'ad fet od lui porter.
  Cele aventure fu cuntee,
Ne pot estre lunges celee.
Un lai en firent li Bretun:
160 *Le laüstic l'apelë hum.*

avec un couvercle bien fixé.
Il place le rossignol à l'intérieur
puis il fait sceller la châsse[1]
qu'il emporte toujours avec lui.
    On raconta cette aventure
qui ne put rester longtemps cachée.
Les Bretons en firent un lai
que l'on intitule *Le Rossignol*.

MILUN

Ki divers cunte veut traitier,
Diversement deit comencier
E parler si rainablement
K'il seit pleisibles a la gent.
5 Ici comencerai Milun
E musterai par brief sermun
Pur quei e coment fu trovez
Li lais kë issi est numez.
  Milun fu de Suhtwales nez.
10 Puis le jur k'il fu adubez
Ne trova un sul chevalier
Ki l'abatist de sun destrier.
Mut par esteit bons chevaliers
Francs [e] hardiz, curteis e fiers,
15 Mut fu coneüz en Irlande,
En Norweïë e en Guhtlande;
En Loengrë e en Albanie
Eurent plusurs de lui envie:
Pur sa prüesce iert mut amez
20 E de muz princes honurez.
En sa cuntree ot un barun,
Mes jeo ne sai numer sun nun;
Il aveit une fille bele,

MILON

Quand on veut raconter des récits variés,
on doit les faire commencer différemment[1]
et on doit s'exprimer avec assez d'à propos
pour être agréable au public.
Je vais commencer l'histoire de Milon[2]
et j'expliquerai en quelques vers
pourquoi et comment fut composé
le lai qui porte ce nom.
Milon naquit dans le sud du pays de Galles[3].
Depuis le jour de son adoubement[4],
il ne trouva aucun chevalier
capable de le désarçonner.
C'était un très bon chevalier,
noble, hardi, courtois et redoutable.
Grande était sa renommée en Irlande,
en Norvège ou dans le Jutland[5].
Dans le royaume de Logres[6] et en Albanie[7]
il avait suscité de nombreuses jalousies.
Pour son courage, il était fort apprécié
et honoré par beaucoup de princes.
Dans son pays se trouvait un baron
dont je ne connais le nom.
Ce baron avait une fille,

[E] mut curteise dameisele.
25 Ele ot oï Milun nomer ;
Mut le cumençat a amer.
Par sun message li manda
Que, si li plest, el l'amera.
Milun fu liez de la novele,
30 Si'n merciat la dameisele ;
Volenters otriat l'amur,
N'en partirat jamés nul jur.
Asez li fait curteis respuns ;
Al message dona granz duns
35 E grant amistié [li] premet.
«Amis, fet il, ore entremet
Que a m'amie puisse parler
E de nostre cunseil celer.
Mun anel de or li porterez
40 E de meie part li direz :
Quant li plerra, si vien pur mei,
E jeo irai ensemble od tei. »
Cil prent cungé, atant le lait,
A sa dameisele revait.
45 L'anel li dune, si li dist
Que bien ad fet ceo kë il quist.
Mut fu la dameisele lie[e]
De l'amur issi otrïe[e].   166d
Delez la chambre en un vergier,
50 U ele alout esbanïer,
La justoent lur parlement
Milun e ele bien suvent.
Tant i vint Milun, tant l'ama
Que la dameisele enceinta.
55 Quant aparceit que ele est enceinte,
Milun manda, si fist sa pleinte.

une belle et très courtoise demoiselle.
Elle entendit parler de Milon
et se mit à l'aimer[1].
Elle lui fit dire par un messager
que, s'il le voulait bien, elle lui accorderait son
  amour.
Milon fut très heureux de la nouvelle
et remercia la demoiselle.
Il accepte volontiers son amour
et il ne s'en départira jamais.
Sa réponse est d'une parfaite courtoisie.
Il comble le messager de cadeaux
et lui promet toute son amitié.
«Ami, fait-il, veille à me préparer une entrevue
avec mon amie afin que je puisse lui parler
et garde bien le secret sur notre conversation.
Tu lui apporteras mon anneau d'or
et tu lui diras de ma part que,
quand cela lui plaira, tu viendras me chercher
et je t'accompagnerai.»
Le messager prend congé et le quitte.
Il va trouver la demoiselle,
lui donne l'anneau et lui dit
qu'il s'est bien acquitté de sa mission.
La jeune fille est tout heureuse
d'avoir obtenu l'amour de Milon.
Près de la chambre, dans un jardin
où elle allait d'habitude se promener,
Milon et son amie, à maintes reprises,
se fixent des rendez-vous.
Milon y vint si souvent et l'aima tant
que la jeune fille devint enceinte.
Quand elle s'en aperçoit,
elle fait venir Milon et se lamente.

Dist li cum[ent] est avenu.
S'onur e sun bien ad perdu,
Quant de tel fet s'est entremise;
60 *De li est fait[e] grant justise:*
A gleive serat turmentee,
[U] vendue en autre cuntree;
Ceo fu custume as ancïens,
Issi teneient en cel tens.
65 *Milun respunt quë il fera*
Ceo quë ele cunseillera.
«Quant l'enfant, fait elë, ert nez,
A ma serur le porterez,
Quë en Norhumbre est marïee,
70 *Riche dame, pruz e senee;*
Si li manderez par escrit
E par paroles e par dit
Que c'est l'enfant [a] sa serur,
Si'n ad suffert meinte dolur;
75 *Ore gart k'il seit bien nuriz,*
Queil ke ço seit, u fille u fiz.
Vostre anel al col li pendrai,
E un brief li enveierai:
Escrit i ert le nun sun pere
80 *E l'aventure de sa mere.*
Quant il serat grant e creüz
E en tel eage venuz
Quë il sache reisun entendre, 167a
Le brief e l'anel li deit rendre;
85 *Si li cumant tant a garder*
Que sun pere puisse trover.
A sun cunseil se sunt tenu,
Tant que li termes est venu
Que la dameisele enfanta.
90 *Une vielle, ki la garda,*

Elle lui dit ce qui est arrivé :
elle a perdu son honneur et son bonheur.
Puisqu'elle s'est prêtée à une telle action,
il lui faudra subir un rude châtiment.
Elle sera suppliciée par l'épée
ou vendue à l'étranger.
C'était la coutume des anciens,
en vigueur à cette époque.
Milon répond qu'il fera
ce qu'elle aura décidé.
« Quand l'enfant sera né, dit-elle,
vous le porterez chez ma sœur
qui est mariée et vit dans le Northumberland.
C'est une dame puissante, pleine de mérite et de
    sagesse.
Vous lui ferez savoir par une lettre
et de vive voix
que c'est l'enfant de sa sœur[1]
et qu'il lui a causé bien des souffrances.
Qu'elle prenne bien soin de son éducation,
que ce soit une fille ou un garçon.
Je suspendrai votre anneau au cou de l'enfant[2]
et j'enverrai à ma sœur une lettre
où seront écrits le nom de son père
et l'histoire de sa mère.
Quand il aura grandi
et qu'il aura atteint
l'âge de raison,
ma sœur devra lui remettre la lettre et l'anneau
en lui recommandant de les conserver
jusqu'à ce qu'il ait retrouvé son père.
    Ils s'en sont tenus à ce plan
jusqu'au moment où la jeune femme accoucha.
Une vieille femme, chargée de la garder

A ki tut sun estre geï,
Tant la cela, tant la covri,
Unques n'en fu aparcevance
En parole në en semblance.
95 La meschine ot un fiz mut bel.
Al col li pendirent l'anel
E une aumoniere de seie,
E pus le brief, que nul nel veie.
Puis le cuchent en un bercel,
100 Envolupé d'un blanc lincel;
Desuz la testë a l'enfant
Mistrent un oreiller vaillant
E desus lui un covertur
Urlé de martre tut entur.
105 La vielle l'ad Milun baillié;
Cil [l]'at [a]tendu al vergier.
Il le cumaunda a teu gent
Ki l'i porterent lëaument.
Par les viles u il errouent
110 Set feiz le jur [se] resposoënt;
L'enfant feseient aleitier,
Cucher de nuvel e baignier:
Nurice menoënt od eus,
Itant furent [ic]il lëaus.
115 Tant unt le dreit chemin erré
Que a la dame l'unt comandé.
El le receut, si l'en fu bel.
Le brief receut e le seel.
Quant ele sot ki il esteit,
120 A merveille le cheriseit.
Cil ki l'enfant eurent porté
En lur païs sunt returné.
   Milun eissi fors de sa tere

167b

et à qui elle avait révélé toute son histoire,
la cacha et la protégea si bien
que personne ne s'aperçut de rien,
ni dans ses propos ni dans son allure.
La jeune femme accoucha d'un très beau garçon.
Au cou, on lui suspend l'anneau,
une aumônière de soie
et la lettre en faisant de sorte que personne ne s'en
    aperçoive.
Puis on couche dans un berceau
l'enfant enveloppé d'un drap de lin blanc.
Sous la tête de l'enfant,
on place un oreiller de grande valeur
et sur lui une couverture
tout ourlée de martre.
La vieille remet l'enfant à Milon
qui l'attendait dans le jardin.
Il le confie ensuite à des gens
qui l'emportent en suivant fidèlement ses ordres.
Dans les villes qu'ils traversaient,
ils s'arrêtaient sept fois par jour
et faisaient allaiter l'enfant.
Ils changeaient ses couches et le baignaient.
Ils emmenaient une nourrice avec eux.
Tous se montraient parfaitement dévoués.
À force de suivre le droit chemin,
ils purent confier l'enfant à la dame.
Elle l'accueillit avec un grand plaisir
et reçut la lettre scellée.
Quand elle eut appris qui était l'enfant,
elle se mit à le chérir tendrement.
Tandis que ceux qui lui avaient apporté l'enfant
retournèrent chez eux.
    Milon quitta son pays

En sude[e]s pur sun pris quere.
125 *S'amie remist a meisun;*
Sis peres li duna barun,
Un mut riche humme del païs,
Mut esforcible e de grant pris.
Quant ele sot cele aventure,
130 *Mut est dolente a demesure*
E suvent regrette Milun.
[Kar] mut dute la mesprisun
De ceo que ele ot [eü] enfant;
Il le savra demeintenant.
135 *«Lasse, fet ele, quei ferai?*
Avrai seignur? Cum le prendrai?
Ja ne sui jeo mie pucele;
A tuz jurs mes serai ancele.
Jeo ne soi pas que fust issi,
140 *Ainz quidoue aveir mun ami;*
Entre nus celisum l'afaire,
Ja ne l'oïsse aillurs retraire.
Meuz me vendreit murir que vivre;
Mes jeo ne sui mie delivre,
145 *Ainz ai asez sur mei gardeins*
Veuz e jeofnes, mes chamberleins,
Que tuz jurz heent bone amur
E se delitent en tristur.
Or m'estuvrat issi suffrir,
150 *Lasse, quant jeo ne puis murir.»*
Al terme ke ele fu donee,
Sis sires l'en ad amenee.
    Milun revient en sun païs. 167c
Mut fu dolent e mut pensis,
155 *Grant doel fist, grant doel demena;*
Mes de ceo se recunforta
Que pres esteit de sa cuntree

pour louer ses services et conquérir la gloire.
Son amie resta chez elle.
Son père lui donna un mari[1],
un très haut personnage du pays,
très puissant et de grand mérite.
Quand elle apprit ce qui l'attendait,
son désespoir fut immense
et elle se prit souvent à regretter Milon
car elle craignait beaucoup d'être châtiée
pour avoir eu un enfant.
Son mari le saura tout de suite.
« Hélas ! dit-elle. Que faire ?
Prendre un mari ? Mais comment ?
Je ne suis plus vierge.
J'en suis réduite à devenir servante toute ma vie.
Je ne pensais pas que les choses tourneraient ainsi.
Je pensais pouvoir épouser mon ami
et nous aurions gardé l'affaire entre nous[2]
sans que je n'en entende plus jamais parler.
Mieux vaudrait pour moi mourir que vivre,
cependant je ne suis pas libre
mais je suis entourée de gardiens,
vieux et jeunes, mes domestiques,
qui haïssent[3] toujours les loyaux amants
et se réjouissent de leur malheur.
Il me faudra donc subir mon sort.
Malheureuse que je suis, puisque je ne peux pas
    mourir. »
Au jour fixé pour le mariage,
son époux l'a emmenée.
    Milon revient dans son pays
en proie à la tristesse et à l'abattement.
Il ressent et manifeste une grande douleur
mais il est réconforté par la proximité du pays

Cele k'il tant aveit amee.
Milun se prist a purpenser
160 *Coment il li purrat mander,*
Si qu'il ne seit aparceüz,
Qu'il est al païs [re]venuz.
Ses lettres fist, sis seela.
Un cisne aveit k'il mut ama,
165 *Le brief li ad al col lïé*
E dedenz la plume muscié.
Un suen esquïer apela,
Sun message li encharga.
« Va tost, fet il, change tes dras !
170 *Al chastel m'amie en irras,*
Mun cisne porteras od tei ;
Garde quë en prengez cunrei,
U par servant u par meschine,
Que presenté li seit le cisne. »
175 *Cil ad fet sun comandement.*
Atant s'en vet, le cigne prent ;
Tut le dreit chemin quë il sot
Al chastel vient, si cum il pot ;
Par mi la vile est trespassez,
180 *A la mestre porte est alez ;*
Le portier apelat a sei.
« Amis, fet il, entent a mei !
Jeo sui un hum de tel mester,
De oiseus prendre me sai aider ?
185 *En un pre desuz Karlïun*
Pris un cisnë od mun laçun ;
Pur force e pur meintenement
La dame en voil fere present,   167d
Que jeo ne seie desturbez,
190 *E[n] cest païs achaisunez. »*
Li bachelers li respundi ·

où vit celle qu'il a tant aimée.
Milon se met à réfléchir
à la manière de lui faire savoir,
sans que nul ne s'en aperçoive,
qu'il est revenu de son pays.
Il écrit une lettre qu'il scelle.
Il avait un cygne qu'il aimait beaucoup ;
il lui attache la lettre autour du cou
en la cachant bien dans ses plumes[1].
Puis il appelle un écuyer
et le charge de son message.
« Dépêche-toi, lui fait-il, change-toi,
va au château de mon amie
et prends mon cygne avec toi.
Veille à ce qu'un domestique ou une suivante
offre le cygne en cadeau à la dame. »
L'écuyer lui obéit
Il prend le cygne et s'en va.
Il se rendit au château comme il le pouvait
par le chemin le plus direct qu'il connaissait.
Il traversa la ville
et se rendit à la porte principale
puis interpella le portier :
« Ami, dit-il, écoute-moi !
J'ai un métier :
je sais bien capturer les oiseaux.
Dans une prairie au pied de Carlion[2],
j'ai capturé un cygne au lacet.
Je veux l'offrir à la dame
pour avoir son appui et sa protection
et pour éviter d'être inquiété
ou accusé dans le pays. »
Le jeune homme lui répondit :

«*Amis, nul ne parole od li;*
Mes nepurec j'irai saveir:
Si jeo poeie liu veeir
195 *Que jeo te puïsse mener,*
Jeo te fereie a li parler.»
A la sale vient li portiers,
N'i trova fors deus chevalers;
Sur une grant table seiënt,
200 *Od uns eschiés se deduïënt.*
Hastivement returne arere.
Celui ameine en teu manere
Que de nului ne fu sceüz,
Desturbez në aparceüz.
205 *A la chambre vient, si apele;*
L'us lur ovri une pucele.
Cil sunt devant la dame alé,
Si unt le cigne presenté.
Ele apelat un suen vallet;
210 *Puis si li dit:* «*Or t'entremet*
Que mis cignes seit bien gardez
E kë il eit viande asez!
— Dame, fet il ki l'aporta,
Ja nul fors vus nel recevra;
215 *E ja est ceo present rëaus:*
Veez cum il est bons et beaus!»
Entre ses mains li baille e rent.
El le receit mut bonement;
Le col li manie e le chief,
220 *Desuz la plume sent le brief.*
Le sanc li remut e fremi:
Bien sot qu'il vient de sun ami.
Celui ad fet del suen doner,
Si l'en cumandë a aler.

«Ami, personne ne peut lui parler
mais je vais néanmoins m'informer.
Si je peux trouver une occasion
pour te mener à elle,
je pourrai te donner la possibilité de lui parler.»
Le portier se rend dans la salle principale;
il n'y trouve que deux chevaliers,
assis autour d'une grande table,
et qui se distrayaient en jouant aux échecs.
Le portier revient alors sur ses pas.
Il introduit le messager
de telle manière que,
personne ne l'ayant vu,
il n'est ni inquiété ni remarqué.
Il arrive près de la chambre et appelle.
Une demoiselle vient leur ouvrir la porte.
Tous deux s'avancent vers la dame
et lui présentent le cygne.
Elle appelle alors un de ses domestiques
et lui dit: «Veille donc
à ce que mon cygne soit bien traité
et qu'il ait bien à manger.
— Dame, fait celui qui apporta l'oiseau,
personne d'autre que vous ne doit le recevoir
et c'est un véritable cadeau royal:
voyez comme il est noble et beau!»
Il le lui donne en mains propres.
Elle le prend avec beaucoup de bonne grâce;
elle lui caresse le cou et la tête
et sent bien la lettre sous les plumes.
Son sang ne fait qu'un tour;
elle a compris que le cygne vient de son ami.
Elle fait offrir une récompense à l'écuyer
et lui donne son congé.

225　　　*Quant la chambre fu delivree,*
　　　Une meschine ad apelee.
　　　Le brief aveient deslïë;
　　　Ele en ad le seel brusé.
　　　Al primer chief trovat « Milun ».
230　　*De sun ami cunut le nun;*
　　　Cent feiz le baisë en plurant,
　　　Ainz que ele puïst lire avant.
　　　Al chief de piece veit l'escrit,
　　　Ceo k'il ot cumandé e dit,
235　　*Les granz peines e la dolur*
　　　Que Milun seofre nuit e jur.
　　　Ore est del tut en sun pleisir
　　　De lui ocire u de garir.
　　　S'ele seüst engin trover
240　　*Cum il peüst a li parler,*
　　　Par ses lettres li remandast
　　　E le cisne li renveast.
　　　Primes le face bien garder,
　　　Puis si l[e] laist tant jeüner
245　　*Treis jurs, që il ne seit peüz;*
　　　Le brief li seit al col penduz;
　　　Laist l'en aler: il volera
　　　La u il primes conversa.
　　　Quant ele ot tut l'escrit veü
250　　*E ceo que ele i ot entendu,*
　　　Le cigne fet bien surjurner
　　　E forment pestre e abevrer;
　　　Dedenz sa chambre un meis le tint.
　　　Mes ore oëz cum l'en avint!
255　　*Tant quist par art e par engin*
　　　Kë ele ot enke e parchemin;
　　　Un brief escrit tel cum li plot,

Quand elle se retrouva seule dans la chambre,
elle appela une servante.
Elles détachèrent la lettre
et en brisèrent le sceau.
En premier lieu, elle voit « Milon »
et reconnaît le nom de son ami.
Elle embrasse cent fois la lettre en pleurant
avant de pouvoir la lire plus avant.
Au bout d'un moment, elle lit la lettre
et apprend son contenu
ainsi que les souffrances et la peine
que Milon supporte nuit et jour.
Il s'en remet totalement à elle
pour décider de sa vie ou de sa mort.
Si elle pouvait trouver une ruse
pour lui parler,
qu'elle la lui fasse connaître par écrit
en lui renvoyant le cygne.
Tout d'abord qu'elle le fasse bien garder
puis qu'elle le laisse jeûner
pendant trois jours sans la moindre nourriture,
que la lettre soit ensuite suspendue à son cou
et qu'on le laisse partir ; il volera
et retournera à son premier gîte.
Quand la dame a terminé la lecture de la lettre
et qu'elle a bien compris son contenu,
elle laisse le cygne se reposer
et lui donne bien à manger et à boire.
Elle le garde dans sa chambre pendant un mois.
Mais écoutez la suite de l'histoire.
À force d'habileté et de ruse,
elle finit par obtenir de l'encre et du parchemin.
Elle écrivit une lettre en y mettant tout ce qu'elle
    avait à dire

Od un anel l'enseelot.   168b
Le cigne ot laissié jeüner;
260 *Al col li pent, sil laist aler.*
Li oiseus esteit fameillus
E de viande coveitus:
Hastivement est revenuz
La dunt il primes fu venuz;
265 *A la vile e en la meisun*
Descent devant les piez Milun.
Quant il le vit, mut en fu liez;
Par les eles le prent haitiez.
Il apela un despensier,
270 *Si li fet doner a mangier.*
Del col li ad le brief osté;
De chief en chief l'ad esgardé,
Les enseignes qu'il i trova,
E des saluz se reheita:
275 «*Ne pot sanz lui nul bien aveir;*
Or li remant tut sun voleir
Par le cigne sifaitement!»
Si ferat il hastivement.
    Vint anz menerent cele vie
280 *Milun entre lui e s'amie.*
Del cigne firent messager,
N'i aveient autre enparler,
E sil feseient jeüner
Ainz qu'il le lessassent aler;
285 *Cil a ki li oiseus veneit,*
Ceo sachez, që il le peisseit.
Ensemble viendrent plusurs feiz.
Nul ne pot estre si destreiz
Ne si tenuz estreitement
290 *Që il ne truisse liu sovent.*
    La dame que sun fiz nurri —

puis elle la scella avec un anneau.
Elle laissa jeûner le cygne,
lui suspendit la lettre au cou et le laissa partir.
L'oiseau était affamé,
avide de nourriture.
Il revint en hâte
à son point de départ.
Il arriva dans la ville puis à la maison
où il se posa aux pieds de Milon.
Quand Milon le vit, il en fut très heureux.
Il le prend joyeusement par les ailes
puis appelle son intendant.
Il fait donner à manger au cygne ;
il lui enlève la lettre du cou,
parcourt la missive d'un bout à l'autre,
se réjouissant des indications
et des salutations qui s'y trouvent.
Elle ne peut connaître le bonheur sans lui.
Maintenant, qu'il lui fasse connaître ses intentions
en utilisant le cygne de la même façon.
C'est bien ce qu'il va faire sans tarder.
    Pendant vingt ans, Milon et son amie
vécurent ainsi.
Ils firent du cygne leur messager
et n'eurent pas d'autre médiateur.
Ils faisaient jeûner l'oiseau
avant de le laisser s'envoler.
Celui chez qui l'oiseau arrivait,
sachez bien qu'il lui donnait à manger.
Ils se sont rencontrés plusieurs fois
car même le prisonnier
le mieux gardé
peut trouver des occasions propices.
    La dame qui élevait leur fils

Tant ot esté ensemble od li
Qu'il esteit venuz en eé —
A chevalier l'ad adubé.
295 Mut i aveit gent dameisel.
Le brief li rendi e l'anel;
Puis li ad dit ki est sa mere
E l'aventure de sun pere,
E cum il est bon chevaliers,
300 Tant pruz, si hardi e si fiers,
N'ot en la tere nul meillur
De sun pris ne de sa valur.
Quant la dame li ot mustré
E il l'aveit bien escuté,
305 Del bien sun pere s'esjoï;
Liez fu de ceo k'il ot oï.
A sei meïsmes pense e dit:
« Mut se deit hum preiser petit,
Quant il issi fu engendrez
310 E sun pere est si alosez,
S'il ne se met en greinur pris
Fors de la tere e del païs. »
Asez aveit sun estuveir;
Il ne demure fors le seir,
315 Al demain ad pris [sun] cungié.
La dame l'ad mut chastïé
E de bien fere amonesté;
Asez li ad aveir doné.
     A Suhthamptune vait passer;
320 Cum il ainz pot, se mist en mer.
A Barbefluet est arivez;
Dreit en Brutaïne est alez.
La despendi e turneia,
As riches hummes s'acuinta.

168c

(son âge correspondait au nombre d'années
qu'il avait passé avec elle)
le fit adouber chevalier.
C'était un bien noble jeune homme.
Elle lui remit l'anneau et le message
qui lui révélait le nom de sa mère.
Elle lui raconta l'histoire de son père
et lui dit combien c'était un bon chevalier,
si valeureux, si courageux et si redoutable
que dans le pays il n'y en avait aucun autre
capable de l'égaler en réputation et en mérite.
Quand la dame lui eut tout raconté
et qu'il l'eut bien écoutée,
il se réjouit de la bravoure de son père.
Il était heureux de ce qu'il avait entendu.
Il se dit en lui-même :
« Il doit avoir une piètre estime de lui-même
celui qui, engendré
par un père d'une telle renommée,
refuserait de chercher plus de gloire encore
loin de sa terre et de son pays. »
Il avait assez d'argent.
Il ne resta donc plus qu'une soirée
et le lendemain prit congé.
La dame lui fait de nombreuses recommandations
et l'exhorte à bien se conduire.
Elle lui donne beaucoup d'argent.
   Il va embarquer à Southampton[1]
et, dès qu'il le peut, prend la mer.
Il arrive à Barfleur[2] ;
de là il part directement vers la Bretagne.
Là, il s'adonne à des largesses, participe aux
    tournois,
et se lie avec de hauts personnages.

325 *Unques ne vint en nul estur*
Que l'en nel tenist a meillur.
Les povres chevalers amot:
Ceo que des riches gaainot 168d
Lur donout e sis reteneit,
330 *E mut largement despendeit.*
Unques, sun voil, ne surjurna:
De tutes les teres de la
Porta le pris e la valur;
Mut fu curteis, mut sot honur.
335 *De sa bunté e de sun pris*
Veit la novele en sun païs
Quë un damisels de la tere,
Ki passa mer pur [sun] pris quere,
Puis ad tant fet par sa prüesce,
340 *Par sa bunté, par sa largesce,*
Que cil ki nel seivent numer
L'apel[ou]ent par tut Sanz Per.
Milun oï celui loër
E les biens de lui recunter.
345 *Mut ert dolent, mut se pleigneit*
Del chevaler que tant valeit,
Que, tant cum il peüst errer
Ne turneier ne armes porter,
Ne deüst nul del païs nez
350 *Estre preisez në alosez.*
De une chose se purpensa:
Hastivement mer passera,
Si justera al chevalier
Pur lui leidier e empeirer;
355 *Par ire se vodra cumbatre,*
S'il le pout del cheval abatre:

À toutes les joutes auxquelles il participe,
on le considère comme le meilleur.
Il aimait les chevaliers pauvres.
Ce qu'il gagnait sur les riches,
il le leur offrait et il les gardait à ses côtés.
Il dépensait très généreusement.
Jamais, de son propre gré, il ne prit du repos.
Sur toutes les terres de Bretagne,
il était reconnu comme le plus valeureux.
Il était courtois et avait un grand sens de l'honneur.
De sa valeur et de sa renommée,
le bruit se répandait dans son pays.
On disait en effet qu'un jeune homme de cette région
qui avait traversé la mer en quête de gloire
s'était tant illustré par ses hauts faits,
par sa perfection et sa largesse
que ceux qui ne connaissaient pas son nom
l'appelaient partout « Sans pair ».
Milon avait entendu chanter ses louanges
et raconter ses mérites.
Il en était affecté et se plaignait fort
de ce chevalier si valeureux.
Aussi longtemps qu'il pourrait voyager,
participer aux tournois ou porter les armes,
aucun autre chevalier du pays
n'aurait dû obtenir estime et réputation.
Il médite un projet :
il traversera la mer dès que possible
et ira affronter le chevalier
pour lui causer honte et dommage.
Il se battra furieusement contre lui
et s'il peut le désarçonner

Dunc serat il en fin honiz.
Aprés irra quere sun fiz
Que fors del païs est eissuz,
360 *Mes ne saveit qu'ert devenuz.*
A s'amie le fet saveir,
Cungé voleit de li aveir ;
Tut sun curage li manda,
Brief e seel li envea   169a
365 *Par le cigne, mun escïent :*
Or li remandast sun talent.
Quant ele oï sa volenté,
Mercie l'en, si li sot gré,
Quant pur lur fiz trover e quere
370 *Voleit eissir fors de la tere*
[E] pur le bien de lui mustrer ;
Nel voleit mie desturber.
Milun oï le mandement ;
Il s'aparaille richement.
375 *En Normendië est passez,*
Puis est desque Brutaine alez.
Mut s'aquointa a plusurs genz,
Mut cercha les turneiemenz ;
Riches osteus teneit sovent
380 *E si dunot curteisement.*
    Tut un yver, ceo m'est avis,
Conversa Milun al païs.
Plusurs bons chevalers retient,
De s[i] que pres la paske vient,
385 *K'il recumencent les turneiz*
E les gueres e les dereiz.
Al Munt Seint Michel s'asemblerent,
Normein e Bretun i alerent
E li Flamenc e li Franceis ;
390 *Mes n'i ot gueres de[s] Engleis.*

alors il finira par le couvrir de honte.
Après cela, il ira chercher son fils
qui a quitté le pays
mais il ignore ce qu'il est devenu.
Milon en informe son amie
et veut obtenir d'elle son congé.
Il lui fait connaître ses intentions
dans une lettre scellée qu'il lui envoie
par l'intermédiaire du cygne, je crois bien.
Et maintenant qu'elle lui dise à son tour son désir.
Quand elle apprit son projet,
elle l'en remercia et lui fut reconnaissante
de quitter son pays pour partir en quête de leur
   fils
et pour prouver sa propre valeur.
Elle ne veut pas le détourner de ce projet.
Milon apprit sa réponse.
Il s'équipe magnifiquement.
Il embarque vers la Normandie
puis il se rend en Bretagne
où il fait de nombreuses connaissances.
Il fréquente les tournois
et se montre d'une généreuse hospitalité ;
il distribue des dons avec courtoisie.
   Durant tout l'hiver, ce me semble,
Milon séjourne en Bretagne.
Il retient à ses côtés plusieurs bons chevaliers
et on arrive bientôt à Pâques,
au moment où les tournois reprennent
ainsi que les guerres et batailles.
Au Mont Saint-Michel[1] se rassemblèrent
Normands et Bretons,
Flamands et Français,
mais il n'y eut guère d'Anglais.

Milun i est alé primers,
Que mut esteit bons chevalers.
Le bon chevaler demanda;
Asez i ot ki li cunta
395 De queil part il esteit venuz.
A ses armes, a ses escuz
Tut l'eurent a Milun mustré;
E il l'aveit bien esgardé.
Li turnei[e]menz s'asembla.   169b
400 Ki juste quist, tost la trova;
Ki aukes volt les rens cerchier,
Tost pout perdrë u gaaignier
E encuntrer un cumpainun.
Tant vus voil dire de Milun:
405 Mut le fist bien en cel estur
E mut i fu preisez le jur.
Mes li vallez dunt jeo vus di
Sur tuz les autres ot le cri;
Ne s'i pot nul acumparer
410 De turneer ne de juster.
Milun le vit si cuntenir,
Si bien puindrë e si ferir;
Par mi tut ceo k'il l'enviot,
Mut li fu bel e mut li plot.
415 Al renc se met encuntre lui,
Ensemble justerent amdui.
Milun le fiert si durement,
L'anste depiece vereiment;
Mes ne l'aveit mie abatu.
420 Cil raveit si Milun feru
Que jus del cheval l'abati.
Desuz la ventaille choisi
La barbe e les chevoz chanuz;
Mut li pesa k'il fu cheüz.

Milon s'y rendit le premier
car c'était un chevalier plein de valeur.
Il demande le bon chevalier.
Il y eut beaucoup de gens pour lui apprendre
de quel endroit ce bon chevalier était venu.
Grâce à ses armes et à ses écus,
ils peuvent tous le désigner à Milon
qui le regarde attentivement.
Les participants au tournoi se rassemblent.
Qui cherche la joute la trouve aussitôt.
Qui parcourt les rangs quelque peu
a vite l'occasion de perdre ou de gagner
en affrontant un adversaire.
Quant à Milon, je vous dirai seulement ceci :
il s'est bien illustré dans ce tournoi
et il se fit beaucoup apprécier ce jour-là.
Mais le jeune homme dont je vous parle
l'emporte en mérite sur tous les autres.
Nul ne peut se comparer à lui
en matière de tournoi ou de joute.
Milon le voit si bien se comporter[1],
si bien charger et si bien frapper
que, malgré toute la jalousie qu'il éprouve,
il en ressent joie et satisfaction.
Il prend du champ pour charger
et tous deux s'affrontent.
Milon le frappe si durement
qu'il met sa lance en pièces
sans toutefois désarçonner son adversaire.
Mais déjà Milon reçoit un nouveau coup
qui le fait tomber de sa monture.
Le jeune homme aperçoit alors sous la ventaille[2]
la barbe et les cheveux blancs de son adversaire.
Aussi, la chute du chevalier l'attrista.

425 Par la reisne le cheval prent,
    Devant lui le tient en present;
    Puis li ad dit: «Sire, muntez!
    Mut sui dolent e trespensez
    Que nul humme de vostre eage
430 Deüsse faire tel utrage.»
    Milun saut sus, mut li fu bel:
    Al dei celui cunuit l'anel,
    Quant il li rendi sun cheval.   169c
    Il areisune le vassal.
435 «Amis, fet il, a mei entent!
    Pur amur Deu omnipotent,
    Di mei cument ad nun tun pere!
    Cum as tu nun? Ki est ta mere?
    Saveir en voil la verité.
440 Mut ai veü, mut ai erré,
    Mut ai cerchiees autres teres
    Par turneiemenz e par gueres:
    Unques pur coup de chevalier
    Ne chaï mes de mun destrier.
445 Tu m'as abatu al juster:
    A merveille te puis amer.»
    Cil li respunt: «Jol vus dirai
    De mun pere, tant cum jeo'n sai.
    Jeo quid k'il est de Gales nez
450 E si est Milun apelez.
    Fillë a un riche humme ama,
    Celeement m'i engendra.
    En Norhumbre fu[i] enveez,
    La fu[i] nurri e enseignez;
455 Une meie aunte me nurri.
    Tant me garda ensemble od li,

Il prit le cheval par les rênes
et le tint devant son adversaire pour le lui pré-
    senter.
Il lui dit ensuite: «Seigneur, remontez à cheval!
Je suis désolé et peiné
d'avoir dû infliger un tel outrage
à un homme de votre âge[1].»
Milon remonta vite à cheval et en fut fort aise.
Lorsque son adversaire lui rendit son cheval,
il reconnut l'anneau
que l'autre portait à son doigt.
Il s'adressa alors à lui:
«Ami, fait-il, écoute-moi bien!
Au nom du Dieu tout puissant,
dis-moi comment se nomme ton père?
Comment t'appelles-tu? Qui est ta mère?
Je veux tout savoir là-dessus!
J'ai vu beaucoup de choses, j'ai beaucoup voyagé,
j'ai parcouru bien des pays étrangers
en participant à des tournois ou à des guerres.
Jamais cependant un coup porté par un chevalier
ne m'a fait tomber de mon destrier.
Toi, tu m'as abattu dans cette joute.
J'ai envie de te porter une grande amitié.»
Le jeune homme lui répondit: «Je vais vous dire
tout ce que je sais de mon père.
Je crois qu'il est né au pays de Galles
et qu'on l'appelle Milon.
Il aima la fille d'un puissant seigneur
et il me conçut en secret.
On m'envoya dans le Northumberland
où je fus élevé et instruit.
Une de mes tantes m'éleva.
Elle me garda avec elle

> Chevals e armes me dona,
> En ceste tere m'envea.
> Ci ai lungement conversé.
460 En talent ai e en pensé :
> Hastivement mer passerai,
> En ma cuntreie m'en irrai ;
> Saver voil l'estre [de] mun pere,
> Cum il se cuntient vers ma mere.
465 Tel anel d'or li musterai
> E teus enseignes li dirai :
> Ja ne me vodra reneer,
> Ainz n'amerat e tendrat chier. »   169d
> Quant Milun l'ot issi parler,
470 Il ne poeit plus escuter ;
> Avant sailli hastivement,
> Par le pan del hauberc le prent.
> « E Deu ! fait il, cum sui gariz !
> Par fei, amis, tu es mi fiz.
475 Pur tei trover e pur tei quere
> Eissi uan fors de ma tere. »
> Quant cil l'oï, a pié descent,
> Sun peire baisa ducement.
> Bel semblant entrë eus feseient
480 E iteus paroles diseient
> Que li autres kis esgardouent
> De joie e de pitié plurouent.
> Quant li turnei[e]menz depart,
> Milun s'en vet, mut li est tart
485 Que sa sun fiz parot a leisir
> E qu'il li die sun pleisir.
> En un ostel furent la nuit ;
> Asez eurent joie e deduit,
> De chevalers eurent plenté.

puis me donna armes et chevaux
et m'envoya sur cette terre.
Je vis ici depuis longtemps.
J'ai le projet et l'intention
de traverser bientôt la mer.
Je rentrerai dans mon pays.
Je veux connaître la vie de mon père
et sa liaison avec ma mère.
Je lui montrerai un certain anneau d'or
et je lui donnerai de telles indications
qu'il ne cherchera pas à me renier
et il n'aura pour moi qu'amour et affection. »
Quand Milon l'entendit,
il ne put l'écouter plus longtemps.
Il se précipita vers lui
et le saisit par le pan de sa cotte de mailles.
« Ah, Dieu, fait-il, me voilà sauvé.
Par ma foi, mon ami, c'est toi, mon fils !
Pour te chercher et te trouver,
j'ai quitté cette année mon pays. »
À cette nouvelle, le jeune homme descendit de
    cheval
et embrassa tendrement son père.
Ils avaient l'un envers l'autre des regards touchants
et se disaient de telles paroles
que ceux qui les regardaient
en pleuraient de joie et d'attendrissement.
Les participants au tournoi se séparèrent.
Alors, Milon s'en alla et il lui tarda
de parler à son fils tout à loisir
et de lui dire toute sa joie.
Ils passèrent cette nuit-là dans le même logis
avec une joie et un plaisir extrêmes.
Il y eut beaucoup de chevaliers.

490 Milun ad a sun fiz cunté
De sa mere cum il l'ama
E cum sis peres la duna
A un barun de sa cuntre[e],
E cument il l'ad puis amee,
495 E ele lui de bon curage,
E cum del cigne fist message,
Ses lettres lui feseit porter,
Ne se osot en nului fier.
Le fiz respunt : « Par fei, bel pere,
500 Assemblerai vus e ma mere ;
Sun seignur que ele ad ocirai
E espuser la vus ferai. »
    Cele parole dunc lesserent
E al demain s'apareillerent.
505 Cungé pernent de lur amis,
Si s'en revunt en lur païs.
Mer passerent hastivement,
Bon oré eurent e fort vent.
Si cum il eirent le chemin,
510 Si encuntrerent un meschin :
De l'amie Milun veneit,
En Bretaigne passer voleit ;
Ele l'i aveit enveié.
Ore ad sun travail acurcié.
515 Un brief li baille enseelé ;
Par parole li ad cunté
Que s'en venist, ne demurast ;
Morz est sis sire, or s'en hastat !
Quant Milun oï la novele,
520 A merveille li sembla bele ;
A sun fiz ad mustré e dit :
N'i ot essuigne ne respit ;

Milon raconta à son fils
comment il avait aimé sa mère
et comment le père de celle-ci l'avait donné pour
    épouse
à un baron de son pays,
comment par la suite ils s'aimèrent
d'un amour sincère,
comment il fit du cygne un messager.
Il lui faisait porter ses lettres
car il ne pouvait se fier à personne.
Son fils lui répondit : « Par ma foi, cher père,
je vous réunirai, vous et ma mère.
Je tuerai son mari
et je vous la ferai épouser. »
    Ils laissèrent alors ces propos
et, le lendemain, se préparèrent à partir.
Ils prennent congé de leurs amis
et retournent dans leur pays.
Sur mer, ils font une traversée rapide
par beau temps avec un vent favorable.
En chemin,
ils rencontrent un jeune homme.
Il venait de la part de l'amie de Milon.
Il voulait aller en Bretagne
où elle l'avait envoyé
et voici que sa mission est simplifiée.
Il tend à Milon une lettre scellée.
De vive voix, il lui dit
de rentrer, sans tarder.
Son mari est mort, que Milon revienne bien vite.
Quand Milon entendit la nouvelle,
elle lui parut prodigieusement belle.
Il en fit part à son fils.
Il n'y eut plus aucun délai ni répit.

    Tant eirent quë il sunt venu
    Al chastel u la dame fu.
525 *Mut par fu lie de sun fiz,*
    Que tant esteit pruz e gentiz.
    Unc ne demanderent parent :
    Sanz cunseil de tut' autre gent
    Lur fiz amdeus les assembla,
530 *La mere a sun pere dona.*
    En grant bien e en [grant] duçur
    Vesquirent puis e nuit e jur.
      De lur amur e de lur bien
    Firent un lai li auncïen ;
535 *E jeo que le ai mis en escrit*
    Al recunter mut me delit.

Ils vont à un si bon train qu'ils arrivent
au château où habitait la dame.
Elle fut très heureuse de revoir son fils
qui était si preux et courtois.
Ils ne firent pas appel à la famille.
Sans le conseil de quiconque,
leur fils les unit tous deux
et donne ainsi sa mère en mariage à son père.
Ils vécurent depuis lors, nuit et jour,
dans un grand bonheur et une grande tendresse.
    De leur amour et de leur bonheur,
les anciens ont fait un lai
et moi qui l'ai mis par écrit,
je prends bien du plaisir à le raconter.

CHAITIVEL

Talent me prist de remembrer
Un lai dunt jo oï parler.
L'aventure vus en dirai
E la cité vus numerai
5   U il fu nez e cum ot nun.
Le Chaitivel l'apelet hum,
E si [i] ad plusurs de ceus
Ki l'apelent Les quatre Deuls.
  En Bretaine a Nantes maneit
10   Une dame que mut valeit
De beauté e d'enseignement
E de tut bon affeitement.
N'ot en la tere chevalier
Quë aukes feïst a preisier,
15   Pur ceo que une feiz la veïst,
Que ne l'amast e requeïst.
El nes pot mie tuz amer
Ne ele nes vot mie tüer.
Tutes les dames de une tere
20   Vendreit [il] meuz d'amer requere
Quë un fol de sun pan tolir;
Kar cil volt an eire ferir.
La dame fait a celui gre

LE PAUVRE MALHEUREUX

J'ai éprouvé le désir de rappeler
un lai dont j'ai entendu l'évocation.
Je vous en dirai l'histoire
et vous citerai le nom de la ville
d'où il vient ainsi que son titre.
On l'appelle *Le Pauvre Malheureux*
mais beaucoup aussi le nomment *Les Quatre
    Deuils*.
    En Bretagne, à Nantes[1],
habitait une dame d'une parfaite beauté,
d'une excellente éducation
et d'une distinction sans pareille.
Il n'y avait aucun chevalier du pays
avec quelque mérite
qui eût pu la voir ne serait-ce qu'une fois
sans l'aimer ni la courtiser.
Mais elle ne pouvait pas les aimer tous
et elle ne voulait pas non plus les faire mourir.
Il vaudrait mieux rechercher l'amour
de toutes les dames d'un pays
qu'ôter à un fou son morceau de pain
car celui-ci voudrait aussitôt vous frapper.
La dame au contraire sait gré

De suz la bone volunté;
25 *Purquant, s'ele nes veolt oïr,*
Nes deit de paroles leidir,
Mes enurer e tenir chier,
A gre servir e mercïer.
La dame dunt jo voil cunter,
30 *Que tant fu requise de amer*
Pur sa beauté, pur sa valur,
S'en entremistrent nuit et jur.

En Bretaine ot quatre baruns,
Mes jeo ne sai numer lur nuns;
35 *Il n'aveient gueres de eé,*
Mes mut erent de grant beauté
E chevalers pruz e vaillanz,   170c
Larges, curteis e despendanz;
Mut [par] esteient de grant pris
40 *E gentiz hummes del païs.*
Icil quatres la dame amoënt
E de bien faire se penoënt:
Pur li e pur s'amur aveir
I meteit chescun sun poeir.
45 *Chescun par sei la requereit*
E tute sa peine i meteit;
N'i ot celui ki ne quidast
Que meuz d'autre n'i espleitast.
La dame fu de mut grant sens:
50 *En respit mist e en purpens*
Pur saver e pur demander
Li queils sereit meuz a amer.
Tant furent tuz de grant valur,
Ne pot eslire le meillur.
55 *Ne volt les treis perdre pur l'un:*

à un soupirant de ses bonnes intentions.
Même si elle ne veut pas l'écouter,
elle ne doit pas avoir pour lui des paroles insul-
    tantes
mais elle doit l'honorer et l'estimer,
lui témoigner son empressement et le remercier.
Cette dame dont je veux vous conter l'histoire
et qui était tant courtisée
pour sa beauté et son mérite,
les chevaliers lui faisaient la cour nuit et jour.

En Bretagne, il y avait quatre barons
dont je ne saurai vous donner les noms.
Ils étaient encore bien jeunes
mais ils étaient tous très beaux
et c'étaient de preux et vaillants chevaliers,
charitables, courtois et généreux.
Tenus en haute estime,
ils faisaient partie des nobles du pays.
Tous les quatre[1] aimaient la dame
et s'appliquaient à bien agir.
Pour obtenir l'amour de la dame,
chacun faisait tout son possible.
Chacun la voulait pour lui
et consacrait tous ses efforts à la conquérir.
Aucun d'entre eux ne doutait
de réussir mieux que les autres.
La dame se montre fort avisée.
Elle prend un délai de réflexion
pour savoir et pour se demander
lequel il serait préférable d'aimer.
Ils étaient tous d'un tel mérite
qu'elle ne pouvait choisir le meilleur.
Si elle en choisit un, elle ne veut pas en perdre
    trois.

Bel semblant feseit a chescun,
Ses drüeries lur donout,
Ses messages lur enveiout:
Li uns de l'autre ne saveit,
60　Mes departir nul nes poeit,
Par bel servir e par preier
Quidot chescun meuz espleiter.
A l'assembler des chevaliers
Voleit chescun estre primers
65　De bien fere, si il peüst,
Pur ceo que a la dame pleüst.
Tuz la teneient pur amie,
Tuz portouent sa drüerie,
Anel u mance u gumfanun,
70　E chescun escriot sun nun.
Tuz quatre les ama e tient,
Tant que aprés une paske vient,　　　　　170d
Que devant Nantes la cité
Ot un turneiement crïé.
75　Pur aquointer les quatre druz,
I sunt d'autre païs venuz:
E li Franceis e li Norman
E li Flemenc e li Breban,
Li Buluineis, li Angevin
80　[E] cil ki pres furent veisin;
Tuz i sunt volenters alé.
Lunc tens aveient surjurné.
Al vespré del turneiement
S'entreferirent durement.
85　Li quatre dru furent armé

Elle se montre très avenante à l'égard de chacun
   d'eux ;
elle leur offre ses gages d'amour,
elle leur envoie ses messages.
Aucun ne savait ce qu'elle pensait sur les autres
mais aucun ne pouvait rompre.
Par son dévouement et ses prières,
chacun pensait l'emporter sur les autres.
Lors des joutes de chevaliers,
chacun veut réussir
le plus bel exploit, s'il en est capable,
pour plaire à la dame.
Tous les quatre la considéraient comme leur amie ;
tous portaient ses gages d'amour[1],
anneau, manche ou banderole
et chacun avait pris son nom comme cri de ral-
   liement.
Elle les aime tous les quatre et les retient auprès
   d'elle
jusqu'à ce qu'un jour, après une fête de Pâques[2],
un tournoi soit annoncé
sous les murs de Nantes.
Pour affronter les quatre amants
sont venus d'autres régions,
des Français et des Normands,
des Flamands et des Brabançons,
des Boulonnais et des Angevins,
ainsi que leurs proches voisins.
Tous s'y rendirent avec plaisir
car cela faisait longtemps qu'ils attendaient ce
   moment.
Le soir du tournoi,
ils s'affrontèrent très durement.
On arma les quatre amants

E eisserent de la cité;
Lur chevaliers viendrent aprés,
Mes sur eus quatre fu le fes.
Cil defors les unt coneüz
90   As enseignes e as escuz.
Cuntrë enveient chevaliers,
Deus Flamens e deus Henoiers,
Apareillez cume de puindre;
N'i ad celui ne voille juindre;
95   Cil les virent vers eus venir,
N'aveient talent de fuïr.
Lance baissie, a espelun,
Choisi chescun sun cumpainum.
Par tel aïr s'entreferient
100 Que li quatre defors cheïrent.
Il n'eurent cure des destriers,
Ainz les laisserent estraiers;
Sur les abatuz se resturent;
Lur chevalers les succururent.
105 A la rescusse ot grant medlee,
Meint coup i ot feru d'espee.
La dame fu sur une tur,   171a
Bien choisi les suens e les lur;
Ses druz i vit mut bien aidier:
110 Ne seit [le] queil deit plus preisier.
     Li turnei[e]menz cumença,
Li reng crurent, mut espessa.
Devant la porte meintefeiz
Fu le jur mellé le turneiz.
115 Si quatre dru bien [le] feseient,

et ils sortirent de la ville.
Leurs chevaliers les suivirent
car c'était sur eux que reposait le poids du combat.
Les chevaliers du dehors[1] les reconnurent
à leurs bannières et à leurs écus.
Ils envoient contre eux des chevaliers,
deux de Flandre, deux du Hainaut,
prêts à donner la charge.
Aucun d'entre eux ne reste à distance
et les quatre les voient venir ;
ils n'ont aucune envie de s'enfuir.
Lance baissée, piquant des deux,
chacun repère son adversaire.
Ils se heurtèrent avec une telle violence
que les quatre chevaliers du dehors tombèrent de
    cheval.
Les assaillants n'avaient cure des destriers[2]
qu'ils abandonnèrent sans leur maître,
préférant rester auprès des chevaliers à terre.
Mais ces derniers furent secourus par leurs
    hommes.
L'arrivée des renforts provoqua une mêlée géné-
    rale
où maints coups d'épée furent portés.
La dame se trouvait sur une tour.
Elle aperçoit parfaitement ceux de son camp et
    les autres.
Elle voit ses amants se défendre fort bien
mais ne sait pas lequel mérite le plus son estime.
    Le tournoi commença.
Les rangs s'étoffèrent et devinrent très denses.
Devant la porte ce jour-là
se multiplièrent les passes d'armes.
Les quatre amants de la dame se battaient si bien

Si ke de tuz le pris aveient,
Tant ke ceo vient a l'avesprer
Quë il deveient desevrer.
Trop folement s'abaundonerent
120 *Luinz de lur gent, sil cumpererent;*
Kar li treis [i] furent ocis
E li quart nafrez e malmis
Par mi la quisse e einz al cors.
Si que la lance parut fors.
125 *A traverse furent feruz*
E tuz quatre furent cheüz.
Cil ki a mort les unt nafrez
Lur escuz unt es chans getez;
Mut esteient pur eus dolent,
130 *Nel firent pas a escient.*
La noise levat e le cri,
Unques tel doel ne fu oï.
Cil de la cité i alerent,
Unques les autres ne duterent;
135 *Pur la dolur des chevaliers*
I aveit iteus deus milliers
Ki lur ventaille deslacierent,
Chevoiz e barbes detraherent;
Entre eus esteit li doels communs.
140 *Sur sun escu fu mis chescuns;*
En la cité les unt porté
A la dame kis ot amé.
Desque ele sot cele aventure,   171b
Paumee chiet a tere dure.
145 *Quant ele vient de paumeisun,*
Chescun regrette par sun nun.
«Lasse, fet ele, quei ferai?
Jamés haitie ne serai!
Ces quatre chevalers amoue

qu'ils furent reconnus comme les meilleurs
jusqu'à la tombée de la nuit
où ils durent se séparer.
Mais ils s'exposèrent alors à un fol assaut
à l'écart de tout le monde et ils le payèrent cher.
Trois d'entre eux furent tués
et le quatrième fut si grièvement blessé
à la cuisse[1] et au corps
qu'une lance le traversa de part en part.
On les frappa au flanc
et tous les quatre tombèrent de cheval.
Ceux qui les blessèrent mortellement
jetèrent leurs écus sur la lice.
Ils étaient profondément affligés pour eux
car ils ne l'avaient pas fait exprès.
La rumeur et la nouvelle se répandirent.
Jamais on n'entendit de telles plaintes.
Les chevaliers de la cité se rendent sur place
sans redouter leurs adversaires.
Du fait de leur douleur,
deux mille chevaliers se mirent à délacer leur
    ventaille[2]
et à s'arracher cheveux et barbes.
Le deuil était partagé par tous.
Chaque cadavre fut déposé sur un écu.
Ils les portèrent ensuite dans la cité
auprès de la dame qui les avait aimés.
Celle-ci s'évanouit et s'effondra.
Quand elle revint à elle,
elle déplora la perte de chacun d'eux en l'appe-
    lant par son nom :
« Hélas ! dit-elle. Que ferai-je ?
Plus jamais je ne connaîtrai le bonheur.
J'aimais ces quatre chevaliers

150 *E chescun par sei cuveitoue;*
Mut par aveit en eus granz biens;
Il m'amoënt sur tute riens.
Pur lur beauté, pur lur prüesce,
Pur lur valur, pur lur largesce
155 *Les fis d'amer [a] mei entendre;*
Nes voil tuz perdre pur l'un prendre.
Ne sai le queil jeo dei plus pleindre;
Mes ne [m'en] puis covrir ne feindre.
L'un vei nafré, li treis sunt mort;
160 *N'ai rien el mund ki me confort.*
Les morz ferai ensevelir,
E si li nafrez poet garir,
Volenters m'en entremetrai
E bons mires li baillerai.»
165 *En ses chambres le fet porter;*
Puis fist les autres cunreer,
A grant amur e noblement
Les aturnat e richement.
En une mut riche abeïe
170 *Fist grant offrendre e grant partie,*
La u il furent enfuï:
Deus lur face bone merci!
Sages mires aveit mandez,
Sis ad al chevalier livrez,
175 *Ki en sa chambre jut nafrez,*
Tant que a garisun est turnez.
Ele l'alot veer sovent

171c

et mon désir se portait sur chacun d'eux en particulier.
Il y avait en eux tant de qualités !
Ils m'aimaient plus que tout au monde.
Leur beauté, leur courage,
leur valeur, leur générosité
firent que je les ai incités à m'aimer.
Je ne voulais pas les perdre tous pour n'en retenir qu'un seul.
Je ne sais pas lequel je dois plaindre le plus.
Je ne peux plus ni me cacher la chose
ni feindre qu'elle n'existe pas.
Je vois un blessé et trois morts
et plus rien au monde ne peut m'apporter du
réconfort.
Je ferai donner une sépulture aux morts
et si le blessé peut se rétablir,
je m'occuperai volontiers de lui
et je lui trouverai de bons médecins. »
Elle le fait porter dans ses appartements
et demande qu'on procède à l'ultime toilette des
autres.
Avec une grande tendresse et très noblement,
elle les fait revêtir de somptueux vêtements.
Elle offre de grandes aumônes et des donations
importantes
à une très importante abbaye
où ils furent enterrés.
Que Dieu leur accorde sa miséricorde !
Elle avait fait venir de savants médecins
et leur confia le chevalier blessé
qui était couché dans sa chambre.
Il finit par se rétablir.
Elle allait souvent le voir

E cunfortout mut bonement;
Mes les autres treis regretot:
180 *E grant dolur pur eus menot.*
    Un jur d'esté aprés manger
Parlot la dame al chevaler;
De sun grant doel li remembrot:
Sun chief [e sun] vis en baissot:
185 *Forment comencet a pen[s]er.*
E il la prist a regarder,
Bien aparceit que ele pensot.
Avenaument l'areisunot:
« Dame, vus estes en esfrei!
190 *Quei pensez vus? Dites le mei!*
Lessez vostre dolur ester!
Bien vus devr[i]ez conforter.
— Amis, fet ele, jeo pensoue
E vos cumpainums remembroue.
195 *Jamés dame de mun parage —*
[Ja] tant n'iert bele, pruz ne sage —
Teus quatre ensemble n'amera
N[ë] en un jur si nes perdra,
Fors vus tut sul ki nafrez fustes,
200 *Grant poür de mort en eüstes.*
Pur ceo que tant vus ai amez,
Voil que mis doels seit remembrez:
De vus quatre ferai un lai,
E Quatre Dols vus numerai. »
205 *Li chevalers li respundi*
Hastivement, quant il l'oï:
« Dame, fetes le lai novel,
Si l'apelez Le Chaitivel!
E jeo vus voil mustrer reisun

et le réconfortait avec une grande bonté.
Mais elle regrettait les trois autres
et manifestait pour eux une grande douleur.
    Un jour d'été, après le repas,
la dame parlait avec le chevalier.
Mais elle se souvenait de sa grande douleur
et elle baissait la tête et les yeux
puis se mettait à songer.
Il se prit alors à l'observer
et s'aperçut qu'elle méditait.
Il lui adressa alors la parole :
« Dame, vous êtes toute troublée !
À quoi pensez-vous ? Dites-le-moi !
Oubliez votre chagrin !
Vous devriez plutôt rechercher le réconfort.
— Ami, dit-elle, je songeais
et me souvenais de vos compagnons.
Jamais une dame de mon rang,
aussi belle, aussi valeureuse et avisée soit-elle,
ne pourra aimer quatre hommes tels que vous en
    même temps
ni les perdre en un seul jour,
si toutefois l'on vous met à part
puisque vous n'avez été que blessé.
Mais comme vous avez dû craindre de mourir !
Puisque je vous ai tant aimés,
je veux que l'on garde le souvenir de ma douleur.
Je ferai donc un lai sur vous quatre
et je l'intitulerai : *Les Quatre Deuils*.
Dès qu'il l'entendit, le chevalier
lui répondit sans tarder :
« Dame, composez le lai nouveau
mais intitulez-le plutôt : *Le Pauvre Malheureux*.
Je vais vous expliquer

210 *Quë il deit issi aver nun :*
Li autre sunt pieça finé
E tut le seclë unt usé, 171d
La grant peine k'il en suffreient
De l'amur qu'il vers vus aveient ;
215 *Mes jo ki sui eschapé vif,*
Tut esgaré e tut cheitif,
Ceo que al secle puis plus amer
Vei sovent venir e aler,
Parler od mei matin e seir,
220 *Si n'en puis nule joie aveir*
Ne de baisier ne d'acoler
Ne d'autre bien fors de parler.
Teus cent maus me fetes suffrir,
Meuz me vaudreit la mort tenir :
225 *Pur c'ert li lais de mei nomez,*
Le Chaitivel iert apelez.
Ki Quatre Dols le numera
Sun propre nun li changera
— Par fei, fet ele, ceo m'est bel :
230 *Or l'apelum Le Chaitivel.»*
Issi fu lais comenciez
E puis parfaiz e anunciez.
Ici kil porterent avant,
Quatre Dols l'apelent alquant ;
235 *Chescun des nuns bien i afiert,*
Kar la matire le requiert ;
Le Chaitivel ad nun en us.
Ici finist, [il] n'i ad plus ;
Plus n'en oï, ne plus n'en sai,
240 *Ne plus ne vus en cunterai.*

pourquoi il doit porter ce titre.
Les trois autres, depuis quelque temps déjà, ont
    fini leur temps.
Durant toute leur vie, ils ont épuisé en pure perte
la peine qu'ils souffraient
pour avoir éprouvé de l'amour envers vous.
Mais moi qui en suis sorti vivant,
me voilà plongé dans le malheur !
Celle que j'aime le plus au monde,
je la vois aller et venir,
elle me parle soir et matin
et je ne peux jamais éprouver la joie
de l'embrasser ni de l'enlacer,
ni aucune autre joie, si ce n'est celle de lui parler.
Tels sont les cent maux que vous me faites souffrir
et il vaudrait mieux pour moi obtenir la mort.
Voilà pourquoi il faudrait intituler le lai en pen-
    sant à moi.
Il s'appellera : *Le Pauvre Malheureux*.
Quiconque le nommera *Les Quatre Deuils*
modifiera son vrai titre.
— Ma foi, répondit la dame, cela me convient !
Appelons-le donc *Le Pauvre Malheureux*.
    C'est ainsi que le lai fut entrepris
puis achevé et publié[1].
Parmi les premiers qui le répandirent,
certains le nommèrent *Les Quatre Deuils*.
Chacun des noms lui convient bien
car il correspond bien à l'histoire.
On l'intitule habituellement : *Le Pauvre Malheureux*.
Il s'achève ici. Il ne contient rien de plus.
Je n'en ai pas entendu davantage et je n'en sais
    rien de plus.
Je ne vous en raconterai pas davantage.

CHEVREFOIL

Asez me plest e bien le voil
Del lai que hum nume Chevrefoil
Que la verité vus en cunt
[E] pur quei il fu fet e dunt.
5   Plusurs le me unt cunté e dit
E jeo l'ai trové en escrit
De Tristram e de la reïne,
De lur amur que tant fu fine,
Dunt il eurent meinte dolur,
10 Puis en mururent en un jur.
    Li reis Marks esteit curucié,
Vers Tristram sun nevuz irié;
De sa tere le cungea
Pur la reïne qu'il ama.
15 En sa cuntree en est alez;
En Suhtwales, u il fu nez,
Un an demurat tut entier,
Ne pot ariere repeirier;
Mes puis se mist en abandun
20 De mort e de destructïun.
Ne vus esmerveilliez neent:
Kar ki eime mut lëalment,
Must est dolenz e trespensez,

LE CHÈVREFEUILLE

Il me plaît beaucoup et c'est mon désir
de vous conter la véritable histoire
du lai qu'on nomme *Chèvrefeuille*,
pourquoi il fut composé et d'où il vient[1].
Plus d'un me l'a raconté
et moi, je l'ai composé[2] par écrit
au sujet de Tristan et de la reine,
de leur amour si parfait[3]
qui leur valut tant de souffrances
avant de les réunir dans la mort, le même jour[4].
Le roi Marc était courroucé et emporté
envers son neveu Tristan.
Il l'avait chassé de son royaume[5]
à cause de l'amour qu'il vouait à la reine.
Tristan s'en était retourné dans son pays.
Il resta une année entière,
sans jamais pouvoir revenir,
dans le sud du pays de Galles[6] où il naquit.
Ensuite, il s'exposa à la mort
et à l'anéantissement.
Ne vous en étonnez pas
car celui qui aime très loyalement
est rempli de tristesse et de souci

Quant il nen ad ses volentez.
25 *Tristram est dolent e pensis:*
Pur ceo se met de sun païs.
En Cornwaille vait tut dreit,
La u la reïne maneit.
En la forest tut sul se mist,
30 *Ne voleit pas que hum le veïst;*
En la vespree s'en eisseit,
Quant tens de herberger esteit;
Od païsanz, od povre gent
Perneit la nuit herbergement.
35 *Les noveles lur enquereit*
Del rei cum il se cunteneit.
Ceo li dïent qu'il unt oï
Que li barun erent bani,
A Tintagel deivent venir:
40 *Li reis i veolt sa curt tenir;*
A Pentecuste i serunt tuit,
Mut i avra joie e deduit,
E la reïne i sera. 172b
　　　Tristram l'oï, mut se haita:
45 *Ele ne purrat mie aler*
K'il ne la veie trespasser.
Le jur que li reis fu meüz,
E Tristram est al bois venuz.
Sur le chemin quë il saveit
50 *Que la rute passer deveit,*
Une codre trencha par mi,
Tute quarreie la fendi.
Quant il ad paré le bastun,
De sun cutel escrit sun nun.
55 *Se la reïne s'aparceit,*
Que mut grant gardë en perneit —
Autre feiz li fu avenu

quand il ne peut satisfaire ses désirs.
Tristan était affligé et anxieux.
C'est pourquoi il quitta son pays
et retourna en Cornouailles[1]
où vivait la reine.
Il se cacha tout seul dans la forêt.
Il ne voulait être vu par personne.
Il en sortait le soir
quand il fallait trouver un gîte.
Il était hébergé pour la nuit
par des paysans, des pauvres gens.
Auprès d'eux, il s'informait
sur les faits et gestes du roi.
Ils lui rapportent ce qu'ils ont entendu :
les barons sont convoqués,
ils doivent se rendre à Tintagel,
car le roi veut y tenir sa cour.
À la Pentecôte[2], ils y seront tous ;
il y aura beaucoup de joie et de plaisir ;
la reine y sera.

    À ces mots, Tristan se réjouit.
Yseut ne pourra se rendre là-bas
sans qu'il la voie passer.
Le jour du départ du roi,
Tristan retourne dans la forêt.
Sur le chemin que le cortège devait emprunter,
il coupa une branche de coudrier[3] par le milieu
et l'équarrit en la taillant.
Quand le bâton est prêt,
il y grave son nom[4] avec un couteau.
Si la reine le remarque
— car elle faisait très attention ;
il lui était déjà arrivé précédemment

Que si l'aveit aparceü —
De sun ami bien conustra
60   *Le bastun quant el le verra.*
Ceo fu la summe de l'escrit
Qu'il li aveit mandé e dit:
Que lunges ot ilec esté
E atendu e surjurné
65   *Pur espïer e pur saver*
Coment il la peüst veer,
Kar ne pot nent vivre sanz li;
D'euls deus fu il [tut] autresi
Cume del chevrefoil esteit
70   *Ki a la codre se perneit:*
Quant il s'i est laciez e pris
E tut entur le fust s'est mis,
Ensemble poënt bien durer;
Mes ki puis les volt desevrer,
75   *Li codres muert hastivement*
E li chevrefoil ensement.
« Bele amie, si est de nus: 172c
Ne vuz sanz mei, ne mei sanz vus. »
   La reïne vait chevachant.
80   *Ele esgardat tut un pendant,*
Le bastun vit, bien l'aparceut,
Tutes les lettres i conut.
Les chevaliers que la menoënt
Quë ensemblë od li erroënt,
85   *Cumanda tuz [a] arester:*
Descendre vot e resposer.
Cil unt fait sun commandement.
Ele s'en vet luinz de sa gent;
Sa meschine apelat a sei,
90   *Brenguein, que fu de bone fei.*
Del chemin un poi s'esluina,

de retrouver Tristan par un moyen similaire[1] —,
elle reconnaîtra parfaitement,
dès qu'elle le verra, le bâton de son ami.
Voici l'explication détaillée[2]
d'un message[3] qu'il lui avait adressé jadis
il était resté longtemps dans la forêt,
aux aguets, attendant de connaître
un moyen pour la revoir
car il ne pouvait vivre sans elle.
Il en était d'eux comme du chèvrefeuille[4]
qui s'enroulait autour du coudrier ;
une fois qu'il s'y est enlacé
et qu'il s'est attaché au tronc,
ils peuvent longtemps vivre ensemble[5].
Mais ensuite, si on cherche à les séparer,
le coudrier meurt aussitôt
et le chèvrefeuille de même.
« Belle amie, il en est ainsi de nous :
ni vous sans moi, ni moi sans vous[6] ! »
      La reine s'avançait à cheval.
Elle scrutait le talus,
vit le bâton, le reconnut
et distingua les inscriptions.
À tous les chevaliers qui la conduisaient
et l'accompagnaient,
elle ordonna de s'arrêter.
Elle veut descendre de cheval et se reposer.
Ils lui obéissent ;
elle s'éloigne de ses gens,
appelle sa servante Brangien[7]
qui lui reste très fidèle.
Elle s'éloigna un peu du chemin

Dedenz le bois celui trova
Que plus l'amot que rien vivant:
Entre eus meinent joie [mut] grant.
95 *A li parlat tut a leisir,*
E ele li dit sun pleisir;
Puis li mustre cumfaitement
Del rei avrat acordement,
E que mut li aveit pesé
100 *De ceo qu'il [l'] ot si cungïé:*
Par encusement l'aveit fait.
Atant s'en part, sun ami lait.
Mes quant ceo vint al desevrer,
Dunc comenc[er]ent a plurer.
105 *Tristram a Wales s'en rala,*
Tant que sis uncles le manda.
Pur la joie qu'il ot eüe
De s'amie qu'il ot veüe
E pur ceo k'il aveit escrit,
110 *Si cum la reïne l'ot dit,*
Pur les paroles remembrer,
Tristram, ki bien saveit harper,   172d
En aveit fet un nuvel lai;
Asez briefment le numerai:
115 *Gotelef l'apelent en engleis,*
Chevrefoil le nument Franceis.
Dit vus en ai la verité
Del lai que j'ai ici cunté.

et, dans la forêt, elle trouva
celui qu'elle aimait plus que tout au monde.
Ils laissent tous deux éclater leur joie.
Il lui parle tout à loisir
et elle lui dit ce qu'elle désire.
Ensuite, elle lui explique
comment il pourra se réconcilier avec le roi
qui regrette de l'avoir exilé :
il a été abusé par des calomnies.
Puis elle part et quitte son ami.
Mais quand arrive le moment de la séparation,
ils commencent à pleurer.
Tristan retourna au pays de Galles
jusqu'à ce que son oncle le fît revenir.
    Pour la joie qu'il éprouva
de revoir son amie
et pour garder le souvenir des paroles
contenues dans la lettre, et à
la demande de la reine[1],
Tristan qui savait bien jouer de la harpe[2]
avait composé un nouveau lai[3].
Je le nommerai brièvement :
en anglais, on l'appelle *Gotelef*[4],
les Français le nomment *Chèvrefeuille*.
Je viens de vous dire la véritable histoire
du lai que j'ai raconté ici.

ELIDUC

De un mut ancïen lai bretun
Le cunte e tute la reisun
Vus dirai, si cum jeo entent
La verité, mun escïent.
5 En Bretaine ot un chevalier
Pruz e curteis, hardi e fier;
Elidus ot nun, ceo m'est vis,
N'ot si vaillant hume al païs.
Femme ot espuse, noble e sage,
10 De haute gent, de grant parage.
Ensemble furent lungement,
Mut s'entramerent lëaument;
Mes puis avient par une guere
Quë il alat soudees quere:
15 Iloc ama une meschine,
Fille ert a rei e a reïne
Guilliadun ot nun la pucele,
El rëaume nen ot plus bele.
La femme resteit apelee
20 Guildelüec en sa cuntree.
D'eles deus ad li lai a nun

ÉLIDUC

D'un très ancien lai breton[1],
je vais vous donner le contenu et
la raison d'être,
selon la vérité que j'en sais.
    En Bretagne, il y avait un chevalier,
preux et courtois, hardi et redoutable.
Il s'appelait Éliduc[2], ce me semble.
Il n'y avait pas d'homme aussi vaillant dans le
    pays.
Il avait épousé une femme noble et intelligente,
de haute naissance et de grande famille.
Ils vécurent ensemble longtemps
et s'aimèrent très loyalement.
Mais il advint alors
qu'à cause d'une guerre
Éliduc alla louer ses services[3].
Là, il aima une jeune fille,
la fille d'un roi et d'une reine.
La jeune fille s'appelait Guilladon,
dans le royaume il n'y en avait pas de plus belle.
Sa femme était appelée
Guildeluec dans son pays.
À cause de ces deux femmes, le lai s'intitule

Guidelüec ha Gualadun.
Elidus fu primes nomez,
Mes ore est li nuns remüez,
25 *Kar des dames est avenu*
L'aventure dunt li lais fu,
Si cum avient, vus cunterai
La verité vus en dirrai.
    Elidus aveit un seignur,   173a
30 *Reis de Brutaine la meinur,*
Que mut l'amot e cherisseit,
E il lëaument le serveit.
U que li reis deüst errer,
Il aveit la tere a garder;
35 *Pur sa prüesce le retint.*
Pur tant de meuz mut li avint:
Par les forez poeit chacier;
N'i ot si hardi forestier
Ki cuntredire li osast
40 *Ne ja une feiz en grusçast.*
Pur l'envie del bien de lui,
Si cum avient sovent d'autrui,
Esteit a sun seignur medlez
[E] empeirez e encusez,
45 *Que de la curt le cungea*
Sanz ceo qu'il ne l'areisuna.
Eliducs ne saveit pur quei.
Soventefeiz requist le rei
Qu'il escundist de lui preïst
50 *E que losenge ne creïst,*
Mut l'aveit volenters servi;
Mes li rei ne li respundi.
Quant il nel volt de rien oïr,
Si l'en covient idunc partir.
55 *A sa mesun en est alez,*

Guildeluec et Guilladon[1].
On l'avait d'abord intitulé *Éliduc*
mais maintenant son titre a changé
car c'est à cause des dames qu'est arrivée
l'aventure d'où fut tiré le lai.
Je vous raconterai ce qui advint;
je vous en dirai la vérité.
   Éliduc avait un seigneur,
roi de Petite Bretagne,
qui l'aimait et le chérissait beaucoup.
Éliduc le servait loyalement.
Quel que soit le pays où le roi voyageait,
Éliduc devait garder la terre royale.
Le roi le retenait à cause de sa vaillance
et cela lui valait bien des avantages.
Il pouvait chasser dans la forêt;
il n'y eut pas un forestier[2]
qui aurait osé l'en empêcher
ou une seule fois en murmurer.
À cause de l'envie qu'on lui portait,
ainsi qu'il arrive souvent de la part d'autrui,
il fut calomnié auprès de son seigneur;
il fut dénigré et diffamé
au point que son seigneur le congédia de la cour
sans jamais l'entendre.
Éliduc n'en savait pas la raison.
Bien souvent, il pria le roi
d'accepter qu'il se justifiât
et de ne pas croire les médisances;
il l'avait servi de tout son cœur.
Le roi ne lui répondit pas.
Puisqu'il ne voulait rien entendre,
Éliduc se décida alors à partir.
Dans sa maison, il s'en alla

Si ad tuz ses amis mandez;
Del rei sun seignur lur mustra
E de l'ire que vers lui a;
Mut li servi a sun poeir,
60 Ja ne deüst maugré aveir.
Li vileins dit par reprover,
Quant tencë a sun charïer,
Que amur de seignur n'est pas fiez.
Sil est sages e vedzïez
65 Ki lëauté tient sun seignur,
Envers ses bons veisins amur.
Ne volt al païs arester,
Ainz passera, ceo dit, la mer,
Al rëaume de Loengre ira,
70 Une piece se deduira;
Sa femme en la tere larra,
A ses hummes cumandera
Quë il la gardent lëaument
E tuit si ami ensement.
75 A cel cunseil s'est arestez,
Si s'est richement aturnez.
Mut furent dolent si ami
Pur ceo ke de eus se departi.
Dis chevalers od sei mena,
80 E sa femme le cunvea;
Forment demeine grant dolur
Al departir [de] sun seignur;
Mes il l'aseürat de sei
Qu'il li porterat bone fei.
85 De lui se departi atant,
Il tient sun chemin tut avant;
A la mer vient, si est passez,
En Toteneis est arivez.

173b

et fit venir tous ses amis.
Il leur parla de la conduite du roi son seigneur
et de la colère qu'il avait envers lui.
Il l'avait servi du mieux possible;
il n'aurait jamais dû en subir d'ingratitude.
Le paysan dit, par manière de proverbe[1]
quand il gronde son valet,
qu'un amour de seigneur n'est pas un fief.
Il est sage et avisé
celui qui reste loyal envers son seigneur
et fidèle à son amitié envers ses bons voisins.
Il ne voulait pas rester dans son pays
mais il traversera, à ce qu'il dit, la mer.
Au royaume de Logres[2], il s'en ira
et s'y distraira un moment.
Il laissera sa femme sur ses terres.
Il recommandera à ses hommes
ainsi qu'à tous ses amis
de la garder loyalement.
Il s'arrête à cette décision
et s'équipe richement.
Ses amis étaient désolés
de ce qu'il les quittait.
Il emmena avec lui dix chevaliers[3]
et sa femme l'accompagna sur le départ.
Elle montre une grande douleur
en voyant partir son seigneur.
Mais il lui donna l'assurance
qu'il lui resterait toujours fidèle.
Puis il la quitta.
Il poursuivit sa route,
droit devant lui.
Il arriva au bord de la mer, il la traversa
et accosta à Totness[4].

Plusurs reis [i] ot en la tere,
90 Entre eus eurent estrif e guere.
Vers Excestrë en cel païs
Maneit un hum mut poëstis,
Vieuz hum e auntïen esteit.
Karnel heir madle nen aveit;
95 Une fille ot a marïer.
Pur ceo k'il ne la volt doner
A sun per, cil le guerriot,
Tute sa tere si gastot.
En un chastel l'aveit enclos;   173c
100 N'ot el chastel hume si os
Ki cuntre lui osast eissir
Estur ne mellee tenir.
Elidus en oï parler;
Ne voleit mes avant aler,
105 Quant iloc ad guere trovee;
Remaner volt en la cuntree.
Li reis ki plus esteit grevez
E damagiez e encumbrez
Vodrat aider a sun poeir
110 E en soudees remaneir.
Ses messages i enveia
E par ses lettres li manda
Que de sun païs iert eissuz
E en s'aïe esteit venuz;
115 Mes li [re]mandst sun pleisir,
E s'il nel voleit retenir,
Cunduit li donast par sa tere;
Avant ireit soudees quere.
Quant li reis vit les messagers,
120 Mut les ama e [mut] ot chers;
Sun cunestable ad apelez

Il y avait plusieurs rois dans cette région
et entre eux régnaient la discorde et la guerre.
Près d'Exeter[1] dans ce pays
habitait un homme très puissant.
Il était très vieux
et n'avait pas d'héritier mâle.
Il avait une fille à marier.
Comme il ne voulait pas la donner
à l'un de ses pairs, ce dernier lui faisait la guerre
et lui ravageait toute sa terre.
Il avait assiégé le roi dans sa ville fortifiée
et il n'y avait dans la ville d'homme assez hardi
qui aurait osé tenter une sortie
afin de lui livrer bataille ou de l'affronter en com-
    bat singulier.
Éliduc en entendit parler.
Il ne voulait pas aller plus avant.
Du moment qu'il avait trouvé la guerre,
il voulait rester dans cette contrée.
Il aidera autant qu'il le pourra
le roi qui était le plus épuisé,
le plus en peine et le plus en difficulté
et il restera à son service.
Il lui envoya ses messagers
et lui fit savoir dans sa lettre
qu'il avait quitté son pays
et était venu à son aide.
Qu'en retour, il lui fasse connaître sa volonté
et s'il ne veut le retenir
qu'il lui donne une escorte pour traverser sa terre ;
il chercherait du service plus loin.
Quand le roi vit les messagers,
il les apprécia fort.
Il appela son grand écuyer

E hastivement comandez
Que conduit li appareillast
[E] ke le barun amenast,
125 Si face osteus appareiller
U il puïssent herberger,
Tant lur face livrer e rendre
Cum il vodrunt le meis despendre.
Li conduit fu appareillez
130 E pur Eliduc enveiez.
A grant honur fu receüz,
Mut par fu bien al rei venuz.
Sun ostel fu chiés un burgeis,
Que mut fu sagë e curteis;   173d
135 Sa bele chambre encurtinee
Li ad li ostes delivree.
Eliduc se fist bien servir;
A sun manger feseit venir
Les chevalers mesaeisez
140 Quë al burc erent herbergez.
A tuz ses hummes defendi
Que n'i eüst nul si hardi
Que des quarante jurs primers
Preïst livreisun ne deners.
145   Al terz jur qu'il ot surjurné
Li criz leva en la cité
Que lur enemi sunt venu
E par la cuntree espandu;
Ja vodrunt la vile asaillir
150 E de si ke as portes venir.
Eliduc ad la noise oïe
De la gent ki est esturdie.
Il s'est armé, plus n'i atent,
E si cumpainuns ensement.

et lui commanda promptement
d'équiper une escorte
et d'aller chercher le chevalier,
de faire préparer son logis
pour qu'Éliduc et sa suite puissent y résider ;
qu'il leur fasse livrer et remettre
tout ce dont ils auront besoin pour un mois.
On prépara l'escorte
et on l'envoya à Éliduc
qui fut reçu avec tous les honneurs
et extrêmement bien accueilli par le roi.
Il fut logé chez un bourgeois
qui était très avisé et très courtois.
Son hôte lui donna
sa belle chambre ornée de tentures.
Éliduc se fit bien servir.
À ses repas, il faisait venir
les chevaliers démunis
qui étaient hébergés dans le bourg.
Il défendit à tous ses hommes
d'avoir la hardiesse
de prendre marchandises ou deniers
durant les quarante premiers jours.
    Trois jours plus tard,
le bruit courut dans la cité
que leurs ennemis étaient arrivés
et s'étaient répandus dans toute la contrée.
Ils vont bientôt assaillir la ville
et arriver jusqu'aux portes.
Éliduc a entendu les cris
du peuple qui est tout épouvanté.
Il s'est armé sans plus attendre
et ses compagnons de même.

155 *Quatorze chevalers muntant*
Ot en la vile surjurnant —
Plusurs en i aveit nafrez
E des prisuns i ot asez —
Cil virent Eliduc munter ;
160 *Par les osteus se vunt armer,*
Fors de la porte od lui eissirent,
Que sumunse n'i atendirent.
« Sire, funt il, od vus irum
E ceo que vus ferez ferum ! »
165 *Il lur respunt : « Vostre merci !*
Avreit i nul de vus ici
Ki maupas u destreit seüst,
U l'um encumbrer les peüst ?
Si nus ici les atendums,
170 *Peot cel estre, nus justerums ;*
Mes ceo n'ateint a nul espleit.
Ki autre cunseil en sav[r]eit ? »
Cil li dïent : « Sire, par fei,
Pres de cel bois en cel ristei
175 *La ad une estreite charriere,*
Par unt il repeirent ariere ;
Quant il avrunt fet lur eschec,
Si returnerunt par ilec ;
Desarmez sur lur palefrez
180 *S'en revunt [il] soventefez,*
Si se mettent en aventure
Cume de murir a dreiture.
Bien tost les purreit damagier
E eus laidier e empeirier. »
185 *Elidus lur ad dit : « Amis,*
La meie fei vus en plevis :
Ki en tel liu ne va suvent

174a

Il y avait séjournant dans la ville
quatorze chevaliers valides possédant une mon-
    ture.
Plusieurs étaient blessés
et beaucoup étaient prisonniers.
Ils virent Éliduc monter à cheval.
Ils se rendirent chez eux pour s'équiper
puis franchirent avec lui la porte
sans attendre qu'on les exhorte.
« Seigneur, disent-ils, nous vous suivrons
et tout ce que vous ferez, nous le ferons ! »
Il leur répondit : « Merci à vous !
Y aurait-il parmi vous quelqu'un
qui connaîtrait un passage ou un défilé
où nous pourrions acculer nos ennemis ?
Si nous les attendons ici,
peut-être que nous les combattrons
mais nous n'en retirerons aucun avantage.
Quelqu'un aurait-il une autre idée ? »
Ils lui disent : « Seigneur, par ma foi,
près de ce bois dans ce champ de lin
se trouve un étroit chemin
qu'il leur faudra prendre pour s'en aller.
Quand ils auront pris leur butin,
ils repartiront par là.
Très souvent, ils s'en retournent
désarmés sur leurs palefrois ;
celui qui n'aurait pas peur
d'exposer sa vie dans cette aventure
pourrait rapidement
leur causer tort et dommage. »
Éliduc leur dit : « Amis,
je vous en garantis ma foi :
celui qui ne va pas souvent

U il quide perdre a scïent,
Ja gueres ne gaainera
190 Në en grant pris ne muntera.
Vus estes tuz hummes le rei,
Si li devez porter grant fei.
Venez od mei la u j'irai,
Si fetes ceo que jeo ferai!
195 Jo vus asseür lëaument,
Ja n'i avrez encumbrement,
Pur tant cume jo puis aidier.
Si nus poüm rien gaainier,
Ceo nus iert turné a grant pris
200 De damagier noz enemis.»
Icil unt pris la seürté,
Si l'unt de si que al bois mené;
Pres del chemin sunt enbuschié,
Tant que cil se sunt repeirié.
205 Elidus lur ad tut mustré
E enseignié e devisé
De queil manere a eus puindrunt
E cum il les escrïerunt.
Quant al destreit furent entrez,
210 Elidus les ad escrïez.
Tuz apela ses cumpainuns,
De bien faire les ad sumuns.
Il i ferirent durement
[Ne] nes esparnierent nïent.
215 Cil esteient tut esbaï,
Tost furent rut e departi,
En poi de hure furent vencu.
Lur cunestable unt retenu
E tant des autres chevaliers —
220 Tuit en chargent lur esquïers —

174b

en un lieu où il risque de perdre,
ne gagnera jamais de guerre
et n'aura jamais bonne réputation.
Vous êtes tous des hommes du roi,
vous lui devez fidélité.
Venez avec moi partout où j'irai
et faites tout ce que je ferai !
Je vous promets loyalement
que vous n'encourrez aucun risque
pour autant que je puisse vous aider.
Si nous pouvons retirer quelque profit,
cela nous sera compté comme un grand mérite
d'avoir causé du tort à nos ennemis. »
Ils ont pris l'engagement de le suivre
et l'ont amené jusqu'au bois.
Ils se sont embusqués près du chemin
jusqu'à ce que les autres soient revenus.
Éliduc leur avait bien indiqué,
montré et expliqué
comment ils les chargeraient en les défiant.
Quand leurs adversaires eurent pénétré dans le
    défilé,
Éliduc les défia.
Il appela tous ses compagnons
et les exhorta à combattre.
Ils frappèrent avec force
et ne les épargnèrent en rien.
Les autres en étaient tout stupéfaits ;
ils furent bientôt décimés et dispersés ;
en peu de temps ils furent vaincus.
Les hommes d'Éliduc firent prisonniers leur conné-
    table
et bien d'autres chevaliers
qu'ils confièrent à leurs écuyers.

Vint e cinc furent cil de ça,
Trente en pristrent de ceus de la.
Del herneis pristrent a espleit,
Merveillus gaain i un feit.
225 Ariere s'en [re]vunt tut lié:
Mut aveient bien espleitié.
Li reis esteit sur une tur,
De ses hummes ad grant poür;
De Eliduc forment se pleigneit,
230 Kar il quidout e [si] cremeit
Quë il eit mis en abandun
Ses chevaliers par traïsun.
Cil s'en vienent tut aruté
[E] tut chargié e tut trussé.
235 Mut furent plus al revenir
Qu'il n'esteient al fors eissir:
Par ceo les descunut li reis,
Si fu en dute e en suspeis.
Les portes cumande a fermer   174c
240 E les genz sur les murs munter
Pur traire a eus e pur lancier;
Mes [il] n'en avrunt nul mester.
Cil eurent enveié avant
Un esquïer esperunant,
245 Que l'aventure lur mustra
E del soudeür li cunta,
Cum il ot ceus de la vencuz
E cum il s'esteit cuntenuz;
Unques tel chevalier ne fu;
250 Lur cunestable ad retenu
E vint e noef des autres pris
E muz nafrez e muz ocis.
Li reis, quant la novele oï,

Les hommes d'Éliduc étaient vingt-cinq
et ils capturèrent trente prisonniers.
Ils s'emparèrent prestement d'une partie de leurs
    bagages.
Ils firent un prodigieux butin.
Ils en revinrent tout heureux ;
ils avaient fort bien réussi leur coup.
Le roi se trouvait sur une tour ;
il avait grand-peur pour ses hommes.
Il se plaignait beaucoup d'Éliduc
car dans son imagination il craignait
que celui-ci n'eût abandonné
ses chevaliers par trahison.
Mais ils revinrent en rangs serrés,
tout chargés et encombrés de leur butin.
Ils étaient bien plus nombreux
au retour qu'à l'aller.
C'est pourquoi le roi ne les reconnut pas.
Il fut en proie au doute et à la défiance.
Il commanda que l'on ferme les portes
et que les gens montent aux remparts
pour leur lancer des flèches et des javelots.
Mais ils n'en auront aucun besoin.
Les autres avaient envoyé en avant
un écuyer piquant des deux
qui leur expliqua ce qui était arrivé
et leur parla de la nouvelle recrue,
comment il avait vaincu leurs ennemis
et comment il s'était comporté.
Jamais il n'a existé un tel chevalier !
Il a capturé le connétable
ainsi que vingt-neuf de ses hommes ;
il en a blessé et tué beaucoup d'autres.
Quand il entendit la nouvelle,

A merveille s'en esjoï.
255 *Jus de la tur est descenduz*
E encuntre Eliduc venuz.
De sun bienfait le mercia,
E il les prisuns li livra.
As autres depart le herneis,
260 *A sun eos ne retient que treis*
Chevals ke li erent loé;
Tut ad departi e duné,
La sue part communement,
As prisuns e a l'autre gent.
265 *Aprés cel fet que jeo vus di,*
Mut l'amat li reis e cheri.
Un an entier l'ad retenu
E ceus ki sunt od lui venu,
La fiance de lui en prist;
270 *De sa tere gardein en fist.*
Eliduc fu curteis e sage,
Beau chevaler [e] pruz e large.
La fille al rei l'oï numer
E les biens de lui recunter. 174d
275 *Par un suen chamberlenc privé*
L'ad requis, prïé e mandé
Que a li venist esbanïer
E parler e bien acuinter;
Mut durement s'esmerveillot
280 *Quë il a li ne repeirot.*
Eliduc respunt qu'il irrat,
Volenters s'i acuinterat.
Il est munté sur sun destrier,
Od lui mena un chevalier;
285 *A la pucele veit parler.*
Quant en la chambre dut entrer,
Le chamberlenc enveit avant,

le roi s'en réjouit fort.
Il descendit de la tour
et vint à la rencontre d'Éliduc.
Il le remercia de son exploit ;
Éliduc lui livra les prisonniers.
Il partagea le butin entre ses compagnons ;
pour son propre usage, il ne garda
que trois chevaux qui lui furent attribués ;
il avait distribué et partagé
sa propre part
aux prisonniers et aux autres combattants.
   Après ce fait que je vous ai raconté,
le roi lui prodigua son amitié.
Il le retint un mois à ses côtés
ainsi que ceux qui l'avaient accompagné.
Il reçut son serment
et fit de lui le gardien de sa terre.
   Éliduc était courtois et avisé ;
c'était un beau chevalier, preux et généreux.
La fille du roi entendit prononcer son nom
et raconter ses mérites.
Elle envoie un de ses chambellans
le chercher et prie Éliduc
de venir chez elle pour se distraire,
pour bavarder et se lier d'amitié.
Elle s'étonnait beaucoup
de ce qu'il ne venait pas à elle.
Éliduc répondit qu'il irait
et qu'il ferait volontiers sa connaissance.
Il monta sur son destrier
et emmena avec lui un chevalier.
Il alla parler à la jeune fille.
Au moment d'entrer dans la chambre,
il envoya devant lui le chambellan

Cil s'alat aukes entargant,
De ci que cil revient ariere.
290 Od duz semblant, od simple chere,
Od mut noble cuntenement
Parla mut afeit[i]ement
E merciat la dameisele,
Guilliadun, que mut fu bele,
295 De ceo que li plot a mander
Quë il venist a li parler.
Cele l'aveit par la mein pris,
Desur un lit erent asis;
De plusurs choses unt parlé.
30c Icele l'ad mut esgardé,
Sun vis, sun cors e sun semblant;
Dit en lui n'at mesavenant,
Forment le prise en sun curage.
Amurs i lance sun message,
305 Que la somunt de lui amer;
Palir la fist e suspirer,
Mes nel volt mettrë a reisun,
Qu'il ne li turt a mesprisun.
Une grant piece i demura;   175a
310 Puis prist cungé, si s'en ala;
El li duna mut a enviz,
Mes nepurquant s'en est partiz,
A sun ostel s'en est alez.
Tut est murnes e trespensez,
315 Pur la belë est en esfrei,
La fille sun seignur le rei,
Que tant ducement l'apela,
E de ceo ke ele suspira.
Mut par se tient a entrepris
320 Que tant ad esté al païs,

et lui resta quelque peu en arrière,
jusqu'à ce que celui-ci revînt.
Avec des manières douces, un air simple,
un très noble maintien,
il parla en montrant beaucoup de grâce
et remercia la demoiselle
Guilladon qui était si belle
d'avoir bien voulu le prier
de venir lui parler.
Elle le prit par la main,
ils s'assirent sur un lit.
Ils parlèrent de choses et d'autres.
Elle a bien regardé
son visage, son corps et sa mine
et elle se dit qu'en lui rien n'est déplaisant.
En son for intérieur, elle se met à l'estimer beau-
    coup.
Amour lui envoie son messager
qui la somme d'aimer Éliduc.
Il la fait pâlir et soupirer
mais elle ne veut pas lui en parler
de peur qu'il ne la méprise.
Il resta là un bon moment
puis demanda son congé et s'en alla.
Elle lui donna congé bien à contrecœur
mais pourtant il la quitta
et retourna chez lui.
Il est tout morne et abattu ;
il est troublé à cause de la belle,
la fille de son seigneur le roi ;
elle lui a parlé si doucement
et il a entendu ses soupirs !
Il se trouve bien malheureux
d'avoir tant séjourné dans le pays

Que ne l'ad veüe sovent.
Quant ceo ot dit, si se repent:
De sa femme li remembra
E cum il li asseüra
325 Que bone fei li portereit
E lëaument se cuntendreit.
    La pucele ki l'ot veü
Vodra de lui fere sun dru.
Unques mes tant nul ne preisa;
330 Si ele peot, sil retendra.
Tute la nuit veillat issi,
Ne resposa ne ne dormi.
Al demain est matin levee,
A une fenestre est ale[e];
335 Sun chamberlenc ad apelé,
Tut sun estre li ad mustré.
« Par fei, fet ele, mal m'esteit!
Jo sui cheï en mauvés pleit:
Jeo aim le novel soudeer,
340 Eliduc, li bon chevaler.
Unques anuit nen oi repos
Ne pur dormir les oilz ne clos.
Si par amur me veut amer
E de sun cors asseürer,   175b
345 Jeo ferai trestut sun pleisir,
Si l'en peot grant bien avenir;
De ceste tere serat reis.
Tant par est sages e curteis,
Que, s'il ne m'aime par amur,
350 Murir m'estuet a grant dolur. »
Quant ele ot dit ceo ke li plot,
Li chamberlenc que ele apelot
Li ad duné cunseil leal;
Ne li deit hum turner a mal.

sans l'avoir vue plus souvent.
À peine se dit-il cela qu'il se repent.
Il se souvient de sa femme
et de lui avoir promis
de lui garder toujours sa fidélité
ainsi que sa loyauté.
  La jeune fille qui l'avait vu
décide de faire de lui son ami ;
jamais elle n'a autant estimé quelqu'un.
Si elle le peut, elle se l'attachera.
Toute la nuit, elle veilla ainsi ;
elle ne se reposa ni ne dormit.
Le lendemain matin, elle se leva
et alla près d'une fenêtre.
Elle appela son chambellan
et lui découvrit ses sentiments :
« Ma foi, dit-elle, tout va mal pour moi !
Je suis tombée en fâcheuse posture.
J'aime le nouveau recruté,
le bon chevalier Éliduc.
Jamais cette nuit je n'ai eu de repos
ni n'ai fermé les yeux pour dormir.
S'il veut m'aimer d'amour
et se promettre à moi,
j'agirai selon son bon plaisir.
Il peut lui en advenir grand bien :
il sera roi de cette terre.
Il est si avisé et si courtois
que s'il ne m'aime pas d'amour,
il ne me reste plus qu'à mourir de douleur. »
Quand elle eut dit ce qu'elle avait sur le cœur,
le chambellan qu'elle avait fait venir
lui donna un conseil sincère ;
on ne doit pas le lui reprocher :

355 «*Dame, fet il, quant vus l'amez,*
Enveez i, si li mandez;
Centurë u laz u anel
Enveiez li, si li ert bel.
Si il le receit bonement
360 *E joius seit del mandement,*
Seür[e] seez de s'amur!
Il n'ad suz ciel empereür,
Si vus amer le volïez,
Que mut n'en deüst estre liez.»
365 *La dameisele respundi,*
Quant le cunseil de lui oï:
«*Coment savrai par mun present*
S'il ad de mei amer talent?
Jeo ne vi unques chevalier
370 *Ki se feïst de ceo preier,*
Si il amast u il haïst,
Que volenters ne retenist
Cel present ke hum li enveast.
Mut harreie k'il me gabast.
375 *Mes nepurquant pur le semblant*
Peot l'um conustre li alquant.
Aturnez vus e si alez!
— *Jeo sui, fet il, tut aturnez.*
— *Un anel de or li porterez*   175c
380 *E ma ceinture li durez!*
Mil feiz le me salüerez.»
Li chamberlenc s'en est turnez.
Ele remeint en teu manere,
Pur poi ne l'apelet arere;
385 *E nekedent le lait aler,*
Si se cumence a dementer:

« Dame, dit-il, puisque vous l'aimez,
envoyez-lui quelqu'un et faites-lui porter votre
    message.
Envoyez-lui une ceinture, un ruban ou un anneau,
oui, envoyez-lui cela, il en sera heureux.
S'il le reçoit de bonne grâce
et se réjouit du message,
vous pouvez être sûre qu'il vous aime !
Il n'est sur cette terre d'empereur
qui, si vous voulez l'aimer,
n'en doive être très heureux. »
Après avoir écouté son conseil,
la jeune dame répondit :
« Comment saurai-je par mon présent
s'il est enclin à m'aimer ?
Je n'ai jamais vu de chevalier
se faire prier,
pour retenir volontiers
le présent qu'on lui envoie,
qu'il soit amoureux ou non.
Je détesterais qu'il se moque de moi.
Mais il est vrai qu'au seul visage,
on peut connaître les sentiments de quelqu'un.
Préparez-vous et allez-y !
— Je suis tout prêt.
— Vous lui apporterez un anneau d'or,
vous lui donnerez ma ceinture
et vous le saluerez mille fois de ma part. »
Le chambellan partit.
Elle reste dans un tel état
que, pour un peu, elle le rappellerait,
et pourtant elle le laisse aller.
Elle commence à se lamenter :

«*Lasse, cum est mis quors suspris*
Pur un humme de autre païs!
Ne sai s'il est de haute gent,
390 *Si s'en irat hastivement;*
Jeo remeindrai cume dolente.
Folement ai mise m'entente.
Unques mes ne parlai fors ier,
E or le faz de amer preier.
395 *Jeo quid kë il me blamera;*
S'il est curteis, gre me savra;
Ore est del tut en aventure.
E si il n'ad de m'amur cure,
Mut me tendrai [a] maubaillie;
400 *Jamés n'avrai joie en ma vie.*»
   Tant cum ele se dementa,
Li chamberlenc mut se hasta.
A Eliduc esteit venuz,
A cunseil li ad dit saluz
405 *Que la pucele li mandot,*
E l'anelet li presentot,
La ceinture li ad donee;
Li chevalier l'ad mercïee.
L'anelet d'or mist en sun dei,
410 *La ceinture ceint entur sei;*
Ne li vadlet plus ne li dist,
Në il nïent ne li requist
Fors tant que de[l] suen li offri.
Cil n'en prist rien, si est parti;   175d
415 *A sa dameisele reva,*
Dedenz sa chambre la trova;
De part celui la salua
E del present la mercia.

«Comme je suis malheureuse ! Voici mon cœur
  troublé
par un étranger !
Je ne sais s'il est de haute naissance,
il s'en ira bientôt
et moi je resterai à me désoler.
C'est une folie d'avoir dirigé mes pensées vers
  lui.
Jamais jusque-là je ne lui ai parlé, sauf hier,
et maintenant je le prie de m'aimer.
Je crois qu'il va me blâmer.
S'il est courtois, il m'en saura gré.
Maintenant, le sort en est jeté.
S'il n'a cure de mon amour,
je serai la plus malheureuse des femmes.
Je ne serai plus jamais heureuse de ma vie !»
    Pendant qu'elle se lamentait,
le chambellan se dépêcha.
Il arriva chez Éliduc.
En secret, il le salua
de la part de la jeune fille,
et lui offrit l'anneau
ainsi que la ceinture.
Le chevalier le remercia.
Il mit l'anneau d'or à son doigt
et la ceinture autour de sa taille.
Le jeune messager ne lui en dit pas plus
et Éliduc ne lui posa pas de questions ;
il lui offrit toutefois une récompense.
L'autre la refusa et partit.
Il s'en retourna chez sa maîtresse
et la trouva dans sa chambre.
De la part d'Éliduc, il la salua
et la remercia du présent.

«*Diva! fet el, nel me celer!*
420   *Veut il mei par amurs amer?*»
Il li respunt: «Ceo m'est avis:
Li chevalier n'est pas jolis;
Jeol tienc a curteis e a sage,
Que bien seit celer sun curage.
425   *De vostre part le saluai*
E voz aveirs li presentai.
De vostre ceinture se ceint,
Par mi les flancs bien s'en estreint,
E l'anelet mist en sun dei.
430   *Ne li dis plus në il a mei.*
— Nel receut il pur drüerie?
Peot cel estre, jeo sui traïe.»
Cil li ad dit: «Par fei, ne sai.
Ore oëz ceo ke jeo dirai:
435   *S'il ne vus vosist mut grant bien,*
Il ne vosist del vostre rien.
— Tu paroles, fet ele, en gas!
Jeo sai bien qu'il ne me heit pas.
Unc ne li forfis de nïent,
440   *Fors tant que jeo l'aim durement;*
E si pur tant me veut haïr,
Dunc est il digne de murir.
Jamés par tei ne par autrui,
De si que jeo paroge a lui,
445   *Ne li vodrai rien demander;*
Jeo meïsmes li voil mustrer
Cum l'amur de lui me destreint.
Mes jeo ne sai si il remeint.»
Li chamberlenc ad respundu: 176a
450   «*Dame, li reis l'ad retenu*
Desque a un an par serement

«Vite, dit-elle, ne me cache rien!
Veut-il bien m'aimer d'amour?»
Il lui répondit: «À mon avis,
le chevalier n'est pas un joli cœur;
je le tiens pour courtois et avisé
car il sait bien cacher ses sentiments.
Je l'ai salué de votre part
et je lui ai offert vos présents.
Il a mis votre ceinture
et l'a bien serrée autour de sa taille,
il a mis l'anneau à son doigt.
Je n'ai rien dit de plus
et lui non plus.
— Ne l'a-t-il pas reçu comme un gage d'amour?
Sinon, mon espérance est trahie!»
L'autre lui répondit: «Par ma foi, je ne sais pas!
Écoutez pourtant ce que je vais vous dire.
S'il ne vous voulait pas beaucoup de bien,
il n'aurait rien accepté de vos présents.
— Tu veux plaisanter, dit-elle.
Je sais bien qu'il ne me hait pas.
Jamais je ne lui ai nui en quoi que ce soit,
sauf que j'aime passionnément.
Et si, néanmoins, il veut me haïr,
c'est qu'il mérite la mort.
Jamais ni par toi ni par quiconque
je ne lui demanderai quoi que ce soit
tant que je ne lui aurai pas parlé.
Je veux moi-même lui montrer
comment l'amour que j'ai pour lui me tourmente.
Mais je ne sais pas s'il restera ici.»
Le chambellan lui répondit:
«Madame, le roi l'a pris à son service
pour un an en lui faisant promettre par serment

Qu'il li servirat lëaument.
Asez purrez aver leisir
De mustrer lui vostre pleisir.»
455 *Quant ele oï qu'il remaneit,*
Mut durement s'en esjoeit;
Mut esteit lee del sujur.
Ne saveit nent de la dolur
U il esteit, puis que il la vit:
460 *Unques n'ot joie ne delit,*
Fors tant cum il pensa de li.
Mut se teneit a maubailli;
Kar a sa femme aveit premis,
Ainz qu'il turnast de sun païs,
465 *Quë il n'amereit si li nun,*
Ore est sis quors en grant prisun.
Sa lëauté voleit garder;
Mes ne s'en peot nïent oster
Quë il nen eimt la dameisele,
470 *Guilliadun, que tant fu bele,*
De li veer e de parler
Et de baiser e de acoler;
Mes ja ne li querra amur
Ke li [a]turt a deshonur,
475 *Tant pur sa femme garder fei,*
Tant pur ceo qu'il est od le rei.
En grant peine fu Elidus.
Il est munté, ne targe plus;
Ses compainuns apele [a] sei.
480 *Al chastel vet parler al rei;*
La pucele verra s'il peot:
Ciest líacheisun pur quei s'esmeot.
Li reis est del manger levez,
As chambres sa fille est entrez.

qu'il le servira loyalement.
Vous aurez donc tout loisir
de lui révéler vos sentiments.»
Quand elle entendit qu'il restait,
elle s'en réjouit fort.
Elle était très contente du délai;
Elle ne savait rien de la douleur où il était
depuis qu'il l'avait vue.
Il n'avait plus ni joie ni plaisir
sinon quand il pensait à elle.
Il était bien malheureux
car, avant de quitter le pays,
il avait promis à sa femme
qu'il n'aimerait qu'elle.
À présent, son cœur est totalement captif.
Il voulait rester loyal
mais il ne pouvait s'empêcher
d'aimer la demoiselle Guilladon,
qui était si belle,
de désirer la voir et lui parler,
lui donner des baisers et de l'étreindre.
Jamais il ne lui demandera un amour
qui lui fera encourir le déshonneur,
tant pour la fidélité qu'il doit à sa dame
que parce qu'il est au service du roi.
Éliduc était en grande détresse.
Il monta à cheval sans tarder;
il appelle à lui ses compagnons
et leur dit qu'il va au château pour parler au roi.
S'il le peut, il verra la jeune fille;
en fait, c'est la raison pour laquelle il se met en
    route.
Le roi se leva de table
et entra dans les appartements de sa fille.

485 *As eschés cumence a jüer*
A un chevaler de utre mer;
De l'autre part de l'escheker
Deveit sa fillë enseigner.
Elidus est alez avant;
490 *Le reis li fist mut bel semblant,*
Dejuste lui seer le fist.
Sa fille apele, si li dist:
«Dameisele, a cest chevaler
Vus devrïez ben aquinter
495 *E fere lui mut grant honur;*
Entre cinc cenz nen ad meillur.»
Quant la meschine ot escuté
Ceo que sis sire ot cumandé,
Mut en fu lee la pucele.
500 *Drescie s'est, celui apele.*
Luinz des autres se sunt asis;
Amdui erent de amur espris.
El ne l'osot areisuner,
E il dutë a li parler,
505 *Fors tant kë il la mercia*
Del present que el li enveia:
Unques mes n'ot aveir si chier.
Ele respunt al chevalier
Que de ceo li esteit mut bel,
510 *E pur ceo l'enveat l'anel*
E la ceinturë autresi,
Que de sun cors l'aveit seisi;
Ele l'amat de tel amur,
De lui volt faire sun seignur;
515 *E s'ele ne peot lui aveir,*
Une chose sace de veir:
Jamés n'avra humme vivant.
Or li redie sun talant!

Il se mit à jouer aux échecs[1]
contre un chevalier d'outre-mer,
qui, de l'autre côté de l'échiquier,
devait enseigner le jeu à sa fille.
Éliduc s'avança;
le roi lui fit très bon accueil
et le fit asseoir à côté de lui.
Puis il s'adresse à sa fille:
«Damoiselle, vous devriez
lier connaissance avec ce chevalier
et le traiter avec honneur.
Sur cinq cents, il n'y en a pas de meilleur.»
Quand la jeune fille eut entendu
ce que son père lui avait commandé,
elle en fut fort heureuse.
Elle se leva, appela Éliduc
et ils s'assirent à l'écart de tout le monde.
Tous deux étaient tombés amoureux.
Elle n'osait pas lui adresser la parole
et il craignait lui aussi de lui parler,
excepté pour la remercier
du cadeau qu'elle lui avait envoyé.
Jamais il n'y eut de don qui lui fût si précieux.
Elle répondit au chevalier
qu'elle en était heureuse.
Elle lui avait envoyé l'anneau
et la ceinture
parce qu'elle lui faisait don de sa personne.
Elle l'aimait d'un tel amour
qu'elle voulait faire de lui son époux
et si elle ne peut l'avoir pour elle
alors qu'il soit certain d'une chose:
il n'y aura pas d'autre homme dans sa vie.
Qu'il lui dise à son tour ses pensées!

«*Dame, fet il, grant gré vus sai*   176c
520   *De vostre amur, grant joie en ai;*
[E] quant vus tant me avez preisié,
Durement en dei estre lié;
Ne remeindrat pas endreit mei.
Un an sui remis od le rei;
525   *La fiancë ad de mei prise,*
N'en partirai en nule guise
De si que sa guere ait finee.
Puis m'en irai en ma cuntree;
Kar ne voil mie remaneir,
530   *Si cungé puis de vus aveir.»*
La pucele li respundi:
«*Amis, la vostre grant merci!*
Tant estes sages e curteis,
Bien avrez purveü ainceis
535   *Quei vus vodriez fere de mei.*
Sur tute rien vus aim e crei.»
Bien s'esteent aseüré;
A cele feiz n'unt plus parlé.
A sun ostel Eliduc vet;
540   *Mut est joius, mut ad bien fet:*
Sovent peot parler od s'amie,
Grant est entre eus la drüerie.
Tant s'est de la guerre entremis
Qu'il aveit retenu e pris
545   *Celui ki le rei guerreia,*
E tute la tere aquita.
Mut fu preisez par sa prüesce,
Par sun sen e par sa largesce;
Mut li esteit bien avenu.
550   *Dedenz le terme ke ceo fu,*
Ses sires l'ot enveé quere
Treis messages fors de la tere:

«Dame, dit-il, je vous sais gré au plus haut point
de votre amour; j'en ai une grande joie.
Puisque vous m'avez en telle estime,
je dois en être très heureux.
Quant à moi, je vais faire tout ce que je peux.
Je reste un an avec le roi,
je lui en ai fait la promesse;
je ne le quitterai en aucune manière
tant qu'il n'aura pas terminé sa guerre
puis je retournerai dans mon pays.
Car je ne veux pas rester,
si je peux obtenir mon congé de vous.»
La jeune fille lui répondit:
«Ami, grand merci à vous!
Vous êtes si avisé et si courtois
que vous aurez bien décidé auparavant
ce que vous voudrez faire de moi.
Je vous aime plus que tout et me fie en vous.»
Ils s'étaient engagés l'un vers l'autre.
Pour cette fois, ils ne se disent plus rien.
Éliduc retourna chez lui.
Il était heureux et avait très bien fait.
Il pouvait parler souvent à son amie.
L'amour est grand entre eux.
Éliduc avait si bien mené la guerre
qu'il finit par capturer
celui qui combattait le roi
et par libérer toute sa terre.
On l'estima beaucoup pour son courage,
pour son intelligence et sa générosité.
Tout lui avait bien réussi.

Durant son année de service,
son premier seigneur avait envoyé hors du pays
trois messagers pour aller le chercher:

Mut ert grevez e damagiez
E encumbrez e empeiriez;   176d
555 *Tuz ses chasteus alot perdant*
E tute sa tere guastant.
Mut s'esteit sovent repentiz
Quë il de lui esteit partiz;
Mal cunseil en aveit eü
560 *E malement l'aveit veü.*
Les traïturs ki l'encuserent
E empeirerent e medlerent
Aveit jeté fors del païs
E en eissil a tuz jurs mis.
565 *Par sun grant busuin le mandot*
E sumuneit e conjorot
Par l'aliance qu'il li fist,
Quant il l'umage de lui prist,
Que s'en venist pur lui aider;
570 *Kar mut en aveit grant mester.*
   Eliduc oï la novele.
Mut li pesa pur la pucele;
Kar anguissusement l'amot
E ele lui ke plus ne pot.
575 *Mes n'ot entre eus nule folie,*
Joliveté ne vileinie:
De douneer e de parler
E de lur beaus aveirs doner
Esteit tute la drüerie
580 *Par amur en lur cumpainie.*
Ceo fu s'entente e sun espeir:
El le quidot del tut aveir

il avait subi de grands torts et dommages;
il était aux prises avec de grandes difficultés et
   dans une situation critique;
il était en train de perdre toutes ses places fortes
et voyait ruiner toute sa terre.
Il s'était bien souvent repenti
de s'être séparé d'Éliduc.
Il avait reçu de mauvais conseils à ce propos
et c'est pour son malheur qu'il les avait suivis.
Les traîtres qui avaient accusé Éliduc,
qui lui avaient causé du tort et qui l'avaient
   calomnié,
il les avait bannis du pays
et envoyés en exil pour toujours.
Dans sa grande détresse, il faisait donc appel à
   Éliduc,
il l'exhortait et le conjurait,
au nom de la promesse qu'Éliduc lui fit
le jour de son hommage,
de venir à son aide
car il en avait grand besoin.
   Éliduc écouta la nouvelle
et se désola fort à cause de la jeune fille
car il l'aimait passionnément
et elle l'aimait le plus qu'il était possible.
Mais il n'y avait entre eux ni folie,
ni dévergondage, ni vilenie.
Se courtiser, se parler,
échanger de beaux présents,
tels étaient tous les gages
de l'amour mutuel qu'ils se vouaient.
Elle n'avait qu'une seule attente et qu'un seul
   espoir:
elle pensait l'avoir tout à elle

E retenir, s'ele peüst;
Ne saveit pas que femme eüst.
585 *«Allas! fet il, mal ai erré!*
Trop ai en cest païs esté!
Mar vi unkes ceste cuntree!
Une meschine i ai amee,
Guilliadun, la fille al rei, 177a
590 *Mut durement e ele mei*
Quant si de li m'estuet partir,
Un de nus [deus] estuet murir
U ambedeus, estre ceo peot.
E nepurquant aler m'esteot;
595 *Mis sires m'ad par bref mandé*
E par serement conjuré;
E ma femme d[e l]'autre part
Or me covient que jeo me gart!
Jeo ne puis mie remaneir,
600 *Ainz m'en irai par estuveir.*
S'a m'amie esteie espusez,
Nel suff[e]reit crestïentez.
De tutes parz va malement;
Deu, tant est dur le partement!
605 *Mes kis k'il turt a meprisun,*
Vers li ferai tuz jurs raisun;
Tute sa volenté ferai
E par sun cunseil errerai.
Li reis, sis sire ad bone peis,
610 *Ne qui que nul le guerreit meis.*
Pur le busuuin de mun seignur
Querrai cungé devant le jur
Que mes termes esteit asis
Kë od lui sereie al païs.

et le retenir, si elle le pouvait.
Elle ne savait pas qu'il était marié.
« Hélas, se dit-il, j'ai mal agi !
Je suis trop resté dans ce pays !
C'est pour mon malheur que je suis venu ici !
J'y ai aimé une jeune fille,
Guilladon, la fille du roi,
passionnément, et elle m'a aimé.
Quand il me faudra partir,
l'un de nous deux en mourra
ou tous les deux peut-être [1] !
Pourtant, il faut que je parte.
Mon seigneur m'a convoqué par lettre
et me conjure de venir au nom du serment que
    j'ai prêté.
D'un autre côté, il convient
que je me soucie de ma femme.
Je ne peux plus rester ;
c'est pourquoi je m'en irai par nécessité.
Si j'épousais mon amie,
cela serait contraire à la religion chrétienne.
De tous côtés, cela va mal !
Dieu, que la séparation est dure !
Mais quelque reproche que l'on me fasse,
je ferai toujours droit au souhait de mon amie.
Je respecterai son désir
et je suivrai son avis.
Le roi son père jouit d'une paix solide
et je ne pense pas que quelqu'un veuille lui faire
    la guerre.
Pour le service de mon seigneur,
je demanderai mon congé avant le jour
qui marquait le terme
de mon séjour dans le pays.

615 *A la pucele irai parler*
    E tut mun afere mustrer;
    Ele me dirat sun voler,
    E jol ferai a mun poër.»
    Li chevaler n'ad plus targié,
620 *Al rei veit prendre le cungié.*
    L'aventure li cunte e dit,
    Le brief li ad mustré e lit
    Que sis sires li enveia,
    Que par destresce le manda.   177b
625 *Li reis oï le mandement*
    E qu'il ne remeindra nïent;
    Mut est dolent e trespensez.
    Del suen li ad offert asez,
    La terce part de s'herité
630 *E sun tresur abaundoné;*
    Pur remaneir tant li fera
    Dunt a tuz jurs le loëra.
    «Par Deu, fet il, a ceste feiz,
    Puis que mis sires est detreiz
635 *E il m'ad mandé de si loin,*
    Jo m'en irai pur sun busoin;
    Ne remeindrai en nule guise.
    S'avez mester de mun servise,
    A vus revendrai volenters
640 *Od grant esforz de chevalers.»*
    De ceo l'a li reis mercïé
    E bonement cungé doné.
    Tuz les aveirs de sa meisun
    Li met li reis en abaundun,
645 *Or e argent, chiens e chevaus*
    [E] dras de seie bons e beaus.
    Il en prist mesurablement;
    Puis li ad dit avenantment

J'irai parler à la jeune fille,
je lui exposerai la situation ;
elle me dira ce qu'elle souhaite
et je lui obéirai de mon mieux. »
    Le chevalier n'a plus tardé ;
il va trouver le roi pour prendre congé.
Il lui raconte toute l'affaire ;
il lui lit et lui montre la lettre
que lui a envoyée son seigneur
qui l'appelle dans sa détresse.
Le roi entendit le message
et comprit qu'Éliduc ne resterait pas.
Il en est très triste et affligé.
Il lui a offert beaucoup de ses biens,
le tiers de son héritage,
et a mis son trésor à sa disposition.
Si Éliduc reste, il fera tant pour lui
que chaque jour Éliduc le louera.
« Par Dieu, dit-il, pour cette fois,
puisque mon seigneur est en détresse
et qu'il m'appelle de si loin,
je m'en irai lui porter secours.
Je ne peux absolument pas rester.
Si vous avez besoin de mes services,
je reviendrai volontiers auprès de vous
avec un grand renfort de chevaliers. »
Le roi l'a remercié
et lui a aimablement donné congé.
Toutes les richesses de son palais,
il les met à la disposition d'Éliduc :
or, argent, chiens, chevaux,
bons et beaux vêtements de soie.
Éliduc se sert modérément
et dit au roi d'un ton affable

Que a sa fille parler ireit
650 Mut volenters, si lui pleseit.
Li reis respunt : « Ceo m'est mut bel. »
Avant enveit un dameisel
Que l'us de la chambrë ovri.
Elidus vet parler od li.
655 Quant el le vit, si l'apela
E sis mil feiz le salua.
De sun afere cunseil prent,
Sun eire li mustre briefment.
Ainz qu'il li eüst tut mustré   177c
660 Ne cungé pris ne demandé,
Se pauma ele de dolur
E perdi tute sa culur.
Quant Eliduc la veit paumer,
Si se cumence a desmenter ;
665 La buche li baise sovent
E si plure mut tendrement ;
Entres ses braz la prist e tient,
Tant que de paumeisuns revient.
« Par Deu, fet il, ma duce amie,
670 Sufrez un poi ke jo vus die :
Vus estes ma vie e ma mort,
En vus est [tres]tut mun confort !
Pur ceo preng jeo cunseil de vus
Que fiancë ad entre nus.
675 Pur busuin vois en mun païs ;
A vostre pere ai cungé pris.
Mes jeo ferai vostre pleisir,
Que ke me deivë avenir.
— Od vus, fet ele, me amenez,
680 Puis que remaneir ne volez !
U si ceo nun, jeo me ocirai ;

qu'il irait bien volontiers
parler à sa fille, s'il le lui permettait.
Le roi répondit : « Cela m'agrée tout à fait. »
Il fait précéder Éliduc par un page
qui va ouvrir les portes de l'appartement.
Éliduc va parler à la jeune fille.
Quand elle le voit, elle s'adresse à lui
en le saluant mille fois.
Il lui demande conseil sur son affaire
et lui explique brièvement les raisons de son départ.
Avant qu'il lui eût tout expliqué
et qu'il eût demandé et pris son congé,
elle s'évanouit de douleur
et perdit toutes ses couleurs.
Quand Éliduc la vit perdre connaissance,
il se mit à se désoler.
Il lui baisa plusieurs fois la bouche
et pleura très tendrement.
Il la prit et la retint dans ses bras
jusqu'à ce qu'elle revînt à elle.
« Par Dieu, fait-il, ma douce amie,
permettez un peu que je vous dise !
Vous êtes ma vie et ma mort,
en vous je puise tout mon réconfort.
Je vous demande conseil
parce que nous avons prêté serment entre nous.
C'est par nécessité que je retourne dans mon
    pays.
J'ai pris congé de votre père
mais je ferai ce que vous voudrez,
quoi qu'il doive m'arriver !
— Emmenez-moi avec vous, dit-elle,
puisque vous ne voulez pas rester,
sinon je me tuerai ! »

Jamés joie ne bien ne avrai.»
Eliduc respunt par duçur
Que mut l'amot de bon amur:
685 *«Bele, jeo sui par serement*
A vostre pere veirement —
Si jeo vus en menoe od mei,
Jeo li mentireie ma fei —
De si k'al terme ki fu mis.
690 *Lëaument vus jur e plevis:*
Si cungé me volez doner
E respit mettre e jur nomer,
Si vus volez que jeo revienge,
N'est rien al mund que me retienge, 177d
695 *Pur ceo que seie vis e seins;*
Ma vie est tute entre voz meins.»
Celë ot de lui grant amur;
Terme li dune e nume jur
De venir e pur li mener.
700 *Grant doel firent al desevrer,*
Lurs anels d'or s'entrechangerent
E ducement s'entrebaiserent.
   Il est desque a la mer alez;
Bon ot le vent, tost est passez.
705 *Quant Eliduc est repeirez,*
Sis sires est joius e liez
E si ami e si parent
E li autre communement,
E sa bone femme sur tuz,
710 *Que mut est bele, sage e pruz.*
Mes il esteit tuz jurs pensis
Pur l'amur dunt il ert suspris:
Unques pur rien quë il veist
Joie ne bel semblant ne fist;
715 *Ne jamés joie nen avra*

Je ne connaîtrai jamais plus la joie ni le bonheur ! »
Éliduc lui répond avec tendresse
car il l'aimait d'un amour sincère :
« Belle amie, je suis lié par serment
à votre père, assurément,
jusqu'au terme du délai fixé.
Si je vous emmenais avec moi,
je serais parjure.
En toute loyauté, je vous jure et vous garantis
que si vous voulez me donner mon congé,
m'accorder un répit et me fixer un rendez-vous,
si vous voulez que je revienne,
rien au monde ne pourra m'empêcher de revenir
pourvu que je sois en vie et en bonne santé !
Ma vie est toute entre vos mains. »
Elle l'entend parler de son grand amour,
elle lui accorde un délai et lui fixe un jour
pour qu'il vienne et l'emmène.
Ils souffrirent beaucoup au moment de se séparer.
Ils échangèrent leurs anneaux d'or
et s'embrassèrent tendrement.
    Éliduc se rendit jusqu'à la mer ;
il eut bon vent, sa traversée fut rapide.
Quand il fut de retour chez lui,
son seigneur fut très heureux
ainsi que tous ses amis et ses parents,
et tous les gens du pays,
mais, par-dessus tout, sa bonne épouse
qui était belle, avisée et vertueuse.
Toutefois, il était toujours pensif
à cause de l'amour dont il était possédé.
Jamais, quoi qu'il pût voir,
il ne montra joie ni plaisir.
Jamais il n'éprouvera de joie

De si que s'amie verra.
Mut se cuntient sutivement.
Sa femme en ot le queor dolent,
Ne sot mie quei ceo deveit;
720 *A sei meïsmes se pleigneit.*
Ele lui demandot suvent
S'il ot oï de nule gent
Que ele eüst mesfet u mespris,
Tant cum il fu hors del païs;
725 *Volenters s'en esdrescera*
Devant sa gent, quant li plarra.
« Dame, fet il, nent ne vus ret
De meprisun ne de mesfet.
Mes al païs u j'ai esté 178a
730 *Ai al rei plevi e juré*
Que jeo dei a lui repeirer;
Kar de mei ad [il] grant mester.
Si li reis mis sire aveit peis,
Ne remeindreie oit jurs aprés.
735 *Grant travail m'estuvra suffrir,*
Ainz que jeo puisse revenir.
Ja, de si que revenu seie,
N'avrai joie de rien que veie;
Kar ne voil ma fei trespasser. »
740 *Atant le lest la dame ester.*
Eliduc od sun seignur fu;
Mut li ad aidé e valu:
Par le cunseil de lui errot
E tute la tere gardot.
745 *Mes quant li termes apreça*
Que la pucele li numa,
De pais fere s'est entremis;
Tuz acorda ses enemis.

tant qu'il n'aura pas revu son amie.
Il garde une attitude dissimulée
et sa femme en est bien désolée;
elle ne savait pas ce qui se passait.
Elle se lamentait en elle-même.
Elle lui demandait souvent
s'il avait entendu des gens dire
qu'elle eût mal agi ou commis quelque faute
durant son absence.
Elle s'en justifiera volontiers
devant ses gens quand il lui plaira.
«Madame, dit-il, je ne vous accuse
d'aucune faute ni d'aucun tort.
Mais, dans le pays où je suis allé,
il y a un roi auquel j'ai promis
de revenir
car il a grand besoin de moi.
Si le roi mon seigneur obtenait la paix,
je ne resterais pas huit jours de plus.
Il me faudra souffrir une grande peine
avant de pouvoir repartir.
Aussi, jusqu'à mon départ,
rien de ce que je pourrai voir ne pourra me cau-
    ser de la joie
car je ne veux pas manquer à ma promesse.»
Alors la dame le laisse tranquille.
Éliduc resta avec son seigneur;
il l'aida bien et lui fut très utile.
C'est sur les conseils d'Éliduc que le roi agissait
et protégeait toute sa terre.
Mais quand approcha le terme
que lui avait fixé la jeune fille,
Éliduc s'efforça de conclure la paix.
Il passa un accord avec tous ses ennemis.

Puis s'est appareillé de errer
750 *E queil gent il vodra mener.*
Deus ses nevuz qu'il mut ama
E un suen chamberlenc mena —
Cil ot de lur cunseil esté
E le message aveit porté —
755 *E ses esquïers sulement;*
Il nen ot cure d'autre gent.
A ceus fist plevir e jurer
De tut sun afaire celer.
    En mer se mist, plus n'i atent;
760 *Utre furent hastivement.*
En la cuntree est arivez,
U il esteit plus desirez.
Eliduc fu mut veizïez:
Luin des hafnes s'est herbergez;   178b
765 *Ne voleit mie estre veüz*
Ne trovez ne recuneüz.
Sun chamberlenc appareilla
E a s'amie l'enveia,
Si li manda que venuz fu,
770 *Bien ad sun cuvenant tenu;*
La nuit, quant tut fu avespré,
El s'en istra de la cité;
Li chamberlenc od li ira,
E il encuntre li sera.
775 *Cil aveit tuz changié ses dras;*
A pié s'en vet trestut le pas,
A la cité ala tut dreit,
U la fille le rei esteit.
Tant aveit purchacié e quis
780 *Que dedenz la chambre s'est mis.*
A la pucele dist saluz

Puis il se préoccupa de son départ
et des hommes qu'il emmènerait avec lui.
Il emmena seulement avec lui deux de ses neveux
　　qu'il aimait beaucoup,
un de ses chambellans
(ce dernier qui partageait son secret
avait déjà été son messager)
et ses écuyers.
Il ne voulut personne d'autre.
À ceux-là il fit promettre et jurer
le secret sur toute son affaire.
　　Il prit la mer sans plus tarder
et sa traversée fut rapide.
Éliduc arriva dans le pays
où il était le plus désiré.
Comme il était très avisé,
il se logea loin des ports.
Il ne voulait être ni vu,
ni trouvé ni reconnu.
Il fit équiper son chambellan
et l'envoya auprès de son amie.
Il lui fit savoir qu'il était revenu
et qu'il avait bien respecté sa promesse.
Le soir, quand il fera tout à fait nuit,
qu'elle sorte de la ville.
Le chambellan l'accompagnera
et lui-même viendra à leur rencontre.
Le chambellan avait changé de vêtements
et partit tranquillement à pied.
Il alla directement dans la ville
où demeurait la fille du roi.
Il s'est tant ingénié et a tant intrigué
qu'il a pu pénétrer dans ses appartements.
Il salua la jeune fille

E que sis amis venuz.
Quant ele ad la novele oïe,
Tute murnë e esbaïe,
785 *De joie plure tendrement*
E celui ad baisé suvent.
Il li ad dit que a l' [a]vesprer
L'en estuvrat od lui aler.
Tut le jur unt issi esté
790 *E lur eire bien devisé.*
La nuit, quant tut fu aseri,
De la vile s'en sunt parti
Li dameisel e ele od lui,
E ne furent mais [que] il dui.
795 *Grant poür ad ke hum ne la veie,*
Vestue fu de un drap de seie,
Menuement a or brosdé,
E un curt mantel afublé.
    Luinz de la porte al trait de un arc   178c
800 *La ot un bois clos de un bel parc;*
Suz le paliz les atendeit
Sis amis, ki pur li veneit.
Li chamberlenc la l'amena,
E il descent, si la baisa.
805 *Grant joie funt a l'assembler.*
Sur un cheval la fist munter,
E il munta, sa reisne prent;
Od li s'en vet hastivement.
Al hafne vient a Toteneis;
810 *En la nef entrent demaneis:*
N'i ot humme si les suens nun
E s'amie Guilliadun.
Bon vent eurent e bon oré
E tut le tens aseüré.

et lui annonça l'arrivée de son ami.
Elle était toute morne et abattue,
mais quand elle entendit la nouvelle,
elle se mit à verser de tendres larmes de joie
et embrassa plusieurs fois le messager.
Il lui dit qu'à la nuit tombée
elle devra le suivre.
Ils restèrent ainsi toute la journée,
à organiser leur voyage.
Quand la nuit fut tombée,
il sortit de la ville
avec la jeune fille ;
ils étaient tous les deux seuls.
Elle avait grand-peur d'être aperçue.
Elle était vêtue d'un habit de soie,
aux fines broderies d'or
sur lequel était agrafé un court manteau[1].
    À une portée d'arc de la ville,
se trouvait un bois bien clos.
Au pied de la palissade l'attendait
son ami qui était venu la chercher.
Le chambellan la mena à cet endroit.
Éliduc descendit de cheval et l'embrassa.
Ils manifestèrent une grande joie en se retrouvant.
Il la fit enfourcher sa monture,
monta lui aussi et prit les rênes.
Il partit vite avec elle.
Ils arrivèrent au port de Totness
où ils embarquèrent aussitôt.
Il n'y avait personne d'autre sur ce bateau que
    ses hommes
et son amie Guilladon.
Ils eurent bon vent, bonne brise
et un temps serein.

815 *Mes quant il durent ariver,*
Une turmente eurent en mer,
E un vent devant eus leva
Que luin del hafne les geta;
Lur verge brusa e fendi
820 *E tut lur sigle desrumpi.*
Deu recleiment devotement,
Seint Nicholas e Seint Clement
E ma dame Seinte Marie
Que vers sun fiz lur querge aïe,
825 *Ke il les garisse de perir*
E al hafne puissent venir.
Un' hure ariere, un' autre avant,
Issi alouent costeant;
Mut esteient pres de turment.
830 *Un des escipres hautement*
S'est escrïez: «Quei faimes nus?
Sire, ça einz avez od vus
Cele par ki nus perissums.
Jamés a tere ne vendrums!
835 *Femme leale espuse avez*
E sur celë autre en menez
Cuntre Deu e cuntre la lei,
Cuntre dreiture e cuntre fei.
Lessez la nus geter en mer,
840 *Si poüm sempres ariver.»*
Elidus oï quei cil dist,
Pur poi que d'ire ne mesprist.
«Fiz a putain, fet il, mauveis,
Fel traïtre, nel dire meis!
845 *Si m'amie leüst laissier,*
Jeol vus eüsse vendu cher.»
Mes entre ses braz la teneit
E cunfortout ceo qu'il poeit

178d

Mais quand ils furent sur le point d'aborder,
il y eut une tourmente en mer
et un vent contraire se leva
qui les repoussa loin du port.
Il fendit et brisa leur mât
et déchira leur voilure.
Ils invoquent Dieu avec ferveur,
saint Nicolas[1] et saint Clément[2]
et Notre Dame Sainte Marie
afin qu'elle implore pour eux l'aide de son fils
pour qu'il les protège de la mort
et leur permette d'arriver au port.
Ils allaient dérivant le long de la côte
tantôt en s'en approchant, tantôt en s'en éloignant.
Ils étaient sur le point de faire naufrage.
Alors un des matelots se mit à crier
d'une voix forte : «Que faisons-nous ?
Seigneur, vous avez ici avec vous
celle qui cause notre perte.
Nous n'atteindrons jamais terre !
Vous avez pour épouse une femme loyale
et vous en emmenez une autre avec vous
au mépris de Dieu et de la religion,
du droit et de la parole donnée.
Laissez-nous la jeter à la mer[3]
et ainsi nous pourrons bientôt aborder !»
Éliduc entendit ces propos ;
peu s'en faut qu'il ne s'enflamme de colère.
«Fils de putain, dit-il, méchant,
sale traître, tais-toi !
Si je devais abandonner mon amie,
je vous le ferais payer cher !»
Il la tenait entre ses bras
et il la réconfortait comme il pouvait

Del mal quë ele aveit en mer
350   *E de ceo que ele oï numer*
       Que femme espuse ot sis amis
       Autre ke li en sun païs.
       Desur sun vis cheï paumee,
       Tute pale, desculuree.
355   *En la paumeisun demurra,*
       Que el ne revient ne suspira.
       Cil ki ensemble od lui l'en porte
       Quidot pur veir ke ele fust morte.
       Mut fet grant doel; sus est levez,
360   *Vers l'esciprë est tost alez,*
       De l'avirun si l'ad feru
       K'il l'abati tut estendu.
       Par le pié l'en ad jeté fors;
       Les undes en portent le cors.
365   *Puis qu'il l'ot lancié en la mer,*
       A l'estiere vait governer.
       Tant guverna la neif e tint,
       Le hafne prist, a tere vint.
       Quand il furent bien arivé,
370   *Le pont mist jus, ancre ad geté.*
       Encor jut ele en paumeisun
       Ne n'ot semblant si de mort nun.
       Eliduc feseit mut grant doel;
       Iloc fust mort od li, sun voil.
375   *A ses cumpainuns demanda*
       Queil cunseil chescun li dura
       U la pucele portera;
       Kar de li ne [se] partira,
       Si serat enfuïe e mise
380   *Od grant honur, od bel servise*
       En cimiterie beneeit:

179a

de son mal de mer
et du fait qu'elle avait entendu
que son ami avait pour épouse dans son pays
une autre femme qu'elle.
Elle tomba évanouie contre le visage d'Éliduc,
toute pâle, livide.
Elle resta évanouie,
sans revenir à elle ni soupirer.
Éliduc qui la tenait
croyait vraiment qu'elle était morte.
Il manifesta une très grande douleur; alors il se
    leva,
se précipita sur le matelot.
Il le frappa d'un coup d'aviron
et l'abattit tout raide.
En le prenant par un pied, il le jeta hors du bateau
et les vagues emportèrent le corps.
Après l'avoir jeté à la mer,
il s'empara du gouvernail.
Il tint et manœuvra si bien la barre du navire
qu'il gagna le port et y aborda.
Après avoir bien accosté,
il fit abaisser la passerelle et jeter l'ancre.
La jeune fille gisait toujours évanouie,
elle paraissait avoir le visage de la mort.
Éliduc manifestait une grande douleur.
Il serait mort là, avec elle, s'il avait pu.
Il demanda à chacun de ses compagnons
un conseil sur l'endroit
où il devait porter à présent la jeune fille
car il ne se séparera pas d'elle
tant qu'elle ne sera pas enterrée
avec de grands honneurs et de belles funérailles
dans la terre bénie d'un cimetière;

Fille ert a rei, s'en aveit dreit.
Cil en furent tut esgaré,
Ne li aveient rien loé.
885 *Elidus prist a purpenser*
Quel part il la purrat porter.
Sis recez fu pres de la mer,
Estre i peüst a sun digner.
Une forest aveit entur,
890 *Trente liwes ot de lungur.*
Un seinz hermites i maneit
E une chapele i aveit;
Quarante anz i aveit esté.
Meintefeiz ot od lui parlé;
895 *A lui, ceo dist, la portera,*
En sa chapele l'enfuira;
De sa tere tant i durra,
Une abeïe i fundera,
Si [i] mettra cuvent de moignes
900 *U de nuneins u de chanoignes,*
Que tuz jurs prïerunt pur li;
Deus li face bone merci!
Ses chevals ad fait amener,
Sis cumande tuz a munter.
905 *Mes la fiaunce prent d'iceus*   179b
Quë il n'iert descuvert pur eus.
Devant lui sur sun palefrei
S'amie porte ensemble od sei.
    Le dreit chemin ad tant erré
910 *Qu'il esteient al bois entré.*
A la chapele sont venu,
Apelé i unt e batu:
N'i troverent kis respundist
Ne ki la porte lur ovrist.

elle était fille de roi, elle y avait droit.
Les autres en demeurèrent tout interdits
et ne lui conseillèrent rien.
Éliduc se mit à réfléchir
à l'endroit où il pourrait la porter.
Sa demeure se trouvait près de la mer,
il aurait pu s'y trouver pour l'heure du repas.
Il y avait une forêt alentour
qui s'étendait sur trente lieues.
Un saint ermite[1] y habitait
et y avait sa chapelle.
Il vivait là depuis quarante ans.
Éliduc lui avait maintes fois parlé.
C'est à lui, se dit-il, qu'il portera la jeune fille.
Il l'enterrera dans sa chapelle ;
il lui donnera une partie de son domaine
pour y fonder une abbaye,
il y mettra un couvent de moines,
de nonnes ou de chanoines
qui prieront tous les jours pour elle.
Que Dieu lui fasse miséricorde !
Il fait amener ses chevaux
et donne l'ordre à tous ses hommes de monter en
    selle.
Mais il leur fait promettre
qu'ils ne dévoileront pas son secret.
Devant lui, sur son palefroi,
il emporte avec lui son amie.
    En suivant le chemin le plus direct,
ils finirent par pénétrer dans le bois.
Ils arrivèrent à la chapelle
où ils appelèrent et frappèrent.
Ils ne trouvèrent personne pour leur répondre
ni pour leur ouvrir la porte.

915   *Un des suens fist utre passer*
     La porte ovrir e desfermer.
     Oit jurs esteit devant finiz
     Li seinz hermites, li parfiz;
     La tumbe novele trova.
920   *Mut fu dolenz, mut s'esmaia.*
     Cil voleient la fosse faire —
     Mes il les fist ariere traire —
     U il deüst mettre s'amie.
     Il lur ad dit : « Ceo n'i ad mie;
925   *Ainz en avrai mun cunseil pris*
     A la sage gent del païs
     Cum purrai le liu eshaucier
     U de abbeïe u de mustier.
     Devant l'auter la cucherum
930   *E a Deu la cumanderum. »*
     Il a fet aporter ses dras,
     Un lit li funt ignelepas;
     La meschine desus cuchierent
     E cum pur morte la laissierent.
935   *Mes quant ceo vient al departir,*
     Dunc quida il de doel murir.
     Les oilz li baisë e la face.
     « Bele, fet il, ja Deu ne place
     Que jamés puisse armes porter   179c
940   *Ne al secle vivre ne durer!*
     Bele amie, mar me veïstes!
     Duce chere, mar me siwistes!
     Bele, ja fuissiez vus reïne,
     Ne fust l'amur leale e fine
945   *Dunt vus m'amastes lëaument.*
     Mut ai pur vus mun quor dolent.

Éliduc fait passer un de ses hommes par-dessus
   la clôture
pour qu'il puisse leur ouvrir la porte.
Cela faisait huit jours
que le saint, le parfait ermite était mort.
Éliduc trouve la tombe nouvellement creusée.
Il en fut très peiné et s'en affligea.
Ses hommes voulurent creuser une fosse
où il pourrait déposer son amie
mais il les fit reculer.
Il leur a dit : « Pas de cela !
Auparavant, je prendrai conseil
auprès des sages du pays pour savoir
comment je pourrai rehausser le prestige du lieu
en y construisant une abbaye ou une église.
Couchons-la devant l'autel[1]
et recommandons-la à Dieu ! »
Éliduc fait apporter les vêtements de la jeune fille
et aussitôt ils lui préparent un lit.
Ils y étendent la jeune fille
et la laissent pour morte.
Mais quand vint le moment du départ,
Éliduc crut mourir de douleur.
Il lui baisa les yeux et le visage.
« Ma belle, dit-il, à Dieu ne plaise
que plus jamais je ne puisse porter les armes
ni continuer à vivre en ce monde !
Belle amie, c'est pour votre malheur que vous
   m'avez vu !
Douce amie, c'est pour votre malheur que vous
   m'avez suivi !
Belle amie, vous seriez déjà reine
sans l'amour loyal et pur que vous m'avez porté.
J'ai pour vous le cœur bien triste.

Le jur que jeo vus enfuirai
Ordre de moigne recevrai;
Sur vostre tumbe chescun jur
950 *Ferai refreindre ma dolur.»*
Atant s'en part de la pucele,
Si ferme l'us de la chapele.
   A sun ostel ad enveé
Sun message, ki ad cunté
955 *A sa femme quë il veneit,*
Mes las e travaillé esteit.
Quant el l'oï, mut en fu lie,
Cuntre lui s'est apareillie;
Sun seignur receit bonement.
960 *Mes poi de joie l'en atent,*
Kar unques bel semblant ne fist
Ne bone parole ne dist.
Nul ne l'osa mettre a reisun.
Deus jurs esteit en la meisun;
965 *La messe oeit bien par matin,*
Puis se meteit suls al chemin.
Al bois alot, a la chapele
La u giseit la dameisele.
En la paumeisun la trovot:
970 *Ne reveneit ne suspirot.*
De ceo li semblot grant merveille
K'il la veeit blanche e vermeille;
Unkes la colur ne perdi
Fors un petit que ele enpali.   179d
975 *Mut anguissusement plurot*
E pur l'alme de li preiot.
Quant aveit fete sa prïere,
A sa meisun alot ariere.
   Un jur a l'eissir del muster

Le jour de votre enterrement,
j'entrerai dans les ordres.
Chaque jour sur votre tombe,
je viendrai adoucir ma peine. »
Alors, il quitte la jeune fille
et referme la porte de la chapelle.
  Il envoie chez lui son messager
pour annoncer à sa femme
qu'il arrivait
mais qu'il était las et tourmenté.
Quand elle apprit son arrivée, elle fut très heureuse ;
elle se prépara à recevoir Éliduc.
Elle accueillit aimablement son mari
mais elle n'en retira que peu de joie
car à aucun moment il ne lui montra un visage
  affable
ni ne lui adressa des mots tendres.
Nul n'osait lui parler.
Il resta deux jours à la maison.
Le matin, il écoutait la messe
puis il partait tout seul.
Il se rendait dans le bois, à la chapelle,
là où gisait la demoiselle.
Il la trouvait inanimée ;
elle ne revenait pas à elle, elle ne respirait pas.
Il était fort étonné de voir
son teint à la fois éclatant et vermeil.
Jamais elle ne perdit ses couleurs ;
elle avait seulement pâli un peu.
Éliduc pleurait douloureusement
et priait pour le salut de son âme.
Quand il avait terminé sa prière,
il retournait chez lui.
  Un jour, au sortir de la messe,

980 *Le aveit sa femme fet gaiter*
Un suen vadlet ; mut li premist :
De luinz alast e si veïst
Quel part sis sires turnereit ;
Chevals e armes li durreit.
985 *Cil a sun comandement fait.*
Al bois se met, aprés lui vait,
Si qu'il ne l'ad aparceü.
Bien ad esgardé e veü
Cument en la chapele entra ;
990 *Le dol oï qu'il demena.*
Ainz que Eliduc s'en seit eissuz,
Est a sa dame revenuz.
Tut li cunta quë il oï,
La dolur, la noise e le cri
995 *Cum fet sis sire en l'ermitage.*
Ele en mua tut sun curage.
La dame dit : « Sempres irums,
Tut l'ermitage cerchirums.
Mis sires deit, ceo quit, errer :
1000 *A la curt vet al rei parler.*
Li hermites fu mort pieça ;
Jeo sai asez quë il l'ama,
Mes ja pur lui ceo ne fereit,
Ne tel dolur ne demerreit. »
1005 *A cele feiz le lait issi.*
Cel jur memes aprés midi
Vait Eliduc parler al rei.
Ele prent le vadlet od sei ;
A l'ermitage l'ad mene[e].   180a
1010 *Quant en la chapele est entre[e]*

sa femme l'avait fait épier
par un de ses valets à qui elle promit une belle
    récompense.
Il devait le suivre de loin et voir
de quel côté son mari se dirigeait.
Elle lui donnerait des chevaux et des armes.
Le valet lui obéit en tous points.
Il entra dans la forêt et suivit Éliduc
de manière à ne pas être aperçu de lui.
Il regarda bien et vit
comment Éliduc entra dans la chapelle
et la douleur qu'il manifesta.
Éliduc n'était pas encore sorti
que le valet était revenu auprès de sa dame.
Il lui raconta tout ce qu'il avait entendu :
la douleur qu'il manifesta, les cris et les lamenta-
    tions
que son seigneur poussa dans l'ermitage.
La dame en eut le cœur tout remué.
Elle dit : « Bientôt nous irons,
et nous fouillerons tout l'ermitage.
Je crois que mon seigneur doit partir.
Il doit aller à la cour pour parler au roi.
L'ermite est mort il y a quelque temps.
Je sais qu'Éliduc l'aimait beaucoup
mais ce n'est pas pour lui qu'il se comporterait
    de la sorte
et qu'il manifesterait une telle douleur. »
Pour cette fois, elle en reste là.
    Le jour même, dans l'après-midi,
Éliduc alla parler au roi.
Sa femme prit son valet avec elle
et celui-ci l'emmena à l'ermitage.
Quand elle entra dans la chapelle,

E vit le lit a la pucele,
Que resemblot rose nuvele,
Del covertur la descovri
E vit le cors tant eschevi,
1015 *Les bras lungs [e] blanches les meins*
E les deiz greilles, lungs e pleins,
Or seit ele la verité,
Pur quei sis sire ad duel mené.
Le vadlet avant apelat
1020 *E la merveille li mustrat.*
«Veiz tu, fet ele, ceste femme,
Que de beuté resemble gemme?
Ceo est l'amie mun seignur,
Pur quei il meine tel dolur.
1025 *Par fei, jeo ne me merveil mie,*
Quant si bele femme est perie.
Tant par pité, tant par amur,
Jamés n'avrai joie nul jur.»
Ele cumencet a plurer
1030 *E la meschine regreter.*
Devant le lit s'asist plurant.
Une musteile vint curant,
De suz l'auter esteit eissue,
Et le vadlet l'aveit ferue
1035 *Pur ceo que sur le cors passa;*
De un bastun qu'il tint la tua.
En mi l'eire l'aveit getee.
Ne demura ke une loëe,
Quant sa cumpaine i acurrut,
1040 *Si vit la place u ele jut;*
Entur la teste li ala
E del pié suvent la marcha.

et vit le lit de la jeune fille
qui ressemblait à une rose venant d'éclore,
elle souleva la couverture
et vit le corps si bien fait,
les longs bras et les blanches mains,
les doigts fins, allongés et pleins.
Dès lors, elle connut la vérité,
elle savait pourquoi son mari éprouvait une telle
    douleur.
Elle appela le valet
et lui montra la merveilleuse jeune fille.
«Vois-tu, lui dit-elle, cette femme
belle comme une pierre précieuse?
C'est l'amie de mon mari,
celle pour qui il éprouve une telle douleur.
Par ma foi, je ne m'en étonne plus
puisqu'une si belle femme est morte!
Autant par pitié pour elle que par amour pour lui,
je ne serai plus jamais heureuse de ma vie.»
Elle se mit à pleurer
et à déplorer la perte de la jeune fille.
Elle s'assit devant le lit en pleurant.
Voici qu'une belette[1] passe en courant,
elle était sortie de dessous l'autel.
Le valet l'avait frappée[2]
parce qu'elle était passée sur le corps de la jeune
    fille.
Il la tua avec un bâton qu'il tenait à la main,
puis la jeta au milieu de la nef.
Il ne se passa qu'un moment
jusqu'à ce que sa compagne accourût
et vît l'endroit où elle gisait.
Elle tourna autour de sa tête
et la toucha plusieurs fois de la patte.

Quant ne la pot fere lever,
Semblant feseit de doel mener.
1045 *De la chapele esteit eissue,*
As herbes est al bois venue;
Od ses denz ad prise une fleur,
Tute de vermeille colur;
Hastivement reveit ariere;
1050 *Dedenz la buche en teu manere*
A sa cumpaine l'aveit mise,
Que li vadlez aveit ocise,
En es l'ure fu revescue.
La dame l'ad aparceüe;
1055 *Al vadlet crie: « Retien la!*
Getez, franc humme, mar se ira!»
Et il geta, si la feri,
Que la floret[e] li cheï.
La dame lieve, si la prent;
1060 *Ariere va hastivement.*
Dedenz la buche a la pucele
Meteit la flur que tant fu bele.
Un petitet i demurra,
Cele revint e suspira;
1065 *Aprés parla, les oilz ovri.*
« Deu, fet ele, tant ai dormi!
Quant la dame l'oï parler,
Deu cumençat a mercïer.
Demande li ki ele esteit,
1070 *E la meschine li diseit:*
« Dame, jo sui de Logres nee,
Fille a un rei de la cuntree.
Mut ai amé un chevalier,
Eliduc le bon soudeer;

Comme elle ne pouvait pas la faire bouger,
elle donna l'impression de manifester une grande
    douleur.
Elle sortit de la chapelle
et s'en alla dans le bois cueillir des herbes.
De ses dents, elle cueillit une fleur
toute vermeille.
Bien vite, elle s'en retourne.
Elle place la fleur dans la bouche
de sa compagne tuée par le valet et
de telle manière
qu'elle ressuscita[1] sur-le-champ.
La dame la vit
et cria au valet : «Retiens-la !
Frappe-la, mon ami, il ne faut pas qu'elle nous
    échappe !»
Il la frappa et l'atteignit
de sorte que la fleurette lui échappa.
La dame se leva et prit la fleur.
Elle revint rapidement sur ses pas
et mit la fleur dans la bouche
de la jeune fille qui était si belle.
Il se passa un peu de temps
puis la jeune fille revint à elle et soupira.
Ensuite, elle parla et ouvrit les yeux.
«Dieu, dit-elle, comme j'ai dormi[2] !»
Quand la dame l'entendit parler,
elle se mit à remercier Dieu.
Elle demanda à la jeune fille qui elle était
et celle-ci lui répondit :
«Madame, je suis native du royaume de Logres,
fille d'un roi de ce pays.
J'ai beaucoup aimé un chevalier,
Éliduc, le noble capitaine.

1075 *Ensemble od lui m'en amena.*
Peché ad fet k'il m'enginna :
Femme ot espuse ; nel me dist
Në unques semblant ne m'en fist.
Quant de sa femme oï parler, 180c
1080 *De duel kë oi m'estuet paumer.*
Vileinement descunseillee
M'ad en autre tere laissee ;
Trahi[e] m'ad, ne sai quei deit.
Mut est fole quë humme creit.
1085 *— Bele, la dame li respunt,*
N'ad rien vivant en tut le munt
Que joie li feïst aveir ;
Ceo vus peot hum dire pur veir.
Il quide ke vus seez morte,
1090 *A merveille se descunforte.*
Chescun jur vus ad regardee ;
Bien quid qu'il vus trova pasmee.
Jo sui sa spuse vereiment,
Mut ai pur lui mun quor dolent ;
1095 *Pur la dolur quë il menot*
Saveir voleie u il alot :
Aprés lui vienc, si vus trovai.
Que vive estes grant joie en ai ;
Ensemble od mei vus en merrai
1100 *E a vostre ami vus rendrai.*
Del tut le voil quite clamer,
E si ferai mun chef veler. »
Tant l'ad la dame confortee
Que ensemble od li l'en ad menee.
1105 *Sun vallet ad appareillé*
E pur sun seignur enveié.
Tant erra cil qu'il le trova ;

Il m'a emmenée avec lui.
Il a commis un péché en me trompant,
car il avait déjà une épouse légitime et il me le
  cacha.
Jamais non plus il ne me le laissa deviner.
Quand j'ai entendu parler de sa femme,
je me suis évanouie de douleur.
Il m'a alors abandonnée lâchement
et m'a laissée en terre étrangère.
Il m'a trahie et je ne sais pourquoi.
Bien folle est celle qui croit un homme !
— Ma belle, lui répond la dame,
personne au monde ne pourrait
procurer de la joie à Éliduc.
On peut vous le dire.
Il pense que vous êtes morte
et il se tourmente étonnamment.
Il vient vous voir tous les jours
et je crois bien qu'il vous a trouvée évanouie.
Je suis sa véritable épouse
et je suis bien triste à cause de lui.
À cause de sa douleur,
j'ai voulu savoir où il se rendait.
Je l'ai suivi et je vous ai trouvée.
Je suis bien heureuse que vous soyez vivante.
Je vous emmènerai avec moi
et vous rendrai à votre ami.
Je renonce totalement à lui
et je vais prendre le voile. »
La dame l'a ainsi réconfortée
jusqu'au moment où elles sont parties ensemble.
   Elle demande à son valet de s'équiper
et d'aller chercher son mari.
Celui-ci chevaucha jusqu'à ce qu'il le trouve.

Avenantment le salua,
L'aventure li dit e cunte.
1110 *Sur un cheval Eliduc munte,*
Unc n'i atendi cumpainun.
La nuit revint a sa meisun.
Quant vive ad trovee s'amie,
Ducement sa femme mercie. 180d
1115 *Mut par est Eliduc haitiez,*
Unques nul jur ne fu si liez;
La pucele baise suvent
E ele lui mut ducement;
Ensemble funt joie mut grant.
1120 *Quant la dame vit lur semblant,*
Sun seignur ad a reisun mis;
Cungé li ad rové e quis
Que ele puisse de lui partir,
Nunein volt estre, Deu servir;
1125 *De sa tere li doint partie,*
U ele face une abeïe;
Cele prenge qu'il eime tant,
Kar n'est pas bien në avenant
De deus espuses meintenir,
1130 *Ne la lei nel deit cunsentir.*
Eliduc li ad otrïé
E bonement cungé doné:
Tute sa volunté fera
E de sa tere li durra.
1135 *Pres del chastel einz el boscage*
A la chapele a l'hermitage
La ad fet fere sun muster
[E] ses meisuns edifier;
Grant tere i met e grant aveir:
1140 *Bien i avrat sun estuveir.*

Il le salua poliment
et lui raconta toute l'aventure.
Éliduc se mit en selle
sans attendre de compagnon.
Il arriva chez lui à la nuit tombée.
Quand il trouva son amie vivante,
il remercia tendrement sa femme.
Éliduc est très heureux.
Jamais il ne fut si joyeux.
Il embrasse souvent la jeune fille
et elle fait de même.
Tous deux montrent une grande joie.
En voyant leur attitude,
la dame s'adressa à son mari.
Elle lui demanda avec insistance
la permission de se séparer de lui.
Elle voulait se faire nonne et servir Dieu.
Qu'il lui donne une partie de sa terre
où elle puisse fonder une abbaye !
Qu'il prenne celle qu'il aime tant
car il n'est ni bien ni convenable
de conserver deux épouses.
La religion ne peut l'admettre.
Éliduc lui accorda tout cela
et lui donna de bonne grâce son congé.
Il agira selon sa volonté
et lui donnera une partie de sa terre.
Près du château, dans les bois,
près de la chapelle de l'ermitage,
elle a fait édifier son monastère
et construire ses bâtiments.
Elle y emploie une grande terre et beaucoup
    d'argent.
Elle disposera de tout le nécessaire.

Quant tut ad fet bien aturner,
La dame i fet sun chief veler,
Trente nuneins ensemble od li;
Sa vie e s'ordrë establi.
1145   *Eliduc ad s'amie prise;*
A grant honur, od bel servise
En fu la feste demenee
Le jur qu'il l'aveit espusee.
Ensemble vesquirent meint jur,   181a
1150 *Mut ot entre eus parfit' amur.*
Granz aumoines e granz biens firent,
Tant quë a Deu se convertirent.
Pres del chastel de l'autre part
Par grant cunseil e par esgart
1155 *Une eglise fist Elidus,*
De sa terë i mist le plus
E tut sun or e sun argent.
Hummes i mist e autre gent
De mut bone religïun
1160 *Pur tenir l'ordre e la meisun.*
Quant tut aveit appareillé,
Nen ad puis gueres [a]targé:
Ensemble od eus se dune e rent
Pur servir Deu omnipotent.
1165 *Ensemble od sa femme premere*
Mist sa femme que tant ot chere.
El la receut cum sa serur
E mut li porta grant honur;
De Deu servir l'amonesta
1170 *E sun ordre li enseigna.*
Deu priouent pur lur ami
Qu'il li feïst bone merci;

Quand tout fut prêt,
la dame prit le voile
en compagnie de trente nonnes.
Puis elle établit les règles de sa vie et de son
    ordre.
    Éliduc a épousé son amie.
La fête fut célébrée
en grande pompe et avec un beau service religieux
le jour où il l'épousa.
Ils vécurent longtemps ensemble ;
l'amour entre eux était parfait.
Ils firent de grandes aumônes et offrirent beaucoup
    de leurs biens
jusqu'au jour où ils se consacrèrent à Dieu.
Près du château mais de l'autre côté,
en y vouant tous ses soins et son attention,
Éliduc fonda une communauté religieuse.
Il y consacra la plus grande partie de sa terre,
tout son or et tout son argent.
Il y établit ses hommes et d'autres personnes
de très grande piété
pour y maintenir la règle et diriger sa maison.
Quand tout fut prêt,
il ne tarda plus.
Avec eux il entra en religion[1]
pour servir Dieu tout-puissant.
Auprès de sa première femme,
il envoya la seconde qu'il aimait tant.
La dame la reçut comme sa sœur
et lui témoigna de grands honneurs.
Elle l'exhorta à servir Dieu
et lui enseigna la règle de son ordre.
Elles priaient Dieu pour leur ami
afin qu'Il lui accorde miséricorde.

E il pur eles repreiot,
Ses messages lur enveiot
1175 Pur saveir cument lur esteit,
Cum chescune se cunforteit.
Mut se pena chescun pur sei
De Deu amer par bone fei
E mut [par] firent bele fin,
1180 La merci Deu, le veir devin.
    De l'aventure de ces treis
Li auntïen Bretun curteis
Firent le lai pur remembrer
Que hum nel deüst pas oblïer.

Éliduc, de son côté, priait pour elles.
Il leur envoyait ses messagers
pour prendre de leurs nouvelles
et savoir comment elles allaient,
comment chacune reprenait courage.
Chacun s'efforça
d'aimer sincèrement Dieu
et ils eurent une très belle fin
par la grâce de Dieu, qui est seul à connaître
   l'avenir.
  De l'aventure de ces trois personnages,
les anciens chevaliers bretons
firent un lai pour perpétuer leur souvenir
et sauver cette histoire de l'oubli.

DOSSIER

CHRONOLOGIE

1066. Conquête de l'Angleterre par Guillaume le Conquérant. Bataille d'Hastings (cf. Tapisserie de Bayeux). Installation des Normands en Angleterre. Début de la culture et du dialecte anglo-normands (dans lequel sont écrits les lais de Marie de France).

1097. La Tapisserie de Bayeux est réalisée. Elle raconte la conquête de l'Angleterre par les Normands.

1099. Prise de Jérusalem par les Croisés.

c. 1120. Le moine Benedeit adapte en anglo-normand le *Voyage de saint Brandan* d'après un récit de navigation irlandais traduit en latin. Le conteur Bréri relate à la cour de Poitiers les légendes d'Arthur et de Tristan. Début de la construction de la cathédrale d'Autun.

1120-1140. Les troubadours Marcabru et Jaufré Rudel composent leurs chansons.

1132. Suger fait construire l'abbaye de Saint-Denis, près de Paris.

1135. Geoffroy de Monmouth écrit en latin l'*Histoire des rois de Bretagne*.

1137. Aliénor d'Aquitaine, petite-fille du premier troubadour (Guillaume d'Aquitaine), retient des troubadours célèbres à sa cour de Poitiers. Elle devient reine de France grâce à son mariage avec Louis VII.

1140. Composition de la *Chanson de mon Cid (Cantar del mio Cid)*, épopée castillane.

1145. Début de la construction du portail royal de Chartres : première représentation de la Vierge à l'enfant.

1147-1150. Deuxième croisade (prêchée par saint Bernard de Clairvaux).

c. 1150. Les troubadours Bernard Marti et Cercamon composent leurs chansons. Copie du manuscrit d'Oxford contenant la *Chanson de Roland*. Rédaction du *Roman de Thèbes* racontant l'histoire des fils d'Œdipe d'après la *Thébaïde* de Stace. Diverses chansons de geste : *Le Couronnement de Louis*, *Le Pèlerinage de Charlemagne*.

1152. Aliénor d'Aquitaine, divorcée du roi de France, épouse Henri Plantagenêt.

1153. Mort de saint Bernard, fondateur de l'ordre cistercien.

1154. Henri Plantagenêt, probable dédicataire des *Lais* de Marie de France, devient roi d'Angleterre sous le nom de Henri II.

1155 Le clerc anglo-normand Wace écrit le *Roman de Brut* en s'inspirant de Geoffroy de Monmouth.

c. 1160. Premières adaptations en français de la légende de Tristan et Yseut (Béroul). Composition du roman d'*Énéas*, adaptation en vers octosyllabiques de l'*Énéide* de Virgile. Premières œuvres du troubadour Bernard de Ventadour. Début de la construction de la cathédrale de Laon.

1160-1180. Composition des *Lais* de Marie de France.

1163. Dénonciation par l'Église de l'hérésie cathare. Début de la construction de Notre-Dame de Paris.

1164. Marie (née en 1145), fille d'Aliénor et de Louis VII, épouse Henri Ier, comte de Champagne. Elle porte le nom de Marie de Champagne et commande à Chrétien de Troyes le *Chevalier de la Charrette*.

1165-1170. Chrétien de Troyes écrit son premier roman, *Érec et Énide.*

1167-1185. Composition des *Fables* de Marie de France.

1170. Henri II fait assassiner l'archevêque Thomas Becket.

c. 1170. Alexandre de Bernay compose le *Roman d'Alexandre* (en alexandrins). Matthieu de Vendôme compose un traité de versification latine (*Ars versificatoria*).

1172. Louis VII, roi de France, attaque la Normandie et l'Anjou (domaine des Plantagenêts).

1174. Construction du campanile (ou Tour) de Pise. Canonisation de saint Bernard. Guernes de Pont-Sainte-Maxence écrit la *Vie de saint Thomas Becket.*

1170-1173. Thomas d'Angleterre écrit son *Roman de Tristan.*

1175. Premières branches du *Roman de Renart*. Poésies du troubadour Bertrand de Born. Construction de la cathédrale de Canterbury.

av. 1176. Chrétien de Troyes écrit son deuxième roman, *Cligès.*

1177-1181. Chrétien de Troyes écrit simultanément son *Chevalier de la Charrette (Lancelot)* et son *Chevalier au Lion (Yvain).*

1180. Philippe Auguste devient roi de France.

c. 1180. Gautier Map écrit son *De nugis curialium (Contes de courtisans)*, recueil de contes folkloriques en latin.

c. 1182. Chrétien écrit son dernier roman, le *Conte du Graal.*

1184. Condamnation de l'hérésie vaudoise. Débuts de l'inquisition épiscopale.

1187. Prise de Jérusalem par Saladin.

1189. Mort du roi Henri II Plantagenêt. Richard Cœur de Lion, roi d'Angleterre (jusqu'en 1199).

c. 1189. *L'Espurgatoire de saint Patrice* (poème d'environ 2 300 octosyllabes) attribué à Marie de France.

1191. Découverte d'un prétendu tombeau du roi Arthur à Glastonbury.

c. 1195. Robert de Boron commence à écrire sa trilogie romanesque : *Joseph d'Arimathie*, *Merlin* et *Perceval*.

1199. Mort de Richard Cœur de Lion.

1200. Conclusion d'une paix entre Philippe Auguste, roi de France, et Jean sans Terre, roi d'Angleterre. Fondation de l'Université de Paris.

NOTICE

L'AUTEUR

De Marie de France, l'histoire littéraire ignore à peu près tout. Outre les *Lais*, on lui attribue *L'Espurgatoire saint Patrice*[1], adaptation romane du *Tractatus de Purgatorio sancti Patricii* d'un moine cistercien anglais nommé Henry de Saltrey, ainsi qu'un recueil de *Fables*[2] signé de cette formule :

> *Marie ai num, si sui de France.*

C'est tout ce que nous savons d'elle. C'est peu mais c'est la règle pour la quasi-totalité des écrivains du XIIe siècle. L'anonymat littéraire est de rigueur à cette époque où le poète doit souvent s'effacer au profit de son mécène. Il faut rajouter qu'au XIIe siècle, le patronyme n'est nullement généralisé dans la vie courante. On ne porte bien souvent qu'un prénom associé à un

---

1. Marie de France, *L'Espurgatoire Seint Patriz*, nouvelle édition critique accompagnée du *De Purgatorio Sancti Patricii* (éd. de Warnke), d'une introduction, d'une traduction, de notes et d'un glossaire par Yolande de Pontfarcy, Louvain et Paris, Peeters, 1995.
2. Marie de France, *Fables*, édition et traduction de Charles Brucker, Louvain, Peeters, 1991.

nom de ville pour des roturiers (Chrétien de Troyes) ou
à un nom de région ou de fief pour des nobles. Dans
Marie de France, le mot *France* ne renvoie évidemment pas au territoire actuel. Il correspond plutôt à ce
que nous appelons aujourd'hui l'Île-de-France, c'est-à-
dire la région parisienne. C'est de cette région que
Marie de France serait originaire. De naissance noble,
elle a pu appartenir à la maison de France, soit de
naissance, soit par alliance.

On a voulu l'identifier tantôt à Marie de Champagne,
fille du roi de France et d'Aliénor d'Aquitaine, tantôt
à une abbesse de Shaftesbury (entre 1181 et 1215),
fille naturelle de Geoffroi Plantagenêt et demi-sœur
d'Henri II[1], tantôt à Marie de Meulan ou de Beaumont,
veuve du baron Hugues Talbot de Cleuville et fille du
comte Waleran de Beaumont[2], tantôt à Marie de Bou-
logne, abbesse de Romsey, qui, après son mariage en
1160, retourna dans son monastère[3]. Mais ces pistes
manquent singulièrement de consistance, bien qu'elles
ne soient pas toutes dépourvues d'intérêt. En outre, il
n'est pas certain que l'identification historique de Marie
de France apporterait quoi que ce fût à la connaissance
intime de son œuvre littéraire. On en est donc réduit
dans son cas à de simples conjectures.

Un fait paraît toutefois assuré: Marie a vécu en
Angleterre. Elle passe pour en connaître admirable-
ment la langue littéraire du temps: l'anglo-normand
qui est aussi, outre le latin, la langue de l'élite intellec-

1. John Fox, «Marie de France», *English Historical Review*, 25, 1910,
p. 303-306, et «Mary, abbess of Shaftesbury», *English Historical Review*,
26, 1911, p. 317-336. Constance Bullock-Davies, «Marie, abbess of
Shaftesbury and her brothers», *English Historical Review*, 80, 1965,
p. 314-322.
    2. Yolande de Pontfarcy, «Si Marie de France était Marie de Meu-
lan…», *Cahiers de civilisation médiévale*, 38, 1995, p. 353-361.
    3. Antoinette Knapton, «À la recherche de Marie de France», *Romance
Notes*, 19, 1978, p. 1-6.

tuelle. Les dédicaces de ses œuvres prouvent qu'elle a connu la cour royale.

Elle dédie ses *Lais* à un *nobles reis* (*Prologue*, v. 43) qui n'est pas autrement nommé. Il est admis aujourd'hui que ce roi n'est autre que Henri II d'Angleterre qui accède au trône en 1154 et meurt en 1189. C'est donc avant cette date ultime qu'il faut situer la composition des *Lais*. Comme ces textes ne sauraient non plus remonter plus haut que le *Brut* de Wace (1155) ou l'*Énéas* (1160) dont Marie reprend quelques procédés littéraires, c'est un espace d'environ trente ans (entre 1160 et 1189) qui constitue la période de composition la plus vraisemblable des *Lais*. On peut en outre supposer une composition échelonnée de ces douze textes sur plusieurs années car rien ne laisse supposer qu'ils ont tous été écrits en même temps.

Ses *Fables* sont dédiées à un comte Guillaume qui ne peut être que Guillaume Longue-Épée, fils naturel de Henri II, né vers 1150, comte de Salisbury en 1198 et mort en 1226. La carrière littéraire de Marie de France gravite donc autour des Plantagenêts et son lien avec cette importante dynastie royale relève aujourd'hui d'une quasi-certitude.

L'ANGLO-NORMAND

Au XIIe siècle, il existe, selon les régions, diverses formes dialectales de l'ancien français. Si l'Île-de-France parle le francien, la région normande et une grande partie de l'Angleterre parlent l'anglo-normand[1]. Ce dialecte est la conséquence linguistique la plus évidente de l'invasion de l'Angleterre par Guillaume le Conquérant et ses chevaliers normands en 1066. Au XIIe siècle, de

---

1. Pour une vue générale : John Vising, *Anglo-norman Language and Literature*, Londres, Oxford University Press, 1923.

nombreuses familles normandes possèdent des fiefs en Angleterre et vice versa. À la même époque, la dynastie anglo-angevine des Plantagenêts règne sur l'Angleterre et sur tout l'ouest de la France, unissant ainsi dans un destin commun des terres situées de part et d'autre de la Manche. D'évidents échanges linguistiques et culturels se tissaient entre ces terres pourtant géographiquement séparées. Notons que Marie de France écrivit ses lais en anglo-normand et non en francien qui devait être son dialecte usuel si l'on en croit seulement son nom. Il n'y a rien d'étonnant à cela. Marie a séjourné à la cour d'Angleterre où elle a pris connaissance de la jeune littérature anglo-normande fort encouragée à la cour d'Henri II.

Avant Marie de France, cette littérature possède quelques monuments littéraires d'un grand intérêt. Le *Voyage de saint Brandan* (vers 1115-1120), traduction d'une *Navigatio sancti Brendani Abbatis* qui remonte au IXe siècle, témoigne déjà de l'importance du merveilleux et de la mythologie celtiques (navigations féeriques, rencontres d'êtres extraordinaires, prodiges maritimes, etc.) dans la toute première littérature anglo-normande. Un lai comme *Guigemar* retrouve certains de ces thèmes merveilleux. Dans un domaine plus historiographique, le *Roman de Brut* (1155) du clerc anglo-normand Wace est la traduction en anglo-normand de la chronique latine du gallois Geoffroy de Monmouth, premier grand condensé de la légende du roi Arthur[1]. Marie a probablement lu l'œuvre de Wace qui illustre un art narratif et une technique de l'octosyllabe dont elle saura se souvenir. C'est toutefois grâce à la légende de Tristan et Yseut, connue à travers les œuvres de Béroul et Tho-

---

1. *La Geste du roi Arthur selon le* Roman de Brut *de Wace et l'*Historia Regum Britanniae *de Geoffroy de Monmouth*, présentation, édition et traduction par Emmanuelle Baumgartner et Ian Short, Paris, 10/18, 1993.

mas[1], que la littérature anglo-normande atteindra des sommets inégalables. L'influence des thèmes tristaniens est indéniable sur Marie de France qui propose en définitive à travers ses lais une véritable relecture de la tradition légendaire des amants de Cornouailles.

LE GENRE DU LAI

Originellement, le *lai* (mot irlandais) désigne une musique instrumentale accompagnée ou non de chant. Marie de France est la première à s'y référer pour ses poèmes. Le lai en ancien français peut se définir comme un conte en vers de longueur variable : le plus court (*Le Chèvrefeuille*) compte 118 vers, tandis que le plus long (*Éliduc*) atteint 1 184 vers. S'il utilise, comme le roman de la même époque, le vers octosyllabique, on peut dire que le lai est au roman médiéval ce que la nouvelle est au roman moderne.

Toute une collection de lais anonymes apparaît dans le dernier quart du XIIe siècle et au début du XIIIe siècle. Certains de ces lais présentent des analogies frappantes avec ceux de Marie de France. On a même parfois imaginé qu'ils en imitaient les thèmes. En réalité, ils dérivent, comme les lais de Marie, d'une tradition orale d'autant plus difficile à identifier qu'elle n'a, par définition, pas laissé de traces écrites. C'est ce qu'indiquent les très nombreuses formules introductives et conclusives des lais.

Tel qu'il est employé par Marie de France, le mot *lai* renvoie à une tradition antérieure aux œuvres trans-

---

1. *Tristan et Yseut. Les poèmes français. La saga norroise*, édition et traduction de Philippe Walter et Daniel Lacroix, Paris, Livre de poche, 1989. Voir aussi : *Tristan et Yseut. Les premières versions européennes*, édition sous la direction de Christiane Marchello-Nizia, Paris, Gallimard, 1995 (Bibliothèque de la Pléiade).

mises par les manuscrits médiévaux. Il s'agit de poèmes musicaux initialement composés en langue celtique, traduits en français puis adaptés et mis en rimes par des auteurs français. Il en résulte que le lai tel que le présente Marie de France est une forme littéraire édulcorée qui se rapproche davantage d'un conte en vers que du poème musical de facture archaïque qui lui a servi de modèle. Marie n'écrit pas à proprement parler des lais mais elle écrit à la manière des lais bretons en inventant une forme qui tient à la fois du roman octosyllabique en vers et d'un style de narration plus archaïque inspiré des modèles celtiques. On n'a conservé aucun exemple de ces lais en langue celtique ni de leur forme poétique originelle. En revanche, il est assez facile de retrouver leur thématique à travers les différents témoignages de la littérature irlandaise que nous avons conservés[1].

LES MANUSCRITS DES *LAIS*

On ne peut jamais dissocier l'histoire d'un texte du Moyen Âge de l'histoire des manuscrits qui l'ont révélé. Les *Lais* de Marie de France sont connus grâce à cinq manuscrits différents qui contiennent chacun un ou plusieurs lais[2]. Nous indiquons entre parenthèses les sigles généralement utilisés pour distinguer ces manuscrits :

British Museum, ms. Harley 978 f° 118-160 (H). Copié en Angleterre au milieu du XIIIᵉ siècle. Il contient

---

1. Sur cette littérature : Pierre-Yves Lambert, *Les Littératures celtiques*, Paris, P.U.F., 1981. Myles Dillon et Nora Chadwick, *Les Royaumes celtiques*, Paris, Fayard, 1974 (rééditions : 1978, 1980). Signalons également l'anthologie : Jean-Claude Polet éd., *Patrimoine littéraire européen*, t. 3, «Racines celtiques et germaniques», Bruxelles, de Boeck, 1992.
2. Ernest Hoepffner, «La tradition manuscrite des *Lais* de Marie de France», *Neophilologus*, 12, 1927, p. 1-10 et 85-96.

le prologue et les douze lais dans l'ordre suivant : *Guigemar, Équitan, Le Frêne, Bisclavret, Lanval, Les Deux Amants, Yonec, Le Rossignol, Milon, Le Pauvre Malheureux, Le Chèvrefeuille, Éliduc.* C'est le seul manuscrit qui offre l'intégralité des lais attribués à Marie de France. Les éditeurs modernes s'attachent généralement à respecter l'ordre de présentation des lais dans ce manuscrit.

Bibliothèque nationale de France, nouv. acq. fr. 1104 (S). Ce manuscrit écrit en francien (langue de l'Île-de-France) a été copié à la fin du XIIIᵉ siècle. Il contient neuf lais dans l'ordre suivant : *Guigemar, Lanval, Yonec, Le Chèvrefeuille, Les Deux Amants, Bisclavret, Milon, Le Frêne, Équitan.*

Bibliothèque nationale de France, ms. fr. 2168 (P). Ce manuscrit picard de la deuxième moitié du XIIIᵉ siècle n'offre que *Guigemar, Lanval* et la fin de *Yonec.*

British Museum, Cott. Vesp. B. XIV (C). Manuscrit anglo-normand de la fin du XIIIᵉ siècle ne contenant que le lai de *Lanval.*

Bibliothèque nationale, fr. 24432 (Q). Manuscrit francien du XIVᵉ siècle avec le seul lai de *Yonec.*

Il existe également une version en langue norroise de certains lais. Cette adaptation a été réalisée pour le roi Hakon de Norvège qui régna de 1217 à 1263[1].
Si l'on s'en tient aux seuls témoins français, deux lais (*Lanval, Yonec*) sont conservés dans quatre manuscrits.

---

1. L'adaptation norroise du lai de *Lanval* a été donnée par Paul Aebischer en complément à l'édition isolée du *Lai de Lanval* par Jean Rychner, Genève et Paris, Droz et Minard, 1958 (Textes littéraires français, 77).

Guigemar est le seul lai qui apparaît dans trois manuscrits. La plupart des lais (*Le Chèvrefeuille, Les Deux Amants, Bisclavret, Milon, Le Frêne, Équitan*) sont conservés dans deux manuscrits tandis que *Le Rossignol, Éliduc* et *Le Pauvre Malheureux* ne se trouvent que dans un manuscrit unique.

Avec une telle distribution des textes dans les différents manuscrits, il est difficile de dire si l'auteur a organisé ses lais en recueil et s'il faut déduire un sens quelconque de la place qu'un lai occupe dans la série des douze textes.

L'ÉDITION DU TEXTE

Les *Lais* de Marie de France ont été édités à plusieurs reprises. Parmi les éditions importantes, signalons celles d'Ernest Hoepffner (1921), de Karl Warnke (1924 pour sa 3e édition), Jeanne Lods (1959) et Jean Rychner (1966). Il existe également plusieurs traductions françaises du texte. Elles sont fondées sur l'édition de Jean Rychner (comme la traduction de Pierre Jonin, Paris, Champion, 1982) ou sur l'édition plus ancienne de Karl Warnke (comme celle de Laurence Harf-Lancner, Paris, Le Livre de Poche, 1990).

Nous avons préféré suivre l'édition d'Alfred Ewert (1944), dont on trouvera les références dans la Bibliographie (p. 426), en y introduisant quelques améliorations (sur la ponctuation en particulier). Notre choix s'est porté sur cette édition parce qu'elle est reconnue, à juste titre et depuis longtemps, comme la plus fidèle au manuscrit H. Ce manuscrit Harley du British Museum contient en effet l'intégralité des lais et, de ce fait, il se présente comme le témoin le plus complet de la tradition manuscrite des lais.

Nous avons conservé la foliotation du manuscrit H (*a* désignant la première colonne du folio, *b* la seconde, etc.).

Les trémas indiquent la prononciation effective de la voyelle dans le vers, là où en français moderne on pourrait s'attendre à une élision.

Les passages entre crochets correspondent à des corrections du manuscrit de base d'après les autres manuscrits : rétablissements de syllabes, mots ou vers manquants pour obtenir un vers octosyllabique complet.

Nous donnons ci-dessous la liste des leçons fautives du manuscrit de base (manuscrit H) qui ont été corrigées pour la présente édition :

Prologue

1 e.] en science - 15 puessent - 20 E plus - 28 comencerai - 32 I. se s. altres e. - 43 En le h. .

Guigemar

7 il i ad - 48 dunez - 54 Angoue - 79 E al - 97 resorti - 104 esteit - 113 quiisse - 124 out - 126 quele - 132 ki le - 142 s.] sest - 144 Ki le; ki le - 146 v.] unt *avec* uert *rajouté au-dessus* - 158 or] oi - 165 a. si d. - 171 p.] pecun - 178 dirrai - 187 esmerueilliez - 189 sa] a sa - 194 out] eurent - 202 si le - 218 ne] nel - 234 la] de - 241 le] les - 244 e. nient f. - 247 bailliez - 248 enseigniez - 258 f. il pas - 270 uoleit - 282 Arestuz ele si e. - 287 Or i] v - 299 Desuz; maine - 300 seine - 309 queile - 328 nef i ui - 353 ma] une; ma] une - 362 s'est] cest - 371 A] De - 384 suspira - 399 q. le] quei - 410 ki] kil - 420 la] le - 427 matinest - 463 b.] riens - 479 s'il] si ele - 480 e ses loinat - 481 s'e.] sa fierte - 489 j.] lo liuent - 496 e.] en noit - 515 Perme laliue del m. - 516 l. t.] lungeme - 517 cherier - 518 usee - 521 a] de - 523 si en - 528 s. nulr. - 536 Fui - 538 ki ne] lu - 539 roe] ioie - 563 Ele li - 568 couenent - 580 li out - 591 la] le - 604 c. li

est - 607 Tant li - 629 ad] lad - 637 si] sil - 664 suffri - 673 n.] mettrai - 682 r.] chose - 685 b.] port - 691 sires - 697 f.] f. se - 698 ki] v ele - 703 la] une - 710 esteit - 717 ueste e - 723 nen] ne li - 724 kil auera - 732 depeceiz - 736 Par un - 738 tresche - 754 ameine - 776 Dunc - 780 changent - 827-828 viennent après 829-830 - 831 entrai - 839 c. cunuie - 864 Si guereient - 874 au p.] apreuf .

Équitan

5 Les - 9 V ent f. - 10 ne] nai - 16 m.] amot - 30 grant - 34 u.] muat - 37 n'a.] nout - 74 cume - 78 afoleez - 84 d.] damur - 94 dreu - 106 El chambre - 117 Si de la d. - 120 sui] sei - 124 ne vus de - 127 me auerez - 135 Quedereiez - 143 Si aukun amez - 151 fin] del tut - 166 E de p. - 169 m'o.] mustrei - 170 mie] pas - 209 plurt - 247 sires; baignera - 248 E od uus se dignera - 275 buillante - 276 deust - 284 feu - 286 deust - 288 le] la - 289 hair - 292 entreacolez - 294 Pensa sa - 300 E il est .

Le Fresne

3 aueient - 5 Riches hummes - 23 sires - 26 Kar deiuste li - 31 Si meit D. - 43 l'a] laueit - 52 B. fu s. - 78 sauerunt - 119 cele -121 En une chine de - 123 une - 126 n'o.] nerent - 130 En chescun turn out - 141 Parmie la forest - 148 E la - 156 t. e les - 163 Si ceo te - 169 E q. fois e. r. - 173 Desuz -180 s.] s. deu - 191 nel laist - 194 sires fu m. - 229 La F. - 250 r.] se r. - 266 s.] serur - 283 enceintez - 284 curuciez - 288 R.] Kar r. - 295 La a. - 296 c. il est - 298 Suz le - 300 li] le - 317 gentile - 332 Ad un pr. parle od nus - 355 Le c. - 357 M. dol enmenerent - 366 sires - 379 Entra la - 385 s.] le s.

397 o.] fu - 411 E ele - 413 La palie - 453 del p. - 479 ai
ici - 485 sui ieo l. - 502 il] ele - 508 Par mie li - 517 del]
de la.

Bisclavret

12 forest - 25 le deperdeit - 37 si] sil - 40 ne me direz
- 45 q. leuer - 50 u uus c. - 56 perdirai - 73 jes] ieo les -
89 d.] de lee - 121 sires - 174 e puiz - 188 chacez - 227
f. le b. - 254 qu'] u - 263 p. ad la d. p. - 279 les urent -
286 muet - 299 Troua il d. - 306 c. hors de - 313 neies -
314 E souienent e.

Lanval

32 ne] rien ne - 58 Laciez - 73 enueit - 79 peist - 124
Ja noisiriez r. c. - 131 oï] loi - 156 a la] al - 191 unt -
198 d. sotaunt - 214 nen uste - 234 A. se sunt - 235
reuient - 240 La maisne Lanual c. - 241 c.] choisi - 246
sunt - 252 Cil par les mains ni ert - 254 l'] li - 258 il nad
- 303 parte - 310 pleinereit - 331 enueit - 333 o.] chastel - 344 parlot - 358 sun] a lur - 370 uaillante - 434
nuls - 441-448 *ordre des vers dans le ms. H: 443-448,*
442, 441- 448 hum] bien - 459 perde - 467 reuait - 477
esgardouent - 494 Si e. od - 495 v.] mut v. - 505 Ni aue-
rat nul - 537 ici - 539 uiendrent - 556 ad quens ne - 570
si c.] sun cheual - 584 ne seschaufast - 586 ueneient -
588 que le - 604 b. uenue - 616 le ici - 636 uenoent .

Les Deus Amanz

3 De d. amanz que sentreamerent - 26 m.] meisne -
40 E par tut la c. seue - 41 asuerent - 46 l'] lur - 59 fu]
sui - 61-62 *ne se trouvent pas dans H.* - 64 sentreame-

rent - 65 celereient - 73 damiseus - 86 m'i] me - 89 peres - 123 de diuers - 128 p. uet p. - 132 tut] tant - 134 ad chargie - 139 t.] tele - 140 l'] en -164 d. e mut - 165 E a. m. - 166 a] od ; aler - 184 alaissa - 193 escrireent - 229 kis] lur - 234 Kar si.

Yonec

5 En pris ai - 8 il avint - 17 trespensez - 26 mut] tute - 27 enserreie - 61 La d. a p. e asueil - 81 s. tut mi - 83 g.] glut - 84 a] de - 87 deust - 99 blamez - 100 e.] eus - 117 s.] sens - 120 l'en] la - 126 ceo] coe - 132 p.] paleis - 135 se] sa - 138 ele] il - 161 Le semblant - 164 James de - 177 dist uus sufferez - 186 E c. d. a. - 187 retenu - 188 E le - 209 Nen en p. - 215 tient - 228 sires - 249 esteiez - 252 si] sa - 286 furchier - 289 apparailliez - 290 enfurchiez - 338 el] il - 349 v.] aler - 357-358 *ne se trouvent pas dans H.* - 384 Vn c. i treue desus - 386 terz - 388 puecon - 390 Les cirges ne les chandeliers - 398 Malauenturus s. se c. - 421 Lespee - 448 feiz - 456 garda - 460 El nun ni osa humme t. - 461 P. fu e beaus e v. - 470 sires - 473 i amenast - 480 s. mund - 483 Li uallaz les i herla - 495 unt - 499 une - 504 E de argent li.

Laüstic

3 que mut fu - avis - 5 r. reisun - 7 En] Vn - 10 f. forez - 14 e] mut - 29 sentreamerent - 30 esgarderent - 49 estreite - 57 entreame - 59 r. reuerali - 85 n'] nen - 87 l'i] le - 94 Que le - 96 larcun - 100 prise - 123 Tuz ceus - 124 e] e les - 129 suleie - 142 d. li d. - 144 E le - 160 lapelent hum.

Milun

8 i.] ci - 15 Mut] Amez - 28 plust - 30 Si en - 43 a.] si
- 58 Sun pere e - 65 quei - 70 e enseignee - 74 Si en ad
sufferte m. d. - 109 les] ses - 118 b. li baille e le sel - 119
ele le sot - 136 perdrai - 155 g. d.] e - 182 il] ele - 185
Vne huchie de suz K. - 200 uns granz e. -203 nul ni fu
- 219 li] le - 228 debruse - 232 dire - 276 remeint - 293
Quant il - 347 Que] Pur - 360 qu'] u - 409 s'i] se ; acum-
painier - 419 Mes il ne - 420 Ja laueit lui si f. - 430 Deu-
reit - 441 cerche - 448 ieo en - 452 m'i] me - 489 Les c.
- 493 Vn b. - 498 n.] nul liu - 508 f.] suef - 518 sires -525
liez de sun beau fiz.

Chaitivel

5 cum il ot - 22 cil le v. - 35 et 36 *intervertis dans H.*
- 49 s.] prisens - 56 fait - 83 Al uespres - 97 a] tut a - 99
hait - 124 p. de fors - 125 perduz - 162 poeit - 197
namerai -198 perdrai - 213 p.] peint - 240 en] ne.

Chevrefoil

11 markes - 25 e trespensis - 50 r.] reine - 55 De la -
65 e.] atendre - 71 il est si l. - 73 poient - 76 ensemblement - 90 que mut fu - 114 breuement - 116 n. en f.

Eliduc

12 sentreamerent - 39 li] le - 52 ne] pas ne - 63 fieuz
- 65 t. a sun - 70 E une - 73 gardoent - 94 Kar h. - 97 A
sun pere sil g. - 100 Naueit el - 118 A.] Quant -131 E a
g. h. r. - 202 Cil unt - 205 demustre - 209 e.] uenuz.

213 fierent - 216 rut] rumpu - 223 a grant é. - 239 cumanda - 261 Cheualers - 273 al] le - 286 deust - 324 esseura - 334-336 *ordre dans H : 335-336-334* - 335 ape-lee -338 en mal espleit - 359 Sil le - 366 oi de li - 422 c.] chamberlenc - 423 Jeo le - 446 Kieo - 465 nauereit - 468 uiter - 476 T. cum il - 498 sires - 510 l'] li - 554 e damagiez - 559 ot - 576 Jolifte - 604 le departement - 609 sires - 611 le] la - 658 breuement - 677 frei - 689 k'] ki - 697 ot] oi - 733 sires - 750 queile - 761 esteit - 770 c.] cumand - 772 Sen eissi de - 782 esteit - 789 ot - 805 firent - 828 acosteant - 830 e.] deciples - 837 e encuntre - 842 A poi dire ne m. - 845 peust - 846 v. mut c. - 849 ot - 882 si en - 888 deigner - 902 Ke Deus - 933 couri-rent - 954 ki] il - 995 sires - 999 Mis s. dit ceo quide e. - 1013 la] lad - 1018 sires - 1024 tele - 1053 E memes lure - 1145 E. Samie ad p. - 1167 cume - 1176 E cum .

L'influence du texte

Le succès des *Lais* de Marie de France a été très grand au xii⁰ siècle si l'on en juge par un passage de la *Vie de saint Edmond le roi*, poème hagiographique anglo-normand dû à Denis Piramus :

> *E dame Marie autresi,*
> *Ki en rime fist e basti*
> *E compassa les vers de lais,*
> *Ke ne sunt pas del tut verais ;*
> *Et si en est ele mult loee*
> *E la rime par tut amee,*
> *Kar mult l'aiment, si l'unt mult cher*
> *Cunte, barun e chivaler ;*
> *Et si en aiment mult l'escrit*
> *E lire le funt, si unt delit,*
> *E si les funt sovent retreire.*

> *Les lais solent as dames pleire,*
> *De joie les oient e de gré,*
> *Qu'il sunt sulum lur volenté*[1].

Ce témoignage intéressant souligne le rôle du public féminin dans le succès des lais. Il rappelle aussi le contexte aristocratique de cette littérature réservée aux cours princières. Si Marie de France n'a pas inventé le genre du lai[2], elle lui a certainement donné ses lettres de noblesse. Un certain nombre de lais anonymes difficiles à dater sont composés aux XIIe ou XIIIe s.[3] et certains d'entre eux paraissent avoir subi l'influence de la technique narrative de Marie. En fait, le genre narratif du lai disparaît quasiment au XIIIe siècle : il est concurrencé à la fois par le roman (conte d'aventures en vers) et par le lai lyrique.

Le roman arthurien utilise habilement la matière narrative du lai breton pour construire sa propre technique narrative. C'est ainsi que le romancier Chrétien

---

1. « (...) et dame Marie de même qui mit en rimes, conçut et composa les vers des lais qui ne sont pas du tout des histoires vraies. Elle en est fort louée et ses rimes sont partout appréciées car comtes, barons et chevaliers les aiment beaucoup et les tiennent en grande estime. Ils aiment beaucoup ses écrits, les font lire et en retirent du plaisir ; ils les font souvent raconter. D'habitude, les lais plaisent beaucoup aux dames qui les écoutent avec joie et volontiers, car ils répondent à leurs aspirations. » (*La Vie seint Edmund le rei*, poème anglo-normand du XIIe siècle par Denis Piramus publié par H. Kjellman, Göteborg, 1935, v. 35-48.)

2. Mentionnons ici le *Lai du cor* de Robert Bicket. (Édition : *Mantel et Cor, deux lais du XIIe siècle*, éd de Philip Bennett, Exeter, 1975. Traduction du *Lai du cor* dans Asdis Magnusdottir, *La Voix du cor*, Amsterdam, Rodopi, 1998, p. 379-384).

3. Voir la traduction (avec le texte original) donnée par Alexandre Micha, *Lais féeriques des XIIe et XIIIe s.*, GF-Flammarion, 1992, pour onze de ces lais anonymes (*Graelent, Guingamor, Désiré, Tydorel, Tyolet, L'Épine, Mélion, Doon, Trot, Lecheor, Nabaret*). À cette collection, il faudrait rajouter le lai d'*Ignauré* (traduction de Danielle Régnier-Bohler dans *Le Cœur mangé. Récits érotiques et courtois*, Stock, 1979).

de Troyes mentionne un *Lai de Laudine* (au vers 2155 de son *Chevalier au Lion*, ou un *Lai de la Joie* (au vers 6184 d'*Érec et Énide*[1]). Certains épisodes arthuriens, comme la chasse au Blanc Cerf dans *Érec et Énide* par exemple, paraissent très directement démarqués de lais bretons dont ils reprennent la thématique et le style. C'est la raison qui peut faire penser que le lai breton, en tant que genre spécifique, s'est probablement dissous dans la littérature romanesque en constitution.

La tradition populaire bretonne du XIXe siècle a néanmoins conservé quelques chants populaires qui rappellent directement les lais de Marie de France. Nous donnons quelques vers en breton ainsi que la traduction française intégrale de la ballade du *Rossignol* (*Ann eostik*) telle qu'elle figure dans le *Barzaz Breiz* du vicomte Hersart de La Villemarqué. Il nous plaît assez d'imaginer que c'est dans l'âme et le folklore bretons, et non dans une littérature plus savante, que s'est conservé le véritable esprit des lais de Marie de France ou des poètes anonymes qui les lui ont légués. La postérité du lai comme genre poétique se trouve dans la tradition spécifiquement bretonne de la *gwerz*, récit chanté propre à l'Armorique, et qui retrouve de nos jours une réelle valeur poétique.

Ann eostik

Greg iaouang a Zant-malo, deac'h
D'he frenestr a oele, d'ann neac'h :
« Sioaz ! sioaz ! me zo tizet !
Va eostik paour a zo lazet !
— Livirit d'in va greg nevez,
Perak'ta savit kelliez,

---

1. Chrétien de Troyes, *Œuvres complètes*, édition et traduction sous la direction de Daniel Poirion, Gallimard, 1994 (Bibliothèque de la Pléiade).

Kelliez diouz va c'hostez-me,
E kreiz ann noz, diouz ho kwele,
Diskabel-kaer ha diarc'henn,
Perak'ta savit evelhenn[1] *? (...)*

Le Rossignol

La jeune épouse de Saint-Malo pleurait
hier à sa fenêtre haute :
« Hélas ! hélas ! je suis perdue !
Mon pauvre rossignol est tué !
— Dites-moi, ma nouvelle épouse,
pourquoi donc vous levez-vous si souvent,
si souvent d'auprès de moi,
au milieu de la nuit, de votre lit,
Nu-tête et nu-pieds ?
Pourquoi vous levez-vous ainsi ?
— Si je me lève ainsi, cher époux,
au milieu de la nuit, de mon lit,
c'est que j'aime à voir, tenez,
les grands vaisseaux aller et venir.
— Ce n'est sûrement pas pour un vaisseau
que vous allez si souvent à la fenêtre ;
ce n'est point pour des vaisseaux,
ni pour deux, ni pour trois,
ce n'est point pour les regarder,
non plus que la lune et les étoiles.
Madame, dites-le-moi,
pourquoi chaque nuit vous levez-vous ?
— Je me lève pour aller regarder
mon petit enfant dans son berceau.
— Ce n'est pas davantage pour regarder,
pour regarder dormir un enfant ;

1. Hersart de La Villemarqué, *Barzaz Breiz. Chants populaires de la Bretagne*, édition originale : 1867. Réédition : *Le Barzaz Breizh. Trésor de la littérature orale de la Bretagne*, Spézet, Coop Breizh, 1997, p. 215-218.

ce ne sont point des contes qu'il me faut:
pourquoi vous levez-vous ainsi?
— Mon vieux petit homme, ne vous fâchez pas,
je vais vous dire la vérité.
C'est un rossignol que j'entends chanter toutes les nuits
dans le jardin sur un rosier;
c'est un rossignol que j'entends toutes les nuits;
il chante si gaiement, il chante si doucement;
il chante si doucement, si merveilleusement, si harmo-
  nieusement,
toutes les nuits, toutes les nuits, lorsque la mer s'apaise!»
Quand le vieux seigneur l'entendit,
il réfléchit au fond de son cœur;
quand le vieux seigneur l'entendit,
il se parla ainsi à lui-même:
«Que ce soit vrai ou que ce soit faux,
le rossignol sera pris!»
Le lendemain matin, en se levant,
il alla trouver le jardinier.
«Bon jardinier, écoute-moi;
il y a une chose qui me donne du souci;
il y a dans le clos un rossignol
qui ne fait que chanter la nuit;
qui ne fait toute la nuit que chanter,
si bien qu'il me réveille.
Si tu l'as pris ce soir,
je te donnerai un sou d'or.»
Le jardinier, l'ayant écouté,
tendit un petit lacet;
il prit le rossignol
et il le porta à son seigneur.
Et le seigneur, quand il le tint,
se mit à rire de tout son cœur,
et il l'étouffa et il le jeta
dans le blanc giron de la pauvre dame.
«Tenez, tenez, ma jeune épouse,
voici votre joli rossignol;

c'est pour vous que je l'ai attrapé;
je suppose ma belle qu'il vous fera plaisir.»
En apprenant la nouvelle,
le jeune servant d'amour disait bien tristement:
«Nous voilà pris, ma douce et moi;
nous ne pourrons plus nous voir;
Au clair de la lune, à la fenêtre,
selon notre habitude.»

BIBLIOGRAPHIE SOMMAIRE

PRINCIPALES ÉDITIONS DU TEXTE

Les Lais de Marie de France, édités par Jean RYCHNER, Paris, Champion, 1966 (CFMA, 93).

Die Lais der Marie de France, herausgegeben von Karl WARNKE mit Anmerkungen von R. Köhler, Halle, Bibliotheca Normannica, 1885 (2ᵉ éd. : 1900 ; 3ᵉ éd. : 1924).

MARIE DE FRANCE, Lais, edited by Alfred EWERT, Oxford, 1944 (Blackwell's French Texts).

Lais du Moyen Âge, récits de Marie de France et d'autres auteurs (sous la direction de Philippe Walter), Paris, Gallimard, « Bibliothèque de la Pléiade », 2018 (contient l'intégralité des lais français).

SUR LE GENRE DU LAI

Horst BAADER, *Die Lais : zur Geschichte einer Gattung der altfranzösischen Kurzerzählung*, Francfort, 1966.

Léon FLEURIOT, « Tradition orale et textes brittoniques du haut Moyen Âge », *Études celtiques*, 18, 1981, p. 197-213.

— « Les lais bretons », dans : *Histoire littéraire et culturelle de la Bretagne* (sous la direction de Jean Balcou et Yves Le Gallo), Paris-Genève, Champion-Slatkine, 1987, t. 1, p. 131-138.

Lucien FOULET, « Marie de France et les lais bretons », *Zeitschrift für romanische Philologie*, 29, 1905, p. 19-56 et 293-322.

Jean FRAPPIER, « Remarques sur la structure du lai », dans : *La Littérature narrative d'imagination*, Paris, 1961, p. 23-39.

Rainer KROLL, *Der narrative Lai als eigenständige Gattung in der Literatur des Mittelalters*, Tübingen, 1984.

Jean-Charles PAYEN, *Le Lai narratif*, Turnhout, Brepols, 1975.

Martin de RIQUER, « La *aventure*, el *lai* y el *conte* en Maria de Francia », *Filologia Romanza*, 2, 1955, p. 1-19.

BIBLIOGRAPHIES SPÉCIALISÉES SUR MARIE DE FRANCE

Glyn S. BURGESS, *Marie de France : An Analytic Bibliography*, Londres, 1977 et Supplément, I, Londres, 1986.

Voir aussi les publications suivantes :

Bulletin bibliographique de la Société internationale arthurienne.

Cahiers de civilisation médiévale.

International Medieval Bibliography.

Une association internationale consacre ses travaux à l'œuvre de Marie de France. Il s'agit de l'International Marie de France Society qui publie la revue *Le Cygne* (*http://saturn.vcu.edu/~cmarechal*).

OUVRAGES GÉNÉRAUX SUR LES *LAIS* DE MARIE DE FRANCE

Jean-Claude AUBAILLY, *La Fée et le Chevalier. Essai de mythanalyse de quelques lais féeriques des XIIe et XIIIe siècles*, Paris, Champion, 1986.

Glyn S. Burgess, *The Lais of Marie de France: Text and Context*, Athens, Georgia, University of G. Press, 1987.

Jean Dufournet éd., *Amour et merveille. Les lais de Marie de France*, Paris, Champion, 1995 (Unichamp, 46).

Ernest Hoepffner, *Les Lais de Marie de France*, Paris, Nizet, 1971.

Denise MacClelland, *Le Vocabulaire des Lais de Marie de France*, Ottawa, Éditions de l'Université, 1977.

Philippe Ménard, *Les Lais de Marie de France*, Paris, P.U.F, 1979.

Emanuel J. Mickel jr., *Marie de France*, New York, 1974.

Edgard Sinaert, *Les Lais de Marie de France. Du conte merveilleux à la nouvelle psychologique*, Paris, Champion, 1978.

SUR LE CONTEXTE LITTÉRAIRE

Reto Bezzola, *Les Origines et la Formation de la littérature courtoise en Occident (500-1200)*, Paris, 1958-1966, 3 vol.

Ernst-Robert Curtius, *La Littérature européenne et le Moyen Âge latin*, Paris, P.U.F., 1956, traduit de l'allemand par Jean Bréjoux (réédition: Presses Pocket, 1986).

Anita Guerreau-Jalabert, *Index des motifs narratifs dans les romans arthuriens français en vers (XIIe-XIIIe s.)*, Genève, Droz, 1992.

Moshé Lazar, *Amour courtois et fin'Amors dans la littérature du XIIe siècle*, Paris, 1964.

Hervé Martin, *Mentalités médiévales, XIe-XVe siècle*, Paris, P.U.F., 1996.

Daniel Poirion, *Résurgences. Mythe et littérature à l'âge du symbole (XIIe siècle)*, Paris, P.U.F., 1986 (sur Marie de France, p. 99-118).

— *Le Merveilleux dans la littérature française du Moyen Âge*, Paris, P.U.F., 1982.

Philippe WALTER, « La *fine amor* entre mythe et réalité », *L'École des Lettres* (Le mythe de Tristan et Iseut), 8, 1992, p. 5-24.

SÉLECTION D'ARTICLES
SUR LES *LAIS* DE MARIE DE FRANCE

Glyn Sheridan BURGESS, « Étude sur le terme *cortois* dans le français du XIIᵉ siècle », *Travaux de linguistique et de philologie*, 31, 1993, p. 195-209.
— « Chivalry and prowess in the *Lais* of Marie de France », *French Studies*, 37, 1983, p. 129-142.
Jacques de CALUWE, « L'élément chrétien dans les *Lais* de Marie de France », *Mélanges Jeanne Lods*, Paris, Presses de l'E.N.S., 1978, p. 95-114.
— « La conception de l'amour dans les *Lais* de Marie de France », *Mélanges Pierre Jonin*, Aix-en-Provence, 1979, p. 139-158.
Roger DUBUIS, « La notion de *druerie* dans les *Lais* de Marie de France », *Le Moyen Âge*, 98, 1992, p. 391-413.
Mary H. FERGUSON, « Folklore in the *Lais* of Marie de France », *Romanic Review*, 57, 1966, p. 3-24.
Jean FLORI, « Aristocratie et valeurs chevaleresques dans la seconde moitié du XIIᵉ siècle. L'exemple des *Lais* de Marie de France », *Le Moyen Âge*, 96, 1990, p. 35-65.
— « Amour et société aristocratique au XIIᵉ s. L'exemple des *Lais* de Marie de France », *Le Moyen Âge*, 98, 1992, p. 17-34
— « Seigneurie, noblesse et chevalerie dans les *Lais* de Marie de France », *Romania*, 108, 1987, p. 183-206.
Lucien FOULET, « Marie de France et la légende de Tristan », *Zeitschrift für romanische Philologie*, 32, 1908, p. 161-183 et 257-289.
Charles FOULON, « Marie de France et la Bretagne », *Annales de Bretagne*, 60, 1952, p. 243-258.

Pierre GALLAIS, «Le silence de Marie de France, dans: *Farai chansoneta novele. Hommage à J. Ch. Payen*», Caen, Centre de publications de l'Université, 1989, p. 187-198.

Ernest HOEPFFNER, «La tradition manuscrite des *Lais* de Marie de France», *Neophilologus*, 12, 1927, p. 1-10 et 85-96.

— «La géographie et l'histoire dans les *Lais* de Marie de France», *Romania*, 56, 1930, p. 1-32.

Robert N. ILLINGWORTH, «La chronologie des *Lais* de Marie de France», *Romania*, 87, 1966, p. 433-475.

Pierre JONIN, «Le *je* de Marie de France dans les *Lais*», *Romania*, 103, 1982, p. 170-195.

— «Le roi dans les *Lais* de Marie de France: l'homme sous le personnage», *Essays in Early French Literature Presented to B. M. Craig*, York, French Literature Publications Company, 1982, p. 25-41.

Steve NICHOLS, «Working Late: Marie de France and the Value of Poetry», dans: *Women in French Literature*, Saratoga, 1988, p. 7-17.

Marie-Louise OLLIER, «Les *Lais* de Marie de France ou le recueil comme forme», dans: *La Nouvelle: genèse, codification et rayonnement d'un genre médiéval*, Montréal, Plato, 1983, p. 64-79.

Jean RYCHNER, «Le discours subjectif dans les *Lais* de Marie de France», *Revue de linguistique romane*, 53, 1989, p. 57-83.

Leo SPITZER, «Marie de France Dichterin von Problemmärchen», *Zeitschrift für romanische Philologie*, 50, 1930, p. 29-67.

Evelyne B. VITZ, «Orality, literacy and the early Tristan material: Béroul, Thomas, Marie de France», *Romanic Review*, 78, 1987, p. 299-310.

— «The Lais of Marie de France: narrative grammar and the literary text», *Romanic Review*, 74, 1983, p. 383-404.

NOTES

Page 33.

1. Ce prologue respecte les thèmes traditionnels de la rhétorique antique des exordes (voir Ernst-Robert Curtius, *La Littérature européenne et le Moyen Âge latin*, traduit de l'allemand par Jean Bréjoux, Paris, P.U.F., 1956). Par exemple ici, «posséder le savoir oblige à le transmettre», idée formulée chez Horace, Sénèque et Caton. L'utilisation de cette rhétorique prouve que Marie avait reçu une formation scolaire assez poussée.

2. Fleurs : allusion aux fleurs de la rhétorique et aux pouvoirs de métamorphose du style dans lequel la poétesse voit l'essence même du travail de l'écrivain.

3. Priscien : grammairien latin du VIᵉ siècle. Il était très lu dans les abbayes médiévales. L'idée ici rappelée par Marie n'est que l'extension à la culture d'une remarque de Priscien qui ne concernait à l'origine que la grammaire. Sur ce vers : M. L. Zanoni, «*Ceo testimoine Prescïens*, Priscian and the Prologue to the *Lais* of Marie de France», *Traditio*, 36, 1980, p. 407-415.

4. Gloses : l'explication médiévale d'un texte distinguait la *littera* (explication grammaticale), le *sensus* (sens premier) et la *sententia* (interprétation de la pensée et des intentions supposées de l'auteur).

5. L'intelligence : nouveau thème issu de la rhétorique antique ; l'opposition des Anciens et des Modernes.

On notera le rappel du principe de l'autorité des Anciens par rapport aux Modernes. Selon un précepte bien connu, les intellectuels du XIIᵉ siècle se présentaient comme «des nains juchés sur les épaules de géants».

6. Les philosophes : le terme ne désigne pas seulement les adeptes de la philosophie comme discipline mais tous les savants et érudits du passé. Le plus célèbre est sans conteste Boèce dont le *De la consolation de la philosophie* (datant du VIᵉ siècle) sera commenté par divers penseurs durant tout le Moyen Âge.

Page 35.

1. Une œuvre difficile . autre idée classique des exordes antiques ; il faut éviter la paresse. Ovide et Sénèque la formulaient déjà. La poésie est un remède contre l'oisiveté et le vice.

2. Tant d'autres : Marie semble faire allusion ici à des auteurs comme Wace ou aux premiers auteurs de romans français (*Énéas*, *Roman de Troie*, *Roman de Thèbes*) qui adaptaient en langue romane des œuvres en latin issues de la matière antique.

3. Des lais que j'avais entendus : encore un lieu commun des prologues. Les lais ne sont pas des récits originaux mais ils représentent une matière nouvelle pour une littérature qui cherche à se démarquer de la matière antique (Roman d'*Énéas*, *Roman de Troie*, *Roman de Thèbes*) jusqu'alors privilégiée par elle.

4. *Verba volant, scripta manent.* « Les paroles volent, les écrits restent. » Marie souligne la provenance orale de ses textes. L'écrivain médiéval se veut d'abord et avant tout un adaptateur d'une matière qui lui préexiste et non un inventeur d'histoires originales.

5. *Rimés* : si l'on en croit cet aveu, Marie aurait utilisé une matière en prose qui résultait de la traduction en langue romane de textes écrits initialement dans une langue étrangère (probablement celtique), en tout cas non latine (n. 2 ci-dessus).

6. Œuvre poétique : depuis saint Augustin *dictare* (cf. le verbe *ditié*) a pris le sens d'« écrire », « rédiger » mais avant tout « rédiger des œuvres poétiques ». À partir de 1170, l'*ars dictaminis* est un traité (toujours écrit en latin) sur l'art poétique.

7. Noble roi : il s'agit, selon toute vraisemblance, de Henri II Plantagenêt. Son épouse, divorcée du roi de France Louis VII, était Aliénor d'Aquitaine, petite-fille du premier troubadour (Guillaume d'Aquitaine). Henri II fut un mécène réputé qui encouragea des écrivains comme Jean de Salisbury et Gautier Map.

8. Compilation : l'emploi de ce terme suppose que la poétesse a voulu composer un recueil. Mais combien de lais a-t-elle vraiment écrits ? Probablement douze si l'on se fonde sur le manuscrit de base choisi pour cette édition ; toutefois ces douze lais ne figurent pas intégralement dans d'autres manuscrits (voir la Notice). Par ailleurs la notion de recueil peut supposer un assemblage aléatoire de textes divers ou un rassemblement ordonné de ces textes dont l'ordre définit lui-même un sens. Sur ce problème : Marie-Louise Ollier, « Les *Lais* de Marie de France ou le recueil comme forme », dans *La Nouvelle : genèse, codification et rayonnement d'un genre médiéval*, Montréal, Plato, 1983, p. 64-79.

9. Présenterais : tout prologue qui se respecte doit nécessairement contenir une dédicace en forme de dithyrambe. Elle est d'autant plus nécessaire que la littérature médiévale vit essentiellement du mécénat.

Page 37.

1. Ses talents : ce préambule qui rappelle le prologue général laisse penser que *Guigemar* était le premier lai composé par Marie qui aurait ensuite rédigé un autre prologue plus général concernant tous les lais du recueil.

2. Concision : cet art de la brièveté revendiqué par Marie s'accorde tout à fait avec l'idéal stylistique

revendiqué par les poètes latins de l'Antiquité et les poètes néo-latins du Moyen Âge. Cf. l'ouvrage d'Ernst-Robert Curtius, *La Littérature européenne et le Moyen Âge latin*.

Page 39.

1. Petite Bretagne : il s'agit de la Bretagne armoricaine (française) par opposition à la Grande Bretagne (les Îles britanniques actuelles).

2. Cette référence au temps jadis est l'aveu implicite de l'origine mythique du récit. Sur les sources de *Guigemar*, voir en particulier : Robert N. Illingworth, «Celtic tradition and the lai of *Guigemar*», *Medium Aevum*, 31, 1962, p. 176-187. Rachel Bromwich, «Celtic dynastic themes and the Breton lays», *Études celtiques*, 9, 1960-1961, p. 439-474. Urban T. Holmes, «A welsh motif in Marie's *Guigemar*», *Studies in Philology*, 39, 1942, p. 11-14. Antoinette Knapton, *Mythe et psychologie chez Marie de France dans «Guigemar»*, Chapel Hill, 1975. Pierre Gallais, *La Fée à la fontaine et à l'arbre*, Amsterdam/Atlanta, Rodopi, 1992.

3. La lettre et l'écriture : on retrouve le même vers dans une fable de la poétesse. Or on sait que ses *Fables* reposent sur des sources écrites. Faudrait-il alors supposer que le lai de *Guigemar* possédait également une version écrite sur laquelle Marie se serait fondée? Il se pourrait également que le vers soit une pure clause de style pour garantir la véracité du récit qui va suivre. L'auteur prétend utiliser la caution d'un livre pour éviter les reproches de futilité qu'on ne manquerait pas de lui adresser si elle n'avouait que des sources orales.

4. Hoilas : roi légendaire de Petite Bretagne que l'on retrouve mentionné dans l'*Histoire des rois de Bretagne* (écrite en latin par Geoffroy de Monmouth vers 1135) et dans son adaptation anglo-normande (*Le Roman de Brut* de Wace datant de 1155 environ) que devait

connaître Marie de France. Ce personnage y est présenté comme le neveu d'Arthur, fils de la sœur du roi.

5. Léon : cette province correspond à une partie du département actuel du Finistère.

6. Oridial : nom du père de Guigemar noté Eridiaus dans certains manuscrits du lai. On trouve un roi d'Écosse nommé Eridioüs dans *Le Roman de Brut* de Wace.

7. Noguent : il n'est pas impossible de voir dans ce nom un composé du vieux breton *noth*, « apparence, nature, semblant », et *guinn*, « blanc, lumineux ». Cette apparence blanche ne serait-elle pas à rapprocher de la blanche biche elle-même ? D'autant que le personnage de Noguent n'apparaît plus dans la suite du lai.

8. Guigemar : probable transcription du breton *Guihomar* (que l'on retrouve dans certains patronymes Guiomar, Guyomar). Il signifie « digne (*uuiu*) d'un bon (*ho*) cheval (*marc*) ». C'est un titre d'excellence. Ce nom a été porté par plusieurs vicomtes de la province du Léon aux XIe et XIIe s. C'est peut-être l'indice de la popularité de la légende de Guigemar dans cette région, bien avant que Marie de France la transcrive.

Page 41.

1. Lorraine, Bourgogne, etc. : la plupart de ces régions sont connues pour être célébrées dans des chansons de geste qui mettent en scène des héros exemplaires (par exemple dans la *Geste des Lorrains*).

Page 43.

1. Un faon : certains éditeurs de Marie de France ont cru bon de corriger une biche et *son* faon. Le manuscrit ne donne pourtant pas cette précision. Rien n'indique que la biche est la mère du faon.

2. Blanche : couleur caractéristique des êtres féeriques de l'Autre Monde dans la tradition celtique. La

blanche biche est également une figure traditionnelle
du folklore. Dans certaines chansons populaires, elle
est la sœur du chasseur («fille le jour, et la nuit blanche
biche»). Capturée lors d'une chasse nocturne menée
par son frère, elle sera dévorée sous sa forme de biche
blanche par les membres de sa famille.

3. Bois de cerf : cette créature féerique dans laquelle
s'abolit la distinction entre le mâle et la femelle a toutes
les chances d'être l'avatar d'une divinité primordiale
hermaphrodite.

4. Ricochet : le même motif apparaît dans la légende
de saint Michel archange. Un bouvier nommé Gargan
perd l'un de ses bœufs dans la montagne. Il part à sa
recherche et, lorsqu'il l'a retrouvé, il lance contre lui
une flèche empoisonnée. Comme par enchantement,
la flèche revient sur celui qui l'a lancée et le frappe.
L'animal doué d'un tel pouvoir ne peut être qu'une
créature divine et sacrée.

5. Ces mots : comme dans la légende de saint Eus-
tache, le cerf poursuivi par le chasseur se met à parler.
Ici, la prophétie équivaut à une malédiction, un mauvais sort jeté sur Guigemar.

6. Destinée : en latin le mot *fatum* «destinée» et le
verbe *fari* «dire» sont apparentés étymologiquement
comme si le fait de prédire provoquait la destinée elle-
même.

Page 45.

1. Souffriras : sur cette blessure très particulière, on
peut évoquer un texte mythologique irlandais (*La Maladie de Cuchulainn*) qui présente des analogies théma-
tiques avec *Guigemar*. Le héros Cuchulainn blesse un
oiseau blanc qui est la métamorphose d'une fée amoureuse de lui. Après avoir blessé la fée, Cuchulainn,
comme Guigemar, entre dans une maladie de langueur
qui durera plus d'un an. Il ne sera guéri par la fée que
dans l'Autre Monde où il se rendra sur une barque de

bronze. On lira la traduction française de ce texte irlandais dans Jean-Claude Polet éd., *Patrimoine littéraire européen*, Bruxelles, De Boeck, 1992, t. 3, p. 194-221.

Page 47.

1. Personne : c'est le thème bien connu de la nef magique qui circule sans pilote entre le monde humain et l'Autre Monde, généralement à certaines dates, soit le 1er mai (ouverture de la navigation), soit le 1er novembre (fermeture de la navigation chez les Celtes). Le thème du vaisseau fantôme (dont Richard Wagner fit un opéra) dérive probablement de cette tradition.

2. Un lit : la description de ce lit ressemble beaucoup à celle du lit de Camille dans l'*Énéas* (écrit vers 1160), adaptation romanesque de l'*Énéide* de Virgile. Sur cette analogie importante : Ernest Hoepffner, « Marie de France et l'*Énéas* », *Studi medievali*, 5, 1932, p. 272-308.

3. L'art de Salomon : technique voisine de celle utilisée pour les émaux champlevés limousins (voir George D. West, « L'uevre Salomon », *Modern Language Review*, 49, 1954, p. 176-182). On rapprochait cette technique artistique très luxueuse de la légendaire magnificence du roi biblique Salomon.

4. Oreiller : ce détail prouve évidemment l'origine féerique du navire. Le motif de l'oreiller enchanté est récurrent dans les légendes celtiques. Il provoque soit la perte de mémoire (comme dans *Cligès*, roman de Chrétien de Troyes), soit l'éternelle jeunesse comme dans ce passage.

Page 49.

1. Pourpre : tissu de soie d'origine orientale qui n'est pas obligatoirement de couleur rouge.

2. Cierges allumés : le symbolisme funéraire semble ici apparent. Le navire conduit Guigemar vers l'Autre Monde qui est aussi le lieu de séjour des âmes après la mort, même si des créatures humaines paraissent y

vivre normalement. On notera que ce voyage funéraire s'accorde symboliquement avec la métaphore de la mort développée par des troubadours comme Bernard de Ventadour. C'est la dame (ici, la fée) qui va tirer le fin amant de la mort en lui révélant l'amour.

3. Déjà en haute mer : le lai se rattache par ce thème à la tradition irlandaise des *immrama* : il s'agit de récits légendaires racontant des navigations féeriques et des pèlerinages merveilleux vers les îles de l'Autre Monde (au XIIe siècle, les plus célèbres de ces textes sont *Le Voyage de saint Brandan* dont il existe une version anglo-normande et *La Navigation de la barque de Maelduin*, texte écrit en gaélique).

4. S'endormit : dans la poésie lyrique des troubadours (Cercamon, Bernard Marti, Marcabru), l'absence d'amour est souvent comparée à un sommeil et la découverte de l'amour à un éveil.

Page 51.

1. Obstacle : ce pays correspond tout à fait à un lieu de l'Autre Monde situé au-delà de la mer et inaccessible en principe aux humains. L'Autre Monde celtique n'est pas à proprement parler un au-delà pour les morts ; on y vit comme dans le monde terrestre. Mais c'est un univers où l'on peut trouver tout ce qui n'existe pas dans le monde ordinaire.

2. Peints : les peintures murales, à cette époque, illustrent surtout des sujets religieux. Aussi, l'apparition de cette Vénus est plutôt originale.

3. Ovide : il s'agit très certainement des *Remedia Amoris*. Ovide était l'auteur latin le plus connu du XIIe siècle. Sur ces vers : Hermann Braet, « Note sur Marie de France et Ovide (lai de *Guigemar*, v. 233-244) », *Mélanges Jeanne Wathelet-Willem*, Liège, 1978, p. 21-25.

Page 53.

1. La dame appartient à la catégorie des mal mariées, victimes innocentes des mariages forcés et des maris jaloux. On retrouvera cette mal mariée dans *Milon*, *Yonec* et *Le Rossignol*.

2. Sa virilité : cet eunuque a-t-il subi une castration ou a-t-il été victime d'un accident ? Le texte reste pudique. Mais il est clair que l'Église (par son représentant) ignore ainsi la sexualité.

3. Office divin : non seulement la messe du jour mais aussi les heures du bréviaire.

Page 61.

1. Merci : terme de la langue troubadouresque. La figure de la «belle dame sans merci», hautaine et impitoyable en amour, hante toute la poésie lyrique du Moyen Âge. Selon les principes de la *fine amor*, c'est la dame qui est en effet maîtresse du jeu amoureux.

Page 67.

1. Amour : le terme de *druerie* désigne souvent la liaison amoureuse selon la *fine amor*. Il suppose engagement réciproque des amants et fidélité exemplaire à la parole donnée.

Page 69.

1. Fortune : la roue de Fortune est une représentation traditionnelle des vicissitudes du destin dans toute la littérature médiévale.

Page 71.

1. On va nous découvrir : ce n'est pas qu'un simple pressentiment ; la dame devine l'avenir car c'est bien une fée.

2. Nœud : c'est une sorte de variante celtique du nœud gordien. On notera que l'action de lier est souvent associée à la magie. En latin, le mot *fascinum*

«charme, maléfice» est apparenté à *fascia* «bande, bandage» et le même mot signifie souvent lier et ensorceler. Par ce rite, Guigemar est placé sous l'ascendant fascinant de son amour pour la dame. Par ailleurs, cette dame qui habite dans l'Autre Monde semble connaître, à l'instar des fées filandières, tous les secrets qui touchent au fil, aux liens et aux nœuds.

Page 73.

1. De l'aimer : les deux amants s'engagent à travers un symbole qui suggère l'idée du lien (un nœud, une ceinture). Ces gages réciproques paraissent une préfiguration des liens du mariage.

2. Perche : il était d'usage d'y suspendre ses vêtements lorsqu'on les ôtait.

Page 75.

1. Formé : ce jeune homme a été placé en apprentissage auprès de Guigemar qui lui a inculqué les rudiments du métier des armes.

Page 79.

1. Mériadoc : dans la mémoire armoricaine, ce nom rappelle celui du premier roi de Bretagne (Conan Mériadec), véritable libérateur des Celtes contre leurs ennemis romains. C'était le guerrier par excellence. Le personnage ici mentionné ne se confond sans doute pas avec lui mais son caractère guerrier bien souligné peut permettre de les comparer. Il existe par ailleurs un héros nommé Mériadoc dans un roman arthurien intitulé *Le Chevalier aux deux épées*. Dans ce roman apparaît l'épée magique d'une reine qui donne lieu à une épreuve comparable à celle des nœuds dans le lai de *Guigemar*. On note aussi que *Le Livre des Faits d'Arthur* et la *Vie de saint Goueznon* localisent un *castellum Mariadoci* près de Plougoulm (Finistère).

Page 83.

1. Tournoi : c'est souvent un substitut ludique de la guerre dans la littérature courtoise.

Page 91.

1. Composé : en ancien français le terme *trovez* renvoie à l'activité poétique pratiquée par les trouvères et troubadours (dont le nom vient justement du même verbe *trouver*).

2. Rote : harpe. Cet instrument était appelé *crwth* au Pays de Galles, *crot* en Irlande et *rote* sur le continent.

Page 93.

1. Équitan : ce nom ne semble pas celtique. Il semble plutôt évoquer le latin *equitem* (de *eques* « cavalier ») et souligner le caractère chevaleresque du roi. Mais il pourrait aussi bien être rapproché du latin *aequitas* « équité, justice » puisqu'il est indiqué plus bas que le roi était « juge souverain ». Toutefois il ne méritera guère son nom, comme on le verra plus loin.

2. Nantais : on a le plus souvent admis que Nauns renvoyait aux Nantais (dont le nom vient de la tribu des Namnètes) mais on a aussi pensé parfois qu'il pourrait s'agir des Nains, car dans les romans allemands de Tristan existe un nain du nom d'Aquitan qui est l'ennemi des amants.

3. Équitan : on a parfois vu dans le personnage historique de Pasquiten, comte de Vannes au IXe siècle, un modèle possible du personnage d'Équitan. L'histoire racontée dans le lai n'est toutefois pas un fait divers rattaché à ce personnage.

4. « Car le principe même de l'amour // consiste à faire perdre la tête à tout homme » : ce commentaire du narrateur semble préfigurer la morale du lai. Contrairement à d'autres lais, *Équitan* se caractérise par la présence insistante d'un certain nombre de vers-maximes ou sentences relatives à la morale amoureuse.

Page 95.

1. Le malheur du pays : la responsabilité future du drame est reportée sur la femme qui, d'une manière générale, n'obtient pas toujours le beau rôle sous la plume de la poétesse.

2. Sans même l'avoir vue : c'est le thème troubadouresque de l'amour de loin, chanté par Jaufré Rudel dans une célèbre chanson d'amour. Apparemment, la situation du lai semble être celle de la *fine amor* des troubadours mais elle va très vite dégénérer vers un amour-passion totalement maladif.

Page 97.

1. Ni sommeil, ni repos : Équitan présente tous les symptômes d'une véritable mélancolie amoureuse telle qu'elle est décrite par les médecins médiévaux. Les manifestations de cette maladie d'amour sont autant physiques que psychologiques.

Page 103.

1. Gage d'amour : l'échange des anneaux suggère évidemment un véritable mariage courtois selon le rite de la *fine amor* (c'est le rite du *guerredon*, don réciproque).

2. N'en entende parler : la *fine amor* reprend ici ses droits. C'est fondamentalement un amour qui doit rester secret pour être vécu à l'abri des médisants (généralement appelés *losengiers* en ancien français).

Page 105.

1. La saignée fait partie des pratiques hygiéniques de la médecine médiévale. On la recommande à certains moments de l'année, en fonction des dispositions humorales du patient, voire de son horoscope.

Page 107.

1. La mort de son mari : l'amante courtoise se transforme ici en femme diabolique et criminelle. Il s'agit bien de la femme fatale et de l'Ève pécheresse des clercs et non plus de la dame parfaite des troubadours.

Page 109.

1. Cuves : il n'existe pas de salle de bains dans un château médiéval. L'usage était de se baigner dans de grandes cuves que l'on apportait dans les pièces du château.

Page 111.

1. Sa femme et le roi : le motif des amants surpris par le mari est abondamment illustré dans les fabliaux. D'ailleurs, certains critiques considèrent ce lai d'*Équitan* comme un fabliau.

2. Leçon : traduction de l'ancien français *ensample* (du latin *exemplum*). À l'origine, l'*exemplum* est un récit édifiant destiné à illustrer un sermon. Le lai semble transposer dans le registre profane cette technique de l'*exemple* inspirée de la prédication. Par son incitation à la réflexion, le lai revendiquerait alors une vertu pédagogique. On retrouve le même terme avec un contexte semblable dans la conclusion du roman de *Tristan et Yseut* écrit par Thomas : « J'ai rassemblé des contes et des vers. J'ai agi ainsi pour offrir un modèle (*essample*) et pour embellir l'histoire. » Marie de France connaissait parfaitement la légende de Tristan et Yseut.

3. Qui l'avait tant aimé : dans ce dernier vers du lai, on peut voir un jeu de mots possible sur le nom d'Équitan (*et ke tant l'ama*).

Page 113.

1. Le récit : un roman du XIIIe siècle intitulé *Galeran de Bretagne* est construit sur la même histoire que le lai du *Frêne*. Comme ce roman contient des éléments

inconnus de Marie de France, on peut supposer l'existence d'une tradition folklorique commune et antérieure aux deux textes. Le roman de *Galeran* n'a pas copié servilement le lai du *Frêne*, comme on le pense parfois. Sur le contexte folklorique du lai lui-même : Walter Küchler, « Schön Annie, Fraisne und Griselda », *Die neueren Sprachen*, 35, 1927, p. 489-497. François Suard, « L'utilisation des éléments folkloriques dans le lai du *Frêne* », *Cahiers de civilisation médiévale*, 21, 1978, p. 43-52. Christine Martineau-Génieys, « La merveille du Frêne », dans : *Hommage à Jean Dufournet*, Paris, Champion, 1993, t. 2, p. 925-939.

2. Son nom : selon la coutume, le parrain, lors du baptême, donnait son prénom à son filleul.

Page 115.

1. C'est en fait une croyance populaire bien attestée et qui a été répertoriée par les folkloristes : des jumeaux ne peuvent être issus du même père. Cf. S. Thompson, *Motif Index*, A. 515.1.1.1. : des jumeaux (héros civilisateurs) engendrés par deux pères différents et T 587.1 : naissance de jumeaux comme preuve de l'infidélité d'une épouse.

Page 117.

1. Le début du lai présente des analogies frappantes avec les récits médiévaux des enfants-cygnes : naissance gémellaire chez deux femmes dont l'une a accusé l'autre d'adultère, volonté de faire disparaître un ou plusieurs enfants. Par contre le motif de la métamorphose des enfants disparaît dans le lai de Marie. Sur la légende des enfants-cygnes : Claude Lecouteux, *Mélusine et le Chevalier au cygne*, Paris, Payot, 1982.

Page 121.

1. Constantinople : porte de l'Orient, pays du luxe et des tissus précieux, la ville suggère l'imaginaire de la richesse, de l'exotisme.

2. Anneau : un système de preuves se met ici en place comme dans le lai de *Milon*. L'enfant abandonné est accompagné de signes distinctifs qui, outre leur fonction de reconnaissance, peuvent suggérer des traits mythiques (l'anneau ici employé ressemble beaucoup au torque celtique, sorte de collier, qui se retrouve sur le bras ou au cou de nombreuses divinités).

3. Hyacinthe : les vertus des pierres précieuses sont répertoriées dans les lapidaires médiévaux. Le *Lapidaire* de Marbode (1035-1123) précise que les hyacinthes « passent pour avoir toutes le pouvoir de réconforter ; elles mettent en fuite la tristesse ainsi que les vaines suspicions ». (...) « Tu peux suspendre à ton cou n'importe laquelle des trois espèces ou la porter au doigt : tu pourras ainsi atteindre les rivages en toute sécurité, et aucune région pestiférée ne te fera du mal ; tes hôtes te considéreront comme digne d'honneur ; et si tu demandes quelque chose de juste, tu ne t'exposeras jamais au refus » (Marbode, *Poème des pierres précieuses*, traduction de Pierre Monat, Grenoble, Millon, 1996, p. 32-34).

4. Les chiens aboyer : malgré une mention qui peut paraître réaliste, tout semble indiquer ici un lieu étrange et retiré, aux confins de l'Autre Monde. Le « gué de l'aboiement » est bien connu pour être dans la mythologie irlandaise l'entrée de l'Autre Monde (comme le chien Cerbère garde l'entrée des Enfers).

Page 123.

1. En quatre : ce frêne présente les caractéristiques symboliques d'un arbre sacré ; c'en est un véritable, les quatre branches correspondant aux quatre points cardinaux. Le frêne Yggdrasil était chez les anciens Germains l'arbre primordial de la création. Les Celtes vénéraient également certaines espèces d'arbres dont le frêne.

2. L'arbre : les circonstances de cette exposition font

penser à des rites séculaires de passage à travers
l'arbre. Placer un enfant dans un arbre ou le faire passer plusieurs fois au travers de celui-ci était un rite
bien attesté au XIIᵉ siècle. L'inquisiteur dominicain
Étienne de Bourbon l'avait observé au XIIIᵉ siècle dans
la région bourguignonne (cf. Philippe Walter, *Croyances
populaires au Moyen Âge*, Paris, Gisserot, 2017, en particulier les pages 82-90.).

3. Couvent : la présence d'une abbaye à côté du
frêne semble témoigner du caractère cultuel ancien de
cet arbre. Il était fréquent d'édifier au Moyen Âge des
lieux de prière (églises, chapelles, abbayes) près d'anciens lieux de culte païen. Des sites comme Notre-
Dame-de-Fresneau (dans la Drôme) ou Notre-Dame-
de-Fresnay (dans le Calvados) témoignent encore
aujourd'hui de la christianisation de ces lieux païens
voués au frêne.

4. L'office : certaines communautés monastiques don-
naient effectivement la possibilité aux laïcs d'assister
aux offices. Il doit s'agir ici de l'office de matines.

Page 127.

1. Sa nièce : véritable lieu de rédemption sociale, le
couvent médiéval accueille souvent les exclus de bonne
famille.

2. Le Frêne : et non Frêne tout court (cf. par exemple
aujourd'hui le patronyme Dufrêne). Il paraît important
de maintenir, comme en ancien français, l'article défini
devant le nom de la jeune fille pour signaler en outre
sa nature consubstantielle à l'arbre. Il faut considé-
rer en effet que la jeune fille et l'arbre ne font qu'un
symboliquement. Elle est une émanation mythique de
l'arbre. Dans les croyances antiques, les frênes étaient le
domicile de nymphes appelées Méliades. Ces nymphes
s'apparentent aux fées médiévales dont Le Frêne semble
posséder certaines caractéristiques magiques (à travers
son pouvoir de séduction en particulier).

3. Dol-de-Bretagne, dans le département actuel de l'Ille-et-Vilaine.

4. Se mit à l'aimer : nouvel exemple de l'*amour de loin* chanté par les troubadours (Jaufré Rudel en particulier). Un homme tombe amoureux d'une femme qu'il n'a jamais vue, simplement en entendant parler d'elle. On peut aussi comprendre ici le motif dans la perspective d'une magie secrète exercée par cette jeune fée.

Page 129.

1. Don : allusion à une coutume historiquement attestée dans le coutumier (recueil de lois coutumières) de Normandie. On peut acquérir par des donations le droit de séjourner dans un couvent (cf. article de Rolf Nagel dans les *Cahiers de civilisation médiévale*, 10, 1970, p. 455-456).

Page 131.

1. Il l'emmena : c'est le concubinat après un rapt, usage bien implanté dans l'aristocratie médiévale du Nord-Ouest (voir Georges Duby, *Le Chevalier, la Femme, le Prêtre*, Paris. Hachette, 1981, p. 46-49).

Page 133.

1. Le Frêne est d'origine inconnue. Elle ne possède aucun titre de noblesse. L'argument de la mésalliance joue contre elle.

2. Dommage : intervention des vassaux pour inciter leur suzerain au mariage. Tous les vassaux ont besoin de garantir leur héritage ; ils veillent donc à ce que leur seigneur procrée un héritier dans le cadre d'un mariage légitime. La stabilité de l'ordre féodal dépend de cette union régulière.

3. Le coudrier et son fruit (la noisette) sont généralement associés au folklore du mariage (cf. Éloïse Mozzani, *Le Livre des superstitions. Mythes, croyances et légendes*, Paris, Laffont, 1995, p. 1211-1215). Dans la

Rome antique, pour porter chance à un jeune couple on brûlait des torches de noisetier. Une vieille croyance bretonne veut que, si un homme se marie au cours d'une année abondante en noisettes, il aura beaucoup d'enfants.

4. La mythologie du frêne est pourtant généralement positive. Symbole d'immortalité chez les Germains qui voyaient en lui un arbre cosmique primordial, le frêne possède de réelles vertus apotropaïques (il éloigne les serpents) et médicales.

Page 135.

1. Épousé : au XIIᵉ siècle, le mariage suppose deux phases différentes : les épousailles (ou *desponsatio*) et les noces proprement dites. Il s'agit ici de la première phase (les épousailles) où la future épouse est cédée solennellement à son futur époux.

2. Archevêque de Dol : l'archevêché de Dol a été supprimé en 1199. Ce fait historique pourrait, pour certains critiques, servir à confirmer la datation du lai mais rien n'obligeait Marie de France à respecter sur ce point précis la réalité historique de l'administration ecclésiastique.

3. Ne desserve sa fille : probable allusion à une croyance populaire selon laquelle la concubine délaissée était redoutée pour tous les mauvais sorts qu'elle pouvait jeter sur le couple composé de l'ex-concubin et de sa future épouse.

Page 137.

1. Bénir · il s'agit ici des noces proprement dites qui consistent en une bénédiction des époux dans la chambre nuptiale. C'est l'acte religieux préalable à la consommation du mariage.

Page 143.

1. Goron : on a jadis émis l'hypothèse que le nom de Goron pourrait provenir d'un vieux mot de moyen latin

gorra signifiant le saule. Les noces d'un saule et d'un frêne auraient ainsi quelque raison d'être si l'on se place dans une perspective mythologique. Toutefois ce nom est breton ; il est porté avec son équivalent français (*Tonnerre*) surtout dans les îles du Vannetais (Groix, Belle-Île, Houat, Hoëdic).

Page 147.

1. Bisclavret : on a proposé plusieurs étymologies celtiques pour ce nom : soit *bleiz lavaret* (« le loup parlant »), soit *bise lavret* « le court culotté » qui correspondrait à un nom du loup-garou dans le folklore de Hesse ou de Westphalie (*Böxenwolf*, « le loup à la culotte »). En fait *-claveret* peut provenir d'un mot gallois, *clafor* « lépreux » (cf. Jacques Vendryès, *Lexique étymologique de l'irlandais ancien*. Lettre C, Paris et Dublin, 1987, p. 112). Un conte de Biclarel est inclus dans « Renart le Contrefait » (XIVᵉ siècle), rattaché au *Roman de Renart*.

2. Garou : le nom viendrait du francique *verwulf* (en allemand moderne *Werwolf*, « homme-loup »).

3. Si l'auteur ne semble pas remettre en cause la réalité de la métamorphose en loup-garou, elle le renvoie cependant à un passé lointain et mythique. Cette tradition légendaire du loup-garou a été analysée dans de nombreux articles. Signalons particulièrement : S. Battaglia, « Il mito del licantropo nel Bisclavret di Maria di Francia », *Filologia romanza*, 3, 1956, p. 229-253. Wilhelm Hertz, *Der Werwolf*, Stuttgart, 1862. K. F. Smith, « An historical study of the Werwolf in literature », *Publications of the Modern Language Association of America*, 9, 1894, p. 1-41. M. Bambeck, « Das Werwolf-motiv in *Bisclavret* », *Zeitschrift für romanische Philologie*, 89, 1973, p. 123-147. François Suard, « Bisclavret et les contes de loup-garou », *Mélanges Foulon, Marche romane*, 30, 1980, p. 267-276. Philippe Ménard, « Les histoires de loup-garou au Moyen Âge », *Symposium in*

honorem M. de Riquer, Barcelone, 1986, p. 209-238. Gaël Milin, *Les Chiens de Dieu. La Représentation du loup-garou en Occident (XIᵉ-XXᵉ s.)*, Brest, Cahiers du Centre de recherche bretonne et celtique, 1993. Le lai anonyme de *Mélion* possède une trame narrative assez proche du lai de *Bisclavret*.

4. Sauvage : Marie de France dresse un portrait traditionnel du loup-garou comme créature sauvage et sanguinaire et elle ignore tout un courant de pensée qui ne voit dans le phénomène qu'une illusion des sens. Sur ce débat : Laurence Harf-Lancner, « La métamorphose illusoire : des théories chrétiennes de la métamorphose aux images médiévales du loup-garou », *Annales E.S.C.*, 1985, p. 208-226.

5. Rage : le loup-garou se trouve dans un véritable état de possession démoniaque souvent confondu avec la rage. Dans les traités de médecine du Moyen Âge, on traite conjointement la maladie appelée « mélancolie » (sorte de fureur démoniaque) et la lycanthropie (état du loup-garou).

6. Bisclavret : il s'agit donc à la fois d'un nom commun et d'un nom propre (cf. v. 274).

7. Irréprochable ; contrairement au portrait terrifiant du loup-garou dressé dans le prologue du lai, Bisclavret n'est pas un être fondamentalement mauvais. Il sera trahi plus loin par sa femme.

Page 149.

1. Trois jours : ces métamorphoses périodiques sont généralement liées à des phases de la lune. On peut aussi songer au personnage de Mélusine qui devient serpente chaque samedi. Le bisclavret adopte-t-il son apparence animale durant trois jours consécutifs ? Le texte n'est pas explicite sur ce point. Un témoignage, plus tardif, extrait du *Roman de la Rose* de Jean de Meun rapporte que certains enfants possèdent des dons surnaturels « trois fois par semaine » (cf. Guillaume de Lor-

ris et Jean de Meun, *Le Roman de la Rose*, édition de Daniel Poirion, Paris, Garnier-Flammarion, 1974, p. 491 (v. 18425-18444)), sans préciser quels sont ces trois jours.

Page 151.

1. Ma propre perte : à l'instar de l'oiseau-chevalier dans *Yonec*, le loup-garou est doué de prescience. Il possède le don divinatoire des êtres féeriques.

2. Tout nu : la nudité apparaît comme le rite favorisant la métamorphose en loup-garou. Selon d'autres légendes de loup-garou, ce rite ne suffit jamais. On sait que, lors des sabbats de sorciers (appelés parfois loups-garous), cette nudité devait s'accompagner également de l'application d'un onguent. Si l'on suit par ailleurs les analyses de Claude Lecouteux, les vêtements seraient ici un substitut du corps. Ce bisclavret serait en fait une âme errante (animale) privée de son enveloppe corporelle (Claude Lecouteux, *Fées, sorcières et loups-garous. Histoire du double au Moyen Âge*, Paris, Imago, 1992).

Page 153.

1. Chapelle : la présence inattendue de cette chapelle vient atténuer le satanisme de la métamorphose en bisclavret. Le narrateur réaffirme la présence et la puissance de Dieu, y compris sur ce phénomène démoniaque qui pourrait lui échapper. Un tel trait relève de l'initiative propre de la poétesse.

2. Pierre lée : (de *lata*) désignation de certains monuments mégalithiques qui se retrouve dans des toponymes comme Pierrelatte. Dans le contexte, il s'agit d'un menhir ou d'un dolmen. Notons qu'il existe une *Pierre lée* dans le Morbihan sur le site mégalithique de Monteneuf, à proximité de la forêt de Brocéliande.

3. Buisson : il s'agit peut-être d'un buisson d'épine (aubépine) qui, selon les croyances celtiques, marque toujours une frontière entre les deux mondes (humain

et divin). Le lai anonyme de l'*Épine* témoigne de l'importance du lien entre cet arbuste et le monde féerique.

4. Serment : la formule exprime ici l'engagement réciproque des amants de la *fine amor*. C'est une sorte d'équivalent courtois mais démarqué de l'engagement matrimonial.

Page 155.

1. Trahi : la responsabilité du drame est exclusivement reportée sur la femme infidèle et non sur le loup-garou présenté comme une victime.

Page 161.

1. Nez : au Moyen Âge, il était d'usage de couper le nez (ou l'oreille) des voleurs. Avoir le nez coupé était un signe infamant. Cette mutilation infligée par le loup-garou est donc un châtiment parfaitement prémédité.

Page 163.

1. Question : il s'agit bien de la torture « légale » pour obtenir des aveux.

Page 165.

1. Sans nez : la malédiction perpétuée de génération en génération s'apparente fort à un châtiment de type mythique (assez comparable à la boiterie dans la famille d'Œdipe).

Page 167.

1. Les sources du texte sont incontestablement mythiques. *Lanval* ressemble par bien des aspects au lai anonyme de *Graelent* qui doit remonter comme lui à une origine mythique commune : William H. Schofield, « The lays of *Graelent* and *Lanval* and the story of Wayland », *Publications of the Modern Language Association of America*, 15, 1900, p. 121-180. T. P. Cross, « The celtic elements in the lays of *Lanval* and *Graelent* », *Modern*

Philology, 12, 1914-1915, p. 585-644. William C. Stokoe, «The sources of Sir Launfal, Lanval and Graelent», *Publications of the Modern Language Association of America*, 63, 1948, p. 392-404. Marie-Thérèse Chotzen, «Emain Ablach, Ynis Awallach, Insula Avallonis, Isle d'Avallon», *Études celtiques*, 4, 1948, p. 255-274. C. Bullock-Davies, «Lanval and Avalon», *The Bulletin of the Board of Celtic Studies*, 23, 1969, p. 128-142. E. O'Sharkey, «The identity of the Fairy Mistress in Marie de France's *Lai de Lanval*», *Trivium*, 6, 1971, p. 17-25.

2. Cardeuil: il s'agit de Carlisle dans le Cumberland (nord-ouest de l'Angleterre). C'est l'une des résidences du roi Arthur (cf. Maurice Delbouille, «Caerlion et Cardeuil, sièges de la cour d'Arthur», *Neuphilologische Mitteilungen*, 66, 1965, p. 431-466).

3. Scots et Pictes: ces peuples occupaient l'actuelle Écosse et n'ont jamais été romanisés. C'étaient des ennemis traditionnels des Bretons romanisés qui, pour se protéger de leurs incursions, édifièrent le mur d'Hadrien puis celui d'Antonin de la Forth à la Clyde. Les guerres du roi Arthur contre les Pictes sont racontées par Geoffroy de Monmouth au chapitre 148 de son *Histoire des rois de Bretagne*.

4. Logres: désignation traditionnelle et littéraire de la Grande Bretagne, royaume d'Arthur.

5. Pentecôte: date traditionnelle pour la réunion de la cour d'Arthur et pour la reprise de la vie sociale après la solitude hivernale.

6. En été: dans les textes d'origine celtique, on ne connaît ordinairement que deux saisons: l'été et l'hiver. L'été commence en mai. Il inclut le printemps.

7. Présents: la fête est l'occasion pour le roi de montrer sa générosité, première qualité du souverain et vertu fondamentale qui fonde la légitimité de son pouvoir. Il est dans la nature d'un bon roi de donner généreusement parce qu'il garantit ainsi le bien-être et la prospérité de son royaume.

8. Table Ronde : l'expression paraît déjà traditionnelle chez Marie pour désigner la compagnie des chevaliers d'Arthur. Il sera question plus loin de la table circulaire autour de laquelle le roi a pris place. Il faut noter que *Lanval* est le seul lai de Marie de France où apparaissent Arthur et ses chevaliers.

9. Lanval : on a vu dans ce nom l'anagramme d'Avalon (île vers laquelle le chevalier sera emporté à la fin du récit) ou une contraction de LANcelot et PercevAL.

Page 169.

1. Rivière : la présence de l'élément liquide autour de la fée indique l'appartenance de celle-ci aux créatures féeriques des eaux.

2. Deux demoiselles : elles précèdent la dame et composent avec elle une triade. C'est probablement une représentation des déesses-mères, toujours représentées par trois sur les bas-reliefs et fresques de l'Antiquité gallo-romaine.

Page 171.

1. Lacées : les vêtements sont cousus ou lacés et non boutonnés.

2. Deux bassins : on présentait ordinairement deux bassins aux convives pour se laver les mains. Avec le premier bassin, le domestique versait de l'eau qui était ensuite recueillie dans le deuxième bassin.

3. Seigneur Lanval : le héros ne s'est pas encore présenté et les fées connaissent pourtant son nom. Il semblait en outre être attendu.

4. Sémiramis : cette reine de Babylone n'est certainement pas comparée par hasard à la fée rencontrée par Lanval. Grande constructrice de temples, de digues et de palais, Sémiramis fonda Babylone et se lança dans de grands travaux. Après avoir régné quarante-deux ans, elle remit le pouvoir à son fils et disparut sous forme de colombe. Le mythe de Sémiramis

s'apparente fort au mythe de la femme-fée ou femme-oiseau du folklore celtique.

5. Auguste : l'empereur est désigné en ancien français sous le nom d'Octavien qu'il a pris après avoir été adopté par César (Caius Julius Caesar Octavianus).

6. Aigle d'or : on songe déjà au symbole héraldique du pouvoir et de la souveraineté.

Page 173.

1. Je suis venue vous chercher : Lanval était prédestiné à rencontrer la fée. L'amour apparaît ainsi comme une relation unique entre deux êtres nécessairement appelés à se rencontrer.

Page 175.

1. Ne vous confiez à personne : formulation d'un interdit assez comparable à celui que l'on trouve dans la légende de Mélusine. La fée toute-puissante dicte sa loi. Cependant le motif mythique du tabou de parole rejoint une règle implicite de la *fine amor* qui exige la clandestinité absolue des amants.

Page 179.

1. Conséquence de la rencontre avec la fée, les hommes de Lanval si démunis jusque-là se trouvent soudain fort bien vêtus.

2. La saint-Jean : le 24 juin marque un tournant dans l'année ; c'est le moment du solstice d'été, véritable fracture du temps, qui introduit ici un renversement analogue dans l'existence de Lanval.

Page 181.

1. Yvain : le roi Lot, père de Gauvain, est également l'oncle d'Yvain.

2. La reine : le nom de Guenièvre n'est pas prononcé. La tentative de séduction sur la personne de Lanval s'accorde bien à son caractère d'épouse infi-

dèle, jalouse de sa beauté et imbue de son pouvoir de reine.

Page 185.

1. **Ami**: au sens courtois, c'est évidemment l'amant.

2. **Offensée**: ce motif n'est pas isolé en littérature. La femme repoussée se venge en accusant d'avances indécentes celui qu'elle voulait séduire. Dans la Bible, c'est le motif de la femme de Putiphar (*Genèse*, chap. 39).

Page 187.

1. **Trois de ses barons**: selon la coutume juridique dite de l'ajournement par ses pairs, un noble ne peut être convoqué devant un tribunal que par ses pairs. Pour tout le développement judiciaire qui va suivre, Marie de France suit avec précision la procédure en vigueur à son époque (cf. E.-A. Francis, «The trial in Lanval», *Studies in French Language and Mediaeval Literature presented to Professor Mildred K. Pope*, Manchester, 1939, p. 115-124 et Jean Rychner, *Le Lai de Lanval*, Paris et Genève, Droz, 1958, p. 78-84).

Page 189.

1. **Délibérer à part**: le roi ne peut prendre la décision seul. La délibération judiciaire est ici collégiale.

Page 191.

1. **Cautions**: ces personnages devront garantir que Lanval comparaîtra devant le tribunal et qu'il ne cherchera pas à s'enfuir. Faute de quoi, ce sont ces cautions qui seraient jugées en lieu et place de Lanval.

2. **Que vous tenez de moi**: Gauvain et ses compagnons cautionnent Lanval mais le roi ne les oblige pas à subir le châtiment infligé à Lanval au cas où celui-ci ferait défaut. Le roi ne retient en gage que les terres et les fiefs que Gauvain et ses amis détiennent du roi.

Page 193.

1. L'accusation et la défense : exposé des positions des deux parties en présence.

Page 195.

1. Au service du roi : le pacte d'aide et assistance réciproques conclu lors de l'hommage vassalique entre Lanval et Arthur sera ainsi rompu.

2. Table ronde : du latin *discus*. Cette table est le symbole de l'égalité entre le roi et ses chevaliers. Elle suppose le refus de toute préséance.

Page 201.

1. Blonds : le Moyen Âge se réfère à des canons de la beauté féminine plus septentrionaux que méditerranéens. Les cheveux blonds pour les femmes font partie des stéréotypes de cette beauté (sur les lieux communs du portrait en littérature : Alice Colby, *The Portrait in twelfth-century French literature*, Genève, Droz, 1965).

2. Épervier : cet oiseau de proie ne signifie peut-être pas seulement le contexte de la chasse (parfaitement évident ici). Le lien de l'épervier et du mythe de la fée est bien établi. Un conte du xiiie siècle rapporté en latin par Gervais de Tilbury raconte l'histoire d'une fée qui se transforme en épervier. L'épervier est aussi l'oiseau d'Artémis (Diane) et c'est aussi la traduction du nom grec de Circé, l'enchanteresse de l'*Odyssée*.

3. Lévrier : en apparaissant, telle Diane, sous les traits d'une chasseresse, la fée manifeste sa souveraineté, aux yeux de la cour. En même temps, Lanval est évidemment la proie qu'elle chasse.

Page 203.

1. Rousse : une chevelure rousse est un signe traditionnel de laideur et de méchanceté. C'est aussi la couleur ordinaire des cheveux des sorcières qui sont de mauvaises fées.

2. Dame : possède le sens courtois et social de « maîtresse ». On note que l'amie de Lanval n'est jamais
appelée « fée ». Il arrive toutefois que *dame* signifie fée
dans le folklore et la toponymie (par exemple, Chemin
des Dames).

Page 205.

1. Montoir : il s'agit d'un bloc de pierre qui permettait à des hommes en armes d'enfourcher plus facilement leur monture.

2. Avalon : c'est étymologiquement l'île des pommes
ou la pommeraie, île mythique de l'Autre Monde et
séjour des fées. Les pommes sont chez les Celtes un
fruit d'immortalité qui apporte donc aux habitants de
l'île une vie éternelle. Avalon est traditionnellement le
royaume de la fée Morgane. On peut donc penser que
la fée anonyme du lai de Lanval pourrait être Morgane
elle-même.

3. Emporté : motif féerique très discret. La fée et
Lanval se rendent à cheval dans cette île de l'Autre
Monde dans une cavalcade marine.

Page 206.

1. Les vers qui suivent sont rajoutés dans le manuscrit S (traduction n. 7 p. 207) :

> *Fiz ne fille fors li n'aveit ;*
> *Forment l'amot e chierisseit.*
> *De riches hommes fu requise,*
> *Ki volentiers l'eüssent prise ;*
> *Mais li reis ne la volt doner,*
> *Kar ne s'en poeit consirrer.*
> *Li reis n'aveit autre retur,*
> *Pres de li esteit nuit e jur.*

Page 207.

1. Normandie : c'est l'unique lai de Marie (avec *Milon*) qui mentionne cette province néanmoins voisine de la Bretagne et qui relevait du domaine contrôlé par Henri II Plantagenêt, dédicataire probable des *Lais*.

2. On raconte souvent : Marie fait référence à une tradition populaire et à une légende locale que certains travaux ont essayé de cerner : Oscar M. Johnston, « Sources of the lay of the *Two Lovers* », *Modern Language Notes*, 21, 1906, p. 34-39. Faith Lyons, « Marie de France, Ducis et *Les Deux Amants* : légende locale et genèse poétique », *Bulletin bibliographique de la Société internationale arthurienne*, 19, 1967, p. 119-127. Willem Noomen, « Le lai des *Deux amants* », *Mélanges Félix Lecoy*, Paris, 1973, p. 469-481. Jeanne Wathelet-Willem, « Les Deux Amants », *Mélanges Rita Lejeune*, Gembloux, 1969, p. 1143-1157. Yolande de Pontfarcy, « Le lai des *Deus Amanz* et la survie en Normandie d'un mythe celtique authentique », *Actes du XIVᵉ Congrès international arthurien*, Rennes, 1985, t. 2, p. 500-510. Pierre R. Grillo, « Folklore et hagiographie dans le lai des *Deux Amants* », *Romance Philology*, 64, 1991, p. 469-483.

3. Neustrie : ancien nom de la Normandie qui désignait primitivement toute la partie occidentale de l'empire de Charlemagne, résultant de la division en trois royaumes à la mort de l'empereur.

4. Escarpé : la côte dite des Deux Amants culmine aujourd'hui à cent trente-huit mètres des rives de la Seine qui passe en contrebas.

5. Son sommet : au XIIᵉ siècle existait sur cette colline un couvent d'augustins dédié à sainte Madeleine et connu sous le nom de Prieuré des Deux Amants.

6. Pîtres : actuellement commune du département de l'Eure, dans l'arrondissement de Louviers.

7. Les vers suivants se trouvent uniquement dans le manuscrit S et ont été sautés par le copiste du manus

crit H : « À part elle, il n'avait ni fils ni fille ; il l'aimait et la chérissait tendrement. De puissants seigneurs la demandèrent en mariage et l'auraient volontiers épousée. Mais le roi ne voulait la donner à personne car il ne pouvait s'en séparer. Elle était son seul réconfort et il se trouvait à ses côtés nuit et jour. » Ces vers ont-ils été censurés du manuscrit H ? En tout cas, ils insistent clairement sur l'amour incestueux de ce père pour sa fille.

Page 209.

1. La reine était morte : c'est le thème incestueux de *Peau d'âne* (conte folklorique) ou de la fille aux mains coupées dont il existe une version romanesque du XIIIᵉ s. (*La Manekine*) due à Philippe de Beaumanoir. Après la mort de sa femme, un roi se met à désirer sa propre fille parce que c'est la seule femme qui soit aussi belle que sa défunte épouse.

2. La mythologie grecque connaît plusieurs exemples d'héroïnes qui doivent être conquises grâce à une épreuve athlétique, en général une course (voir Atalante, Hippodamie).

Page 213.

1. Salerne : ville d'Italie du Sud (au sud-est de Naples) où se trouvait, aux XIᵉ et XIIᵉ siècles, une importante école de médecine qui grâce à ses savants arabes et juifs reçut l'héritage de la médecine grecque de l'Antiquité.

2. Herbes et racines : il s'agit d'une magie blanche plus que d'une magie noire. Cette doctoresse n'est pas une sorcière mais, à l'instar de fées comme Morgane, elle possède les pouvoirs traditionnels des femmes initiées en matière d'herbes et de simples.

3. Électuaires : il s'agit d'une préparation à base de poudres mélangées à du sirop et du miel. On lui reconnaissait une vertu tonique.

4. Breuvages : l'analogie avec l'histoire de Tristan

n'est qu'apparente. Il n'est pas question ici d'un philtre d'amour mais plutôt d'une boisson fortifiante.

Page 219.

1. Poitrine: l'ancien français emploie le mot *ventre* selon la terminologie ancienne. Selon le dictionnaire de Littré, le *ventre supérieur* était la cavité de la tête, le *ventre moyen* la poitrine et le *ventre inférieur* l'abdomen.

2. Profit: le folklore témoigne encore de la prospérité qui serait attachée à cet endroit. Au xixᵉ siècle, Pîtres était encore connu comme un site important où se perpétuaient d'anciennes pratiques rituelles autour d'une pierre qui a été déplacée et qui se trouve désormais au cœur du village. Cette pierre de grès rouge d'un mètre cinquante de longueur et de soixante centimètres de large était l'objet de vieilles pratiques superstitieuses. Les pèlerins en faisaient le tour, venaient y faire leurs dévotions et y déposer leurs offrandes. Pour guérir de leur maladie, ils se frottaient sur la pierre ou s'étendaient sur elle. On venait particulièrement soigner sur cette «Pierre de saint Martin» une maladie appelée la *patte d'oie* (ou *carreau*).

Page 221.

1. Lui atteint le cœur: comme dans le *Roman de Tristan* (dans la version de Thomas), c'est la jeune femme qui meurt d'amour sur le corps de son ami. Marie de France s'est-elle souvenue de cette scène?

2. Le nom de Deux Amants: Marie insiste sur l'aspect fondateur de cet épisode qui pourrait bien remonter à un ancien mythe celtique de souveraineté. Il arrive fréquemment que des mythes rapportent l'origine d'une désignation, d'une coutume ou d'une situation culturelle; c'est l'aspect étiologique du mythe.

Page 223.

1. Les sources de ce texte sont nettement mythiques comme l'ont souligné de nombreux travaux: Pietro

Toldo, «Yonec», *Romanische Forschungen*, 16, 1904, p. 609-629. Oscar M. Johnston, «Sources of the lay of *Yonec*», *Publications of the Modern Language Association of America*, 20, 1905, p. 322-338. Tom P. Cross, «The celtic origin of the lay of *Yonec*», *Revue celtique*, 21, 1910, p. 413-471. Alexander H. Krappe, «The myth of Balor with the evil eye and the lay of *Yonec*», dans: *Balor with the Evil Eye: Studies in Celtic and French Literature*, Columbia University, Institut des études françaises, 1927, p. 1-43. Robert N. Illingworth, «Celtic tradition and the *Lai of Yonec*», *Études celtiques*, 9, 1960-1961, p. 501-520. Philippe Walter, «Yonec, fils de l'ogre», dans: *Plaist vos oïr bone cançon vallant? Mélanges de langue et de littérature médiévales offerts à François Suard*, Dominique Boutet *et alii* éd., Lille, Éditions du Septentrion, 1999.

2. Yonec: ce nom signifie en gallois «désiré». C'est l'équivalent du prénom français Didier (*Desiderius*).

3. Muldumarec: selon Léon Fleuriot, ce nom viendrait du breton *mildu* «bête noire» et *marhec* «chevalier». On notera que l'autour, forme animale prise plus loin par le chevalier, a un plumage noirâtre. Il existe également dans la tradition armoricaine un géant nommé Mildu (cf. Muldu-) qui, en tant qu'être féerique de l'Autre Monde, pourrait bien être l'ancêtre mythique de Muldumarec.

4. Carwent: ville du sud du pays de Galles actuel, l'ancienne *Venta Silurum* des Romains. Toutefois, si l'on admet la localisation dans le Finistère (cf. note suivante), il faut rappeler que Brest a autrefois porté le nom de *Castra Legionum*, soit en breton Caerleon qui a pu être confondue avec Carwent.

5. Daoulas: il pourrait bien s'agir de la rivière actuelle du Finistère qui prouverait l'origine armoricaine du lai.

Page 225.

1. Jamais d'enfants : le motif de la stérilité est certainement d'origine mythique mais il apparaît ici comme la conséquence des mauvais traitements subis par cette femme.

2. Au début du mois d'avril : c'est-à-dire en fait à la mi-mars, au moment où l'on décompte les jours à partir des calendes d'avril. Comme le calendrier antique, le calendrier médiéval utilise un décompte à rebours.

Page 227.

1. Je tire sur une corde bien solide : il s'agit d'un proverbe traditionnel. Cf. Joseph Morawski, *Proverbes français antérieurs au xve siècle*, Paris, Champion, 1925, proverbe n° 68.

Page 229.

1. Autour : oiseau de proie qui était souvent dressé pour la chasse. Il conserve sur ses pattes les lanières qui ont servi à le dresser. La démarche au sol de l'autour est très élégante comparée à celle d'autres oiseaux de proie.

2. Chevalier : la métamorphose féerique témoigne de l'origine mythique du personnage qui est un roi de l'Autre Monde. Si les anciens mythes celtiques (irlandais en particulier) présentent souvent des femmes-oiseaux (comme dans le texte intitulé la *Maladie de Cuchulainn*), il existe également des hommes-oiseaux comme le roi Midir dans *La Courtise d'Etain* dont le texte présente quelques analogies intéressantes avec le lai de *Yonec* : une femme partagée entre deux maris, des métamorphoses en oiseaux, une fuite du couple amoureux dans l'Autre Monde.

Page 231.

1. Je suis venu ici : la fée du lai de *Lanval* tient les mêmes propos à son amant.

2. **Pomme amère**: selon l'interprétation théologique médiévale, le péché originel d'Adam a valu à l'humanité de connaître une «mélancolie» (*tristur*), c'est-à-dire un état d'abattement et d'abandon duquel l'homme peut s'échapper grâce à une foi sincère en Dieu.

Page 233.

1. **Seigneur Dieu**: autrement dit la communion; selon la tradition médiévale, elle ne peut être tolérée par une créature diabolique qui la fuit violemment.

2. **Credo**: l'une des prières essentielles de la messe contenant les articles fondamentaux de la foi chrétienne. Elle commence par les mots: *Credo in unum deum* «Je crois en un seul Dieu». Une créature diabolique refuserait de prononcer ces paroles.

3. **Notre Seigneur**: si l'oiseau était vraiment d'origine diabolique, il refuserait de communier au corps du Christ. Une légende mélusinienne de femme-oiseau racontée par Gautier Map (dans son recueil de contes latins *De nugis curialium*, chap. 9) rapporte que l'épouse féerique d'un jeune seigneur n'assistait jamais à la communion lorsqu'elle venait à la messe avec son mari. Elle finit par disparaître définitivement sous sa forme animale, témoignant ainsi de sa nature diabolique.

4. **Le vin du calice**: il s'agit d'une communion sous les deux espèces (hostie et vin du calice) qui se rencontre assez souvent dans la liturgie du XIIe siècle.

Page 235.

1. **Cette vieille nous trahira**: il ne s'agit pas d'une prémonition mais bien plutôt d'une prédiction. L'oiseau est devin.

2. **Mourir**: allusion prophétique à sa propre mort.

Page 243.

1. **Elle sortit**: par un heureux hasard, la dame peut soudain s'échapper sans mal de sa prison alors qu'elle

semblait étroitement surveillée. C'est l'indice d'un phénomène magique provoqué par l'oiseau-chevalier.

2. Vingt pieds de haut: environ six ou sept mètres.

3. Tertre: il s'agit très certainement d'un tumulus.
La tradition celtique fait souvent des tertres le séjour
des dieux de l'Autre Monde, des morts et des reve-
nants. Il s'agit d'une localisation possible de l'Autre
Monde.

Page 245.

1. Les bois en défens: il peut s'agir ici de chasses
gardées.

2. En or pur: cette richesse attachée à l'Autre Monde
est un trait constant de la mythologie celtique. Elle se
retrouve également dans la mythologie hellénique. Le
surnom rituel du dieu grec des Enfers est Pluton « le
donneur de richesses ».

Page 248.

1. Les vers qui suivent manquent dans les ms. H et S
et sont rajoutés dans les ms. P et Q:

> *Por lur seignur ki se mureit.*
> *Elle set bien que morz esteit.*

Page 249.

1. Vers rajoutés dans deux manuscrits: « à cause de
leur seigneur qui vient de mourir. Elle apprend ainsi sa
mort ».

Page 251.

1. L'adoubement est la cérémonie officielle de remise
des armes au nouveau chevalier. Un jeune homme est
généralement adoubé vers l'âge de quinze ans. Pour le
Moyen Âge, c'est l'âge de son passage dans la classe des
adultes.

2. Saint Aaron: ce saint chrétien (à ne pas confondre

avec le frère de Moïse dans la Bible) est fêté le 1ᵉʳ juillet. Le *Roman de Brut* du clerc anglo-normand Wace rapporte que ce saint martyr était bien honoré à Carlion avec saint Jules ; tous deux furent victimes de la persécution de Dioclétien.

3. Carlion : toujours selon le *Brut* de Wace, cette ville du Pays de Galles était le siège d'un évêché.

Page 253.

1. Chapitre : c'est le lieu où se réunissent les religieux pour délibérer sur leurs affaires communes.

Page 254.

1. Les vers qui suivent manquent dans les ms. H et S. et figurent dans Q et P (traduction ci-dessous, note 2, p. 255) :

> *Delez le cors de sun ami.*
> *Deus lur face bone merci !*

Page 255.

1. La tête de son beau-père : l'histoire de Yonec n'est pas sans analogie avec le mythe de Persée, fils de Danaé. Cette dernière est enfermée dans une tour d'airain puis fécondée par Zeus métamorphosé en pluie d'or (la mère de Yonec est enfermée dans une tour et fécondée par un oiseau-chevalier). Le fils de Danaé tue son grand-père Acrisios, geôlier de sa mère (Yonec tue son beau-père, lui aussi geôlier de sa mère).

2. Vers rajoutés dans deux manuscrits : « À côté du corps de son ami. Que Dieu leur fasse miséricorde ! » Ce bref détail des corps placés côte à côte dans leur cercueil peut rappeler les derniers vers du roman de *Tristan et Yseut* dans la version de Thomas où les amants, eux aussi couchés côte à côte lors de leurs derniers instants, célèbrent symboliquement leurs noces dans la mort.

Page 257.

1. Un lai: le vicomte Hersart de La Villemarqué donne, dans son *Barzhaz Breizh*, la version d'une ballade populaire du *Rossignol* qu'il a entendue vers 1850 dans les monts d'Arrée et en Léon. Voir notre notice. Par ailleurs, on notera qu'un récit des *Gesta Romanorum*, chap. 121, présente de nettes ressemblances avec l'histoire racontée dans ce lai. La jeune épouse d'un vieillard amoureuse d'un jeune homme se lève la nuit pour écouter le chant du rossignol. Le vieux mari tire une flèche sur le rossignol et donne le cœur de l'oiseau à manger à sa femme (c'est le thème du cœur mangé bien connu dans la littérature médiévale). Le jeune amant tue le mari jaloux et épouse la jeune veuve.

2. Laostic: selon La Villemarqué, Marie ou sa source auraient traduit le lai à partir du dialecte de la province du Léon (nord de l'actuel Finistère) car c'est le seul où le mot désignant le rossignol se soit toujours écrit et prononcé *eostik*. En Cornouaille, en Tréguier et dans le pays de Vannes, on a constamment écrit *estik* ou *est*. On devrait plutôt écrire *L'aostic* comme titre du lai mais, en redoublant l'article quelques vers plus loin (cf. *le laostic*), le texte semble témoigner d'une romanisation approximative du mot.

Page 259.

1. Maisons voisines: réminiscence possible de la légende de Pyrame et Thisbé qui habitent des maisons contiguës et vont chercher à se rencontrer par tous les moyens malgré l'interdit qui pèse sur leur amour.

Page 261.

1. Printemps: thème classique de la «reverdie» ou renaissance de la nature emprunté aux chansons de troubadours. Comparer à ce début de chanson de Guillaume d'Aquitaine: *Al la dolçor del temps novèl // Folhon li bosc, e li aucèl // Chanton chascus en lor lati.*

«Dans la douceur de la prime saison, feuillent les bois et les oiseaux chantent, chacun dans son langage.»

2. *Le rossignol* : c'est l'un des oiseaux favoris de la poésie lyrique des troubadours. Cf. ce début d'une chanson de Bernard de Ventadour : *La doussa votz ai auzida // Del rossinholet sauvatge, // Et es m'ins el cor salhida // Si que tot lo cossirrèr // E'ls mals trachz qu'Amors me dona.* «J'ai entendu la douce voix du rossignolet sauvage et elle m'est entrée au fond du cœur, si bien qu'elle adoucit et apaise les soucis et les tourments qu'amour me donne.»

Page 263.

1. *Son chant si doux* : l'assimilation de l'amant au rossignol peut rappeler un texte tristanien intitulé le *Donnei des amants* où Tristan imite le chant du rossignol pour attirer Yseut à ses rendez-vous nocturnes.

Page 265.

1. *Leur histoire était brodée* : la confection d'une telle broderie se retrouve dans les *Métamorphoses* d'Ovide (VI, 576-578). Dans des circonstances analogues Philomena raconte à travers une broderie son aventure malheureuse à sa sœur Procné.

Page 267.

1. *Châsse* : le cadavre du rossignol devient une sainte relique. Dans une église, la châsse conserve ordinairement les restes des saints, surtout des martyrs.

Page 269.

1. *Commencer différemment* : rappel d'un principe de rhétorique. La variété est une condition du beau style.

2. *Milon* : ce nom peut rappeler celui du célèbre athlète grec Milon de Crotone, invincible à la lutte et plusieurs fois vainqueur aux jeux Olympiques. Il y a la

même vertu athlétique et chevaleresque chez le Milon de Marie de France. Le nom se rattache toutefois à la racine celtique *mil* (« soldat ») empruntée au latin *miles* de même sens.

3. Le sud du pays de Galles : c'est aussi le lieu de naissance que Marie indique pour Tristan (cf. *Chèvrefeuille*, v. 16).

4. Comme nous l'avons vu (n. 1, p. 251), l'adoubement a lieu vers l'âge de quinze ans.

5. Jutland : ce pourrait être l'actuelle péninsule danoise mais le terme peut aussi désigner l'île de Gotland dans la Baltique.

6. Logres : désignation littéraire de la Grande Bretagne. Arthur est toujours présenté comme le souverain du royaume de Logres.

7. Albanie : désignation traditionnelle de l'Écosse dans les textes du XIIᵉ s.

Page 271

1. L'aimer : exemple de l'*amour de loin* troubadouresque mais dans sa variante féminine cette fois. Une dame tombe amoureuse d'un homme sans jamais l'avoir vu.

Page 273.

1. Sa sœur : l'importance de la famille maternelle est soulignée par ce détail.

2. Même série de motifs dans le récit mythologique irlandais intitulé : *Le Meurtre du fils unique d'Aïfé*. Le néros Cuchulainn aime une belle princesse qu'il abandonne alors qu'elle est enceinte. Il la charge de former son fils au métier des armes et de l'envoyer ensuite au pays de son père (en Ulster) où il devra se faire reconnaître au moyen d'une chaîne en or que Cuchulainn remet à son amie avec un certain nombre d'injonctions : toujours cacher son nom à un ennemi, ne jamais refuser le combat à un chevalier sous le soleil. Finale-

ment Cuchulainn tuera son fils sans l'avoir reconnu au cours d'un combat singulier. Ce texte en vieil irlandais a été traduit en français par Christian Guyonvarc'h dans la revue *Ogam*, 9, 1957, p. 115-121.

Page 277.

1. Un mari : l'amie de Milon appartient donc à la catégorie des mal mariées, bien représentée dans les lais.

2. Entre nous : selon la tradition des troubadours, la *fine amor* est toujours une liaison clandestine.

3. Haïssent : c'est l'incarnation classique des losengiers (ou médisants), personnages obligés dans la *fine amor*, qui nuisent au bonheur des amants.

Page 279.

1. Cygne : le même motif se retrouve dans le conte gallois de *Branwen*. L'héroïne, injustement punie, élève un étourneau sous les ailes duquel elle dissimule des lettres à l'intention de son frère pour qu'il vienne la délivrer. Dans un épisode du *Mahâbharata*, un cygne sert également de messager d'amour entre le prince Nala et la princesse Damayanti. Oiseau migrateur, le cygne possède de nets caractères psychopompes. Il circule entre le monde humain et l'Autre Monde dont il est un médiateur (voir, par exemple, la légende du Chevalier au cygne). C'est également l'oiseau solaire d'Apollon (on a vu que Milon pouvait, à travers son nom, posséder des traits apolliniens).

2. Carlion : il s'agit de Caerleon-on-Usk dans le Monmouthshire (Pays de Galles). Cette ville est par ailleurs étroitement associée à la géographie imaginaire de la légende arthurienne.

Page 287.

1. Southampton : port sur la Manche dans le Hampshire. Au XIIe siècle, cette ville entretenait d'étroites relations maritimes avec la Normandie.

2. Barfleur : port de Normandie (dans l'actuel département de la Manche). La ville est mentionnée dans le *Brut* de Wace.

Page 291.

1. Mont Saint-Michel : célèbre mont normand plusieurs fois associé à des combats spectaculaires dans la littérature médiévale (le roi Arthur y affronte un géant dans le *Brut* de Wace et son modèle latin). Vers le VIIIe siècle, l'Église y fixe le culte de saint Michel qui, selon l'*Apocalypse* de saint Jean, combat le dragon infernal.

Page 293.

1. Si bien se comporter : c'est l'application directe du proverbe : « Bon sang ne saurait mentir. » La mentalité médiévale admet volontiers que la valeur chevaleresque est héréditaire.

2. Ventaille : partie de la cotte de maille protégeant la gorge et le menton.

Page 295.

1. Un homme de votre âge : le motif du combat incognito d'un père contre son fils est un thème bien connu des récits médiévaux et de la mythologie en général : M. Potter, *Sohrab and Rustem : the epic theme of a combat between father and son ; a study of its genesis and use in literature and popular tradition*, Londres, Nutt, 1902. J. Witthoff, *Das Motiv des Zweikampfes zwischen Vater und Sohn in der französischen Literatur*, Nuremberg, 1921.

Page 303.

1. Nantes : la ville appartenait au domaine des Plantagenêts sur le continent. C'était une ville contrôlée par Henri II, roi d'Angleterre et probable dédicataire des lais.

Page 305.

1. Quatre : un *partimen* (débat) entre trois troubadours nommés Savaric de Mauléon, Gaulcem Faidit et
Uc de la Bacalaria présente le même cas de figure : une
dame possède trois soupirants et fait semblant de les
aimer tous les trois. Voici la traduction du début de
cette pièce (dont on lira l'intégralité dans Pierre Bec,
Anthologie des troubadours, Paris, 10/18, 1979, p. 47-
50) : « Gaucelm, je vous propose, à vous et à Uc, trois
jeux d'amour. Que chacun de vous choisisse le meilleur
et me laisse l'autre à son gré. Une dame a trois soupirants et leur amour la tourmente tant que, lorsqu'ils
sont tous trois devant elle, elle fait mine de les aimer
tous. Elle regarde l'un avec amour, serre doucement la
main de l'autre et touche en souriant le pied du troisième. Dites auquel des trois, dans ces conditions, elle
témoigne le plus grand amour. »

Page 307.

1. Gages d'amour : les chevaliers servants portaient
lors des tournois un signe distinctif (une manche de
vêtement, un fanion, etc.) qui leur avait été remis par
leur dame et qu'ils arboraient fièrement, d'une part
pour se faire reconnaître dans la mêlée, d'autre part
pour marquer leur dévotion entière à leur dame.

2. Après Pâques : la reprise de la vie militaire a lieu
au printemps et après la trêve pascale imposée par
l'Église pour limiter les excès néfastes de ces joutes fra-
tricides.

Page 309.

1. Chevaliers du dehors : Marie de France fait allusion à un tournoi par équipes qui oppose deux camps.

2. Destriers : ce n'est donc pas l'appât du gain qui
les retient. Beaucoup de chevaliers se rendaient dans
les tournois pour récupérer du butin (armes et chevaux) aux dépens de leurs adversaires vaincus.

Page 311.

1. Cuisse : cette blessure suggère très certainement une mutilation sexuelle du personnage, entraînant son impuissance.

2. Ventaille : voir n. 2 p. 293.

Page 317.

1. Cette discussion sur un titre s'apparente au type de débat que l'on trouve parfois dans la poésie des troubadours, en particulier dans le genre dénommé *partimen* ou *jeu-parti*. Sur cette imprégnation troubadouresque de l'œuvre de Marie de France : Francine Mora-Lebrun, « Marie de France, héritière de la lyrique des troubadours : l'exemple du Chaitivel », *Travaux de Linguistique et de Littérature*, 24-2, 1986, p. 20-30. Paul Verhuyck et R. Harper, « Marie de France, *Le Chaitivel* et Marcabru », *Neophilologus*, 74, 1990, p. 178-191.

Page 319.

1. Sur les sources de ce texte existe une abondante littérature : Gertrud Schoepperle, *Chievrefoil*, *Romania*, 38, 1909, p. 196-218. George Frank, « Marie de France and the Tristram legend », *Publications of the Modern Language Association of America*, 63, 1948, p. 405-411. Stefan Hofer, « Der Tristanroman und der Lai *Chievrefueil* der Marie de France », *Zeitschrift für romanische Philologie*, 69, 1953, p. 129-131. Maurice Cagnon, *Chievrefueil* and the ogamic tradition, *Romania*, 91, 1970, p. 238-255.

2. Composé : le verbe *trové* signifie ici « composer (une œuvre poétique) ». Il remonte au verbe *tropare* venant lui-même de *tropus* (« trope, figure de rhétorique »). Le troubadour (dans le Midi de la France) ou le trouvère (au nord de la France) est étymologiquement celui qui compose (« trouve ») des chansons. Marie de France est ainsi à l'école des trouvères.

3. Parfait : traduit le terme *fine* qui suggère évidem-

ment l'expression de *fine amor*, désignation traditionnelle de l'amour sublime chanté par les troubadours.

4. Le même jour : parmi les textes tristaniens
conservés en vers français (de la deuxième moitié du
XIIe siècle), seule la version due à Thomas d'Angleterre
mentionne la mort des amants. Tristan et Yseut y meurent effectivement le même jour, comme le rappelle ce
lai.

5. Chassé de son royaume : dans les versions écrites
conservées de la légende tristanienne, le roi Marc ban-
nit effectivement son neveu à plusieurs reprises pour
l'éloigner d'Yseut. On peut donc situer approximative-
ment dans la légende l'épisode raconté dans le lai. Il
prend place après le mariage de Marc et d'Yseut et
après la dénonciation des amants adultères au roi. Il
serait parallèle aux épisodes racontés dans les *Folie
Tristan* (voir *Tristan et Yseut. Les premières versions
européennes*, édition sous la direction de Christiane
Marchello-Nizia, Paris, Gallimard, 1995, La Pléiade).

6. Sud du pays de Galles : selon d'autres textes, le
pays natal de Tristan serait le Loënois, c'est-à-dire le
sud de l'Écosse, entre l'estuaire de la Forth et la rivière
Tweed (voir Ernest Brugger, « Loenois as Tristan's
home », *Modern philology*, 22, 1924-1925, p. 159-191).

Page 321.

1. Cornouailles : Tintagel est la résidence ordinaire
du roi Marc qui a épousé Yseut.

2. Pentecôte : d'après les romans arthuriens, c'est
l'une des dates traditionnelles de réunion de la cour du
roi Arthur. Celle du roi Marc suit les mêmes usages.

3. Coudrier : chez les anciens Celtes, cet arbre servait à diverses opérations de magie divinatoire. C'était
l'arbre de science par excellence (cf. Françoise Le Roux
et Christian Guyonvarc'h, *Les Druides*, Rennes, Ouest-
France, 1986, p. 156-157). Dans le folklore, il restera
longtemps utilisé pour la confection de baguettes

magiques utilisées dans la recherche des sources et des trésors souterrains.

4. Son nom : comme l'ont montré de nombreuses études (cf. n. 1, p. 319), graver des *ogams* (v. n. 3, p. 323) est un acte à caractère magique dans l'ancienne tradition celtique. Pour Tristan, c'est ici un moyen d'attirer magiquement Yseut vers le bâton entaillé.

Page 323.

1. Un moyen similaire : c'est peut-être une allusion à l'épisode des copeaux de bois (conservé dans certaines versions de la légende). Ils permettent aux amants de communiquer à distance. En voyant les copeaux jetés dans un ruisseau qui passe dans sa tente, Yseut comprend que Tristan lui fixe un rendez-vous. Il pourrait aussi s'agir d'un rite à caractère magique : les inscriptions magiques (ogams) sur la baguette auraient pour mission d'arrêter net le cortège de la reine à l'endroit précis où se trouve Tristan. À l'appui de cette interprétation, on pourrait rappeler cette superstition normande : un bâton de coudrier sur lequel ont été gravés des caractères magiques a le pouvoir d'arrêter net un équipage qui ne peut repartir ensuite que lorsque le conducteur a frappé avec un marteau sur chaque pied des chevaux (Éloïse Mozzani, *Le Livre des superstitions. Mythes, croyances et légendes*, Paris, Laffont, 1995, p. 1214).

2. Explication détaillée : l'expression *summe de l'escrit* est utilisée à propos de bâtons entaillés utilisés pour conclure des ventes ou sceller des contrats au Moyen Âge.

3. Message : il est difficile d'admettre qu'un aussi long message puisse être écrit sur le bâton. En revanche, une lettre envoyée jadis à Yseut faisait allusion à la situation des amants en usant du même symbole floral. Quant à l'inscription elle-même, rien n'indique qu'elle utilise les lettres ordinaires. Au contraire, le geste de

Tristan semble se rattacher à un antique usage celtique. Avant l'alphabet latin, les Celtes possédaient une écriture spéciale (conservée jusqu'au VIIᵉ siècle) utilisant des entailles. On gravait sur des baguettes des caractères spéciaux (nommés *ogams*) dont les signes étaient composés de lignes obliques ou verticales coupant une ligne horizontale, un peu à la manière des runes scandinaves. Marie explicite donc ici le sens de tous ces éléments symboliques.

4. Le chèvrefeuille : il s'agit très certainement d'une espèce grimpante dont les fleurs exhalent une odeur envoûtante (en anglais, *honeysuckle*, « suc de miel ») et dont les branches s'enroulent en spirale autour des troncs minces des arbrisseaux.

5. Vivre ensemble : le symbolisme nuptial du coudrier est ancien. Dans l'Antiquité (selon Pline), on brûlait des torches de noisetier lors des noces. Il était d'usage dans l'ancienne France de déposer des noisettes près de la couche nuptiale.

6. Ni moi sans vous : on a retrouvé sur deux cordons de soie tissés au douzième siècle un message d'amour qui rappelle la devise du *Chèvrefeuille* : « *Jo sui druerie* ("gage d'amour") // *Ne me donnez mie.* // *Ki nostre amur deseivre* // *La mort pu(ist ja receivre).* » Traduction : « Je suis un gage d'amour. Ne me donnez à personne. Celui qui voudra briser notre amour, qu'il reçoive la mort » (voir le *Bulletin de l'École des Chartes*, 14, 1853, p. 56-62).

7. Brangien : dans tous les textes, Brangien est la fidèle servante d'Yseut, toujours complice des amants. Elle a sacrifié sa virginité en prenant la place d'Yseut dans le lit du roi Marc, lors de la nuit de noces.

Page 325.

1. La double transmission, orale puis écrite, de ce récit légendaire est bien soulignée par Marie.

2. Harpe : Tristan est bien connu pour ses talents

musicaux dans toute la littérature médiévale. Il joue tantôt de la vielle, instrument des jongleurs, tantôt comme ici de la harpe, instrument mentionné dans les plus anciens textes de la mythologie celtique et parfois doué de pouvoirs magiques.

3. Nouveau lai : Tristan est donc le premier « auteur » du lai musical que Marie vient de rappeler. Autorité fictive, il va sans dire, mais qui justifie l'entreprise de commémoration tentée par Marie : le conte relate les circonstances de la création du lai.

4. *Gotelef* : ce titre anglais du lai correspondrait à l'anglais moderne *goatleaf*.

Page 327.

1. Sur les sources folkloriques de ce texte : Alfred Nutt, « The lay of *Eliduc* and the Märchen of Little Snow-White », *Folklore*, 3, 1892, p. 26-48. Gaston Paris, « La légende du mari aux deux femmes », *La Poésie au Moyen Âge*, Paris, 1895, p. 105-130. René Basset, « La légende du mari aux deux femmes », *Revue des traditions populaires*, 16, 1901, p. 614-616. John E. Matzke, « The lay of *Eliduc* and the legend of the husband with two wives », *Modern Philology*, 5, 1907-1908, p. 211-239. W. A. Trindade, « The man with two wives : Marie de France and an important irish analogue », *Romance Philology*, 27, 1973-1974, p. 466-478. *Ille et Galeron*, un roman en vers du XIIIᵉ siècle écrit par Gautier d'Arras, reprend la même trame narrative que le lai d'*Éliduc*.

2. Éliduc : le nom paraît d'origine bretonne. Le nom d'Éliduc est en fait celui de *Liduc*, issu du vieux breton *litoc* dérivé de *lit* « fête, bon accueil ». Éliduc signifierait alors « celui qui a le cœur en fête, celui qui fait bon accueil » voire « celui à qui on fait bon accueil ».

3. *Ses services*: Éliduc est un mercenaire qui vit de *soldes* (cf. le mot soldat).

Page 329.

1. *Ha*: conjonction de coordination bretonne. Elle prouve ici l'authenticité du titre breton du lai et *a fortiori* l'existence de ce lai. Le nom de Guildeluec est à comprendre comme un composé de deux mots vieux breton : *guil* «modeste, honnête» et *deluoc* «forme, aspect». Guildeluec est donc la femme «d'aspect aimable» (cf. Léon Fleuriot, *Dictionnaire des gloses en vieux breton*, Paris, Klincksieck, 1964, p. 191).

2. *Forestier*: gardien du domaine des chasses seigneuriales.

Page 331.

1. *Proverbe*: *Les Proverbes au vilain* ont été transcrits à la fin du XIIe siècle. Ils constituent un recueil traditionnel de maximes censées illustrer la sagesse populaire. Ici, le proverbe signifie évidemment qu'un fief est accordé pour toute la vie du bénéficiaire et de ses héritiers tandis que la faveur du seigneur peut être retirée à chaque instant.

2. *Logres*: comme nous l'avons déjà vu, désignation traditionnelle de l'Angleterre dans les textes littéraires.

3. *Dix chevaliers*: Éliduc et ses dix compagnons peuvent faire penser aux Fianna irlandais. Ces guerriers-chasseurs errants proposaient leurs services comme mercenaires de divers rois. Les récits légendaires qui les concernent forment un cycle où le personnage de Finn tient un rôle central.

4. *Totness*: port du Devonshire, au sud-ouest de l'Angleterre.

Page 333.

1. *Exeter*: ville du sud de l'Angleterre, principale ville du Devonshire. C'est l'ancienne *Isca Dumnonio-*

rum des Romains. On la retrouve mentionnée ainsi que Totness dans le *Brut* de Wace.

Page 357.

1. Échecs : le jeu est apparu en Occident aux environs de l'an mille. C'est le jeu royal par excellence. Il s'y attache symboliquement l'idée de l'initiation à la royauté.

Page 363.

1. Tous les deux peut-être : l'idée peut rappeler la devise tristanienne du *Chèvrefeuille* : « Ni vous sans moi, ni moi sans vous. » Les analogies entre les personnages d'Éliduc et Tristan sont réelles. L'un et l'autre sont partagés sentimentalement entre deux femmes qui portent presque le même nom (Guildeluec et Guilliadon, Yseut la Blonde et Yseut aux Blanches Mains).

Page 375.

1. Manteau : selon la mode du temps, on n'enfilait pas le manteau mais on le portait agrafé sur l'épaule.

Page 377.

1. Saint Nicolas : patron des marins et des marchands, c'est un saint bien connu dans le monde anglo-normand. Wace écrivit une *Vie de saint Nicolas* en anglo-normand vers le milieu du XIIe siècle.

2. Saint Clément : il s'agit ainsi d'attirer la clémence du ciel. Au Moyen Âge, c'est souvent le nom du saint qui définit ses pouvoirs.

3. Jeter à la mer : vieille croyance populaire selon laquelle la présence à bord d'un navire d'une personne coupable d'un méfait entraîne un malheur pour ce navire. La mort du coupable doit entraîner la fin de la calamité. Le motif n'est pas spécialement celtique puisqu'on le retrouve dans la Bible (*Livre de Jonas*) mais

aussi dans l'*Électre* d'Euripide et dans un grand nombre de contes un peu partout dans le monde.

Page 381.

1. Un saint ermite : cet homme des bois va apparaître comme le substitut christianisé des génies préchrétiens de la forêt (faunes et sylvains) auprès desquels on intercédait pour obtenir une guérison ou une faveur spéciale. Au xiiie siècle, le dominicain Étienne de Bourbon raconte en effet qu'on se rendait encore dans certaines forêts pour accomplir des rites superstitieux permettant de rendre la santé à des enfants malades, en invoquant les faunes et les génies sylvestres (cf. Pierre Saintyves, *En marge de la légende dorée*, Paris, Laffont, 1987 (réédition), p. 816-830). C'est à un rite semblable que s'adonne Éliduc dans une forêt christianisée cette fois. Il s'agit de rendre force et vigueur à son amie.

Page 383.

1. Devant l'autel : lors de l'office des funérailles (qui ne peut avoir lieu ici puisque l'ermite est décédé), le corps du défunt est placé de la sorte devant l'autel.

Page 389.

1. Belette : la mythologie celtique de la belette passe par le personnage de Ness (nom de l'animal en irlandais). Ness engendre le roi Conchobar en étant fécondée par un liquide qu'elle a absorbé. Voir le texte mythologique irlandais intitulé : *La Naissance du roi Conchobar*.

2. Frappée : le fait de passer sur un cadavre constitue une profanation. Selon les croyances populaires irlandaises, il faut sacrifier tout animal qui passe sur un cadavre. En Écosse, après un décès, l'usage veut qu'on enferme les animaux domestiques parce que, s'ils sautaient sur le cadavre, ils rendraient aveugle la première personne qu'ils rencontreraient par la suite.

Page 391.

1. Ressuscita : la croyance se retrouve chez le géographe médiéval Giraud de Barri dans sa *Topographia Hibernica*, livre 1, chap. 27 (datant de 1188) : « Si ses petits encore dans l'âge tendre meurent d'une blessure, la belette les soigne et les ramène à la vie grâce à un crocus (...) elle prend la fleur dans sa bouche et l'applique, en soufflant, d'abord à la blessure puis à la bouche et au nez et successivement à tous les orifices du petit corps. »

2. Dormi : certaines versions méridionales de la Belle au Bois dormant font intervenir un animal pour réveiller la Belle. On note en outre que la belette est un animal psychopompe dans de nombreux mythes et légendes, au même titre que la mangouste, l'ichneumon, l'hermine, le putois et le lévrier. Selon Pline, elle pouvait tuer le monstre appelé basilic. Dans les croyances populaires bretonnes, la belette porte chance lorsqu'elle pénètre dans une maison.

Page 397.

1. Entra en religion : c'est la tradition du *moniage* bien connue dans la littérature médiévale, surtout les chansons de geste (*Moniage Guillaume*). Après s'être illustré dans la carrière des armes, un héros finit sa vie dans une abbaye en se convertissant de manière définitive aux valeurs religieuses. Cette conclusion monastique du lai (et du recueil complet des lais tel qu'il figure dans le manuscrit du British Museum) a incité parfois la critique à penser que Marie de France aurait pu être abbesse.

DOSSIER

Tous les papiers utilisés pour les ouvrages
des collections Folio sont certifiés
et proviennent de forêts gérées durablement.

Impression Maury Imprimeur
45330 Malesherbes
le 30 août 2022
Dépôt légal : août 2022
1ᵉʳ dépôt légal dans la collection : février 2020
Numéro d'imprimeur : 265058

ISBN 978-2-07-288456-6 / Imprimé en France.

554614